L'AUTEUR :

Edward Snowden est né à Elizabeth City, Caroline du Nord, et a
grandi à l'ombre de Fort Meade, dans le Maryland. Ingénieur système de formation, il a été officier au sein de la CIA et a travaillé
comme sous-traitant pour la NSA. Il a reçu plusieurs distinctions
pour son engagement dont le prix Nobel alternatif, le prix des lanceurs d'alerte en Allemagne, le Prix Ridenhour pour la Vérité, et la
médaille Carl von Ossietzky de la Ligue internationale des droits
de l'homme. Il est actuellement président du conseil d'administration de the Freedom of the Press Foundation.

MÉMOIRES VIVES

EDWARD SNOWDEN

MÉMOIRES VIVES

TRADUIT DE L'ANGLAIS (ÉTATS-UNIS)
PAR ÉTIENNE MENANTEAU ET AURÉLIEN BLANCHARD

ÉDITIONS DU SEUIL
57, rue Gaston-Tessier, Paris XIXᵉ

Titre original : *Permanent Record*
Éditeur original : Metropolitan Books, New York
ISBN original : 978-1-25-023-723-1
© 2019 by Edward Snowden

ISBN 978-2-02-144104-8

© Éditions du Seuil, septembre 2019, pour la traduction française

www.seuil.com

À L.

Préface

J e m'appelle Edward Joseph Snowden. Avant, je travaillais pour le gouvernement mais aujourd'hui, je suis au service de tous. Il m'a fallu près de trente ans pour saisir la différence et quand j'ai compris, ça m'a valu quelques ennuis au bureau. Résultat, je passe désormais mon temps à protéger les gens de celui que j'ai été : un espion de la Central Intelligence Agency (CIA) et de la National Security Agency (NSA), un informaticien spécialisé parmi d'autres qui cherchait à construire un monde dont il ne doutait pas qu'il serait meilleur.

Ma carrière dans les services de renseignement américains n'aura en tout duré que sept ans, c'est-à-dire, et j'en suis surpris, un an de plus seulement que le temps passé en exil dans un pays que je n'ai pas choisi. Durant ces sept ans, cela dit, j'ai pu participer au changement le plus important de l'histoire de l'espionnage américain – le passage de la surveillance ciblée à la surveillance de masse de populations entières. J'ai donc aidé à rendre techniquement possible, pour un gouvernement, de recueillir l'ensemble des données numériques qui circulent dans le monde, de les conserver indéfiniment et de s'y reporter quand il le désire.

Après les attentats du 11 septembre 2001, les services de renseignement s'en sont terriblement voulu de ne pas avoir su protéger l'Amérique et de l'avoir exposée à l'agression la plus destructrice depuis Pearl Harbor. En réponse, leur direction a cherché à mettre en place un système qui leur éviterait de se laisser prendre encore une fois au dépourvu. Au fondement de ce dernier se trouvait l'informatique, un domaine étranger à leur armée de spécialistes en sciences politiques et autres gestionnaires qui frayaient dans ce milieu. Les jeunes informaticiens comme moi ont été accueillis à bras ouverts au sein des services les plus secrets, et le monde entier est devenu le terrain de jeu des *geeks*.

S'il y a bien quelque chose que je maîtrisais, c'était l'informatique, tandis j'ai vite pris du galon. À 22 ans, la NSA m'a donné accès pour la première fois à des informations ultrasecrètes alors que j'occupais un poste très modeste dans l'organisation. Moins d'un an plus tard, je travaillais pour la CIA en tant qu'ingénieur système, à un bureau où j'avais accès à certains des réseaux les plus sensibles au monde. J'étais placé sous l'autorité d'un type qui passait le plus clair de ton temps à lire des romans d'espionnage de Robert Ludlum et Tom Clancy.

Les services secrets s'affranchissaient allègrement de leurs propres règles dès qu'il s'agissait de recruter des informaticiens de qualité. Normalement, on ne pouvait travailler chez eux qu'à partir de la licence, ou au moins avec un diplôme de fin de premier cycle universitaire, ce qui n'était pas mon cas. Autrement dit, je n'aurais jamais dû avoir accès à leurs locaux.

De 2007 à 2009, j'ai été affecté à l'ambassade américaine à Genève. Sous couverture diplomatique, j'étais l'un des rares spécialistes chargés de faire entrer la CIA dans le monde de demain, en raccordant toutes ses agences européennes à Internet et en numérisant et en automatisant le réseau grâce par lequel le gouvernement américain espionnait. Les gens de ma génération n'ont donc pas seulement repensé le travail des services de renseignement, ils ont entièrement redéfini la nature des renseignements. On n'avait pas affaire à des rencontres clandestines ou à des cachettes secrètes mais à des données.

L'année de mes 26 ans, j'étais officiellement employé chez Dell alors que je travaillais de nouveau pour la NSA. En guise de couverture, on m'avait engagé en tant que prestataire de services, comme la plupart de mes acolytes espions informaticiens. On m'a envoyé au Japon participer à la mise au point d'un système de sauvegarde à l'échelle mondiale, un gigantesque réseau secret grâce auquel on ne perdrait absolument aucune donnée même si une explosion nucléaire réduisait en cendres le siège de la NSA. Je ne me rendais pas compte que la mise en place d'un système permettant un archivage permanent de la vie de chacun était une tragique erreur.

À 28 ans, de retour aux États-Unis, j'ai bénéficié d'une promotion fulgurante dans l'équipe de liaison qui servait de passerelle entre Dell et la CIA. On attendait de moi que j'aide les responsables des départements techniques de la CIA à résoudre tous les problèmes susceptibles de leur venir à l'esprit. Mon équipe a contribué à la mise au point d'un nouveau système informatique, un *cloud*, le premier dispositif technologique permettant à n'importe quel agent, où qu'il soit, d'accéder aux données dont il a besoin, où qu'elles se trouvent.

En résumé, un travail pour recueillir une foule de renseignements laissait place à un travail dont le but était de trouver les moyens de les stocker indéfiniment, et enfin à un travail pour s'assurer qu'on pourrait les consulter n'importe où et n'importe quand. C'est à Hawaï, l'année de mes 29 ans, que tout cela m'est apparu clairement alors que je m'étais m'installé là-bas pour honorer un nouveau contrat avec la NSA. Jusqu'alors, je me contentais dans mes fonctions de m'atteler aux tâches qui m'étaient assignées ; elles étaient spécialisées et compartimentées et j'étais incapable de saisir le tableau d'ensemble. Il a fallu que je me rende dans ce cadre paradisiaque pour saisir la logique qui sous-tendait ma mission : la mise en place d'un système de surveillance de masse global.

Dans un tunnel creusé sous un champ d'ananas et qui abritait, à l'époque de Pearl Harbor, une usine où l'on construisait des avions, j'étais installé devant un terminal qui me donnait un accès quasi illimité aux communications de n'importe qui ayant composé un numéro de téléphone ou pianoté sur un ordinateur. Parmi eux, il y avait les 320 millions d'Américains, mes compatriotes, qui étaient quotidiennement épiés, en violation flagrante non seulement des principes de la Constitution américaine mais aussi des valeurs fondamentales de toute société libre.

Si vous lisez cet ouvrage, c'est que j'ai fait quelque chose de dangereux dans la position qui était la mienne : j'ai décidé de dire la vérité. J'ai rassemblé des documents internes montrant que les services de renseignement violaient la loi, puis je les ai remis à des journalistes qui les ont épluchés avant de les publier, ce qui a créé un scandale mondial.

Ce livre raconte ce qui m'a amené à prendre cette décision, les principes moraux et les règles éthiques qui l'ont guidée, et comment ils sont nés. Il est donc aussi question ici de ma vie.

De quoi est faite une vie ? Une vie ne se résume pas à nos paroles, ni même à nos actes. Une vie, c'est aussi ce que nous aimons et ce en quoi nous croyons. Ce à quoi personnellement je tiens le plus et qui me procure la plus grande émotion, c'est le contact, le contact humain et les moyens techniques qui nous permettent de l'établir. Cela inclut les livres, bien sûr. Mais pour ma génération, ça renvoie d'abord et avant tout à Internet.

Avant que vous bondissiez – je connais bien la folie toxique qui s'est emparée de cette ruche –, rappelez-vous que lorsque je l'ai découvert, Internet était bien différent. C'était alors un ami, quelqu'un de la famille. Une communauté ouverte, une voix parmi des millions d'autres, une frontière commune qu'avaient instaurées, sans en tirer parti, les diverses tribus qui se côtoyaient et vivaient en harmonie, et dont les membres étaient libres de choisir leur nom, leur histoire et leurs coutumes. Tout le monde avançait masqué, mais cette culture de l'anonymat qui s'exprimait par le biais de la polyonymie a produit davantage de vérité que de mensonge car elle préférait la créativité et la coopération aux visées purement mercantiles et concurrentielles. Il y avait certes des conflits mais la bonne volonté et les sentiments positifs qui caractérisent l'esprit pionnier l'emportaient.

Vous comprendrez alors que l'Internet d'aujourd'hui n'a plus rien à voir avec celui de cette époque. À noter que ce changement a été délibéré et qu'il résulte d'un effort déployé systématiquement par quelques privilégiés. Dans un premier temps, on s'est dépêché de passer des échanges commerciaux traditionnels au commerce électronique, ce qui s'est vite soldé par une bulle spéculative, puis par un krach juste après l'an 2000. Les entreprises se sont aperçues que ceux qui se connectaient cherchaient moins à dépenser de l'argent qu'à s'exprimer, et que ces connexions humaines rendues possibles par Internet pouvaient être monétisées. Si ce qui intéressait la plupart des gens était de raconter (et de lire) par ce biais à leurs proches, à leurs amis ou à des étrangers ce qu'ils faisaient, les entreprises n'avaient plus qu'à trouver le moyen de se glisser dans leurs conversations et en tirer profit.

C'est ce qui a signé le début du capitalisme de surveillance et la fin de l'Internet tel que je l'avais connu.

Le Web créatif s'est effondré et une multitude de sites magnifiques, singuliers et pas toujours faciles à gérer ont fermé. Leur maintenance était laborieuse alors les gens les ont remplacés par une page Facebook ou un compte Gmail, plus commodes. Tout se passait comme s'ils en étaient les propriétaires alors que ce n'était pas le cas. Peu d'entre nous l'ont réalisé à l'époque, et pourtant, plus rien de ce que nous allions partager ne nous appartiendrait. Ceux qui avaient remplacé les acteurs de l'e-commerce qui avaient fait faillite parce qu'ils n'avaient pas su quoi nous vendre avaient trouvé un nouveau produit.

Ce nouveau produit, c'était nous.

Notre attention, nos activités, nos métiers, nos désirs, bref, tout ce que nous révélions, consciemment ou pas, était surveillé puis vendu en secret afin de retarder le moment où nous comprendrions que l'on violait notre intimité. La plupart d'entre nous ne s'en aperçoivent d'ailleurs que maintenant. La surveillance allait être encouragée, et même financée, par quantité de gouvernements avides de récolter d'énormes masses de données. En dehors des connexions, des e-mails et des transactions financières, les communications sur Internet n'étaient quasiment pas cryptées au début des années 2000, de sorte que très souvent les gouvernements n'avaient pas besoin de s'adresser à des entreprises pour connaître les activités de leurs clients. Ils espionnaient le monde entier sans en dire un mot.

Au mépris de leur charte fondatrice, les autorités américaines ont cédé à la tentation, et ont été saisies d'une fièvre aiguë après avoir goûté aux fruits de cet arbre vénéneux. Elles ont pratiqué en secret la surveillance de masse, qui est par définition est beaucoup plus préjudiciable aux innocents qu'aux coupables.

Il m'a d'abord fallu prendre la mesure de cette surveillance générale et des dégâts qu'elle causait pour me rendre compte que nous n'avions hélas jamais eu l'occasion, nous, le public – pas seulement les Américains mais les gens du monde entier –, de voter ni même de donner notre avis sur ce qui se tramait. Non seulement cette surveillance quasi universelle avait été mise en place sans nous demander notre avis, mais on nous avait délibérément caché les divers aspects de ces programmes. À chaque étape, on nous a dissimulé les changements de procédure et leurs répercussions, à nous mais aussi à ceux qui font les lois. Vers qui est-ce que je pouvais me retourner ? Le simple fait de laisser entrevoir la vérité, à un juge, un avocat, ou au Congrès, était un crime épouvantable. Il suffisait de dire ce qu'il en était pour être condamné à finir ses jours dans une prison fédérale.

J'étais paumé, je me retrouvais face à un dilemme qui me rendait morose. J'adore mon pays et je crois au service public – ma famille, toute la lignée dont je suis issu depuis des siècles, est composée d'hommes et de femmes qui ont consacré leur vie aux États-Unis et à ses citoyens. J'ai moi-même pris l'engagement de me mettre à la disposition non pas d'une agence ni même d'un gouvernement, mais de l'intérêt commun, afin de défendre notre Constitution, celle qui protège nos libertés civiques et que l'on piétine sans vergogne. Je n'étais pas seulement complice de ceux qui violent nos droits, j'étais l'un d'eux. Pour qui je travaillais pendant toutes ces années ? Comment concilier ma promesse aux services de renseignement de respecter la confidentialité de mon travail tout en restant fidèle à mon serment de défendre les principes fondateurs de mon pays ? Envers qui ou quoi avais-je l'obligation de fidélité la plus forte ? À partir de quel moment étais-je moralement tenu d'enfreindre la loi ?

Je me suis aperçu qu'en révélant aux journalistes à quel point nos dirigeants avaient abusé de leur pouvoir, je ne prônais rien de radical, comme le renversement du gouvernement ou la destruction des services de renseignement, je voulais simplement renouer avec les idéaux professés par ces mêmes autorités politiques et les gens de la CIA ou de la NSA.

Je suis persuadé que l'on ne peut juger de la liberté d'un pays qu'à la façon dont y sont respectés les droits de ses ressortissants, lesquels délimitent le pouvoir de l'État et précisent quand un gouvernement ne saurait empiéter sur les libertés individuelles. C'est ce que l'on appelait « liberté » pendant la révolution américaine et que l'on nomme aujourd'hui, à l'ère de la révolution d'Internet, « vie privée ».

Il y a maintenant six ans que je suis sorti du bois car j'ai observé que dans le monde entier, les gouvernements soi-disant modernes étaient de moins en moins enclins à protéger la vie privée que je considère, au même titre que les Nations unies, comme un droit fondamental. Reste que pendant ce laps de temps, on a continué à y porter atteinte à mesure que les démocraties régressaient vers un populisme autoritaire. Et cette régression n'est jamais aussi manifeste que dans les relations que le pouvoir entretient avec la presse.

Les tentatives des élus pour discréditer les journalistes ont été rendues possibles et encouragées par une attaque frontale du principe de vérité. On mélange intentionnellement ce qui est authentique et ce qui est fallacieux grâce à des technologies capables de faire régner une confusion globale sans précédent.

Je connais bien ce procédé puisque la création de mensonges a toujours constitué la pratique la plus sombre des spécialistes du renseignement. Les mêmes services qui, en l'espace des quelques années où j'ai travaillé pour eux, ont manipulé les informations afin de fournir des prétextes pour déclencher la guerre – et ont invoqué un pouvoir judiciaire fantôme et des politiques contraires au droit pour autoriser les enlèvements, qualifiés de « transferts extrajudiciaires », la torture, rebaptisée « interrogatoire poussé », et la surveillance globale, que l'on appelle « recueil massif de données ». Ils n'ont pas hésité à me traiter d'agent double travaillant pour la Chine, d'agent triple à la solde des Russes ou, pire, de « *Millennial* ».

S'ils ont pu raconter impunément tout cela sur moi, c'est dans une large mesure parce que j'ai refusé de me défendre. Depuis l'époque où j'ai jeté le masque jusqu'à aujourd'hui, j'ai tenu à ne rien dire sur ma vie, de peur d'affecter encore mes proches qui en bavaient déjà assez à cause de mes principes.

C'est d'ailleurs parce que je m'inquiétais de les tourmenter davantage que j'ai hésité à écrire ce livre. En fin de compte, il m'a été plus facile de prendre la décision de dénoncer les forfaits dont le gouvernement s'est rendu coupable que celle de raconter ici ma vie. S'il m'était impossible de passer sous silence les exactions dont j'ai été témoin, personne ne rédige ses mémoires parce qu'il est incapable de résister à la voix de sa conscience. Voilà pourquoi j'ai demandé aux gens de ma famille, à mes amis et à mes collègues qui sont cités dans cet ouvrage ou que l'on peut facilement reconnaître de m'y autoriser.

Tout comme je ne prétends pas être le seul et unique arbitre de la vie privée d'autrui, je n'ai jamais pensé être le seul en mesure de savoir quels secrets de mon pays devaient être rendus publics ou non. C'est pourquoi je n'ai montré ces documents officiels qu'à un nombre restreint de journalistes. En fait, je n'ai directement rendu public aucun document.

Je pense, au même titre que ces journalistes, qu'un gouvernement a dans certains cas le droit de ne rien dire. La démocratie la plus transparente au monde doit pouvoir refuser de divulguer l'identité de ses agents secrets ou de préciser le déplacement de ses troupes sur le champ de bataille. Vous ne trouverez aucun secret de ce genre dans le livre.

S'il n'est pas évident d'écrire son autobiographie tout en protégeant la vie privée de celles et ceux qui vous sont chers, et sans trahir les secrets que le gouvernement a le droit de conserver, tant pis, je relève le gant.

PREMIÈRE PARTIE

1

Regarder par la fenêtre

La première chose que j'ai piratée a été l'heure à laquelle on m'envoyait au lit.

Je trouvais ça injuste : que mes parents m'obligent à aller me coucher, avant eux, avant ma sœur, alors que je n'étais même pas fatigué… C'était la première petite injustice qui m'a révolté.

La plupart des 2 000 premières nuits de ma vie ont donné lieu à des actes de désobéissance civile : je pleurais, je suppliais, je marchandais, jusqu'à ce que je découvre l'action directe lors de ma 2 193ᵉ nuit, lorsque j'ai eu 6 ans. Mes parents ne voulaient pas entendre parler de changer quoi que ce soit, et de mon côté je n'étais pas né de la dernière pluie. Je venais de passer l'une des plus belles journées de ma vie avec mes copains, nous avions fêté mon anniversaire et on m'avait offert des cadeaux, et il n'était pas question d'en rester là pour la bonne et simple raison que les autres devaient rentrer chez eux. Alors je suis allé en cachette retarder de plusieurs heures les horloges de la maison. Celle du micro-ondes m'a donné moins de fil à retordre que celle de la cuisinière parce qu'on y avait plus facilement accès.

Voyant que les parents ne s'étaient aperçus de rien, je triomphais et je galopais autour de la salle de séjour. On ne m'enverrait plus jamais au lit, moi, le maître du temps ! J'étais libre. Je me suis endormi par terre après avoir enfin assisté au coucher du soleil ce 21 juin, lors du solstice d'été, la journée la plus longue de l'année. À mon réveil, les pendules indiquaient toutes la même heure que la montre de mon père...

Si quelqu'un prenait aujourd'hui la peine de régler une montre, sur quoi devrait-il se caler pour avoir l'heure exacte ? La plupart des gens consultent leur smartphone. Seulement, si vous le regardez de près et fouillez dans les menus pour trouver les paramétrages, vous constaterez que l'heure est « réglée automatiquement » sur votre portable. De temps à autre, l'appareil s'adresse discrètement au réseau de votre fournisseur d'accès : « Dites, vous avez l'heure ? » Ce réseau s'adresse à son tour à un autre réseau plus vaste, qui lui aussi fait de même, et ainsi de suite par le biais de toute une série de pylônes et de câbles jusqu'à ce que la demande parvienne à l'un des véritables maîtres du temps, un serveur de synchronisation réseau dirigé par les horloges atomiques installées dans des endroits tels que l'Institut national des normes et de la technologie aux États-Unis, l'Office fédéral de météorologie en Suisse et l'Institut national des technologies de l'information et des communications au Japon. C'est grâce à ce long périple invisible et qui s'accomplit en une fraction de seconde que l'on ne voit pas clignoter « 12 : 00 » sur l'écran de son portable chaque fois qu'on le met sous tension quand la batterie s'est déchargée.

Je suis né en 1983, à la fin d'une époque où les gens réglaient l'heure eux-mêmes. C'est cette année-là que le ministère de la Défense américain a divisé en deux son système interne d'ordinateurs connectés, créant un réseau dédié à la défense, baptisé MILNET, et un autre, Internet. Avant la fin de l'année, les frontières de cet espace virtuel ont été définies par de nouvelles règles, ce qui a donné naissance au système de noms de domaine que nous utilisons toujours – les .gov, .mil, .edu, et bien sûr .com – et les codes pays attribués au reste du monde : .uk, .de, .fr, .cn, .ru, etc. Nous avions déjà un avantage, les États-Unis et moi. Il faudra pourtant attendre six ans avant que soit inventé le *World Wide Web*, et environ neuf ans pour que ma famille s'équipe d'un ordinateur et d'un modem permettant de s'y connecter.

Il va de soi qu'Internet n'est pas une entité unique, même si nous avons tendance à en parler comme si c'était le cas. En réalité, techniquement, on voit apparaître tous les jours de nouveaux réseaux parmi tous ceux dédiés aux communications connectées que vous utilisez régulièrement, avec quelque trois milliards d'êtres humains, soit environ 42 % de la population mondiale. J'utiliserai cependant le terme au sens large, pour désigner le réseau des réseaux qui relie la majorité des ordinateurs de la planète grâce à un ensemble de protocoles partagés.

Il se peut que certains d'entre vous s'inquiètent de ne pas savoir ce qu'est un protocole, et pourtant nous en avons tous utilisé un grand nombre. Dites-vous que ce sont des langages destinés aux machines, les règles communes qu'elles suivent pour communiquer entre elles. Si vous avez à peu près mon âge, vous vous rappelez peut-être avoir dû taper « http » sur la barre d'adresse de votre navigateur avant d'accéder à un site web. Cela nous renvoie au protocole de transfert hypertexte (*Hypertext Transfer Protocol*), le langage qui nous permet de nous connecter au Web, ce gigantesque ensemble de sites pour la plupart à contenu textuel, mais dont certains ont aussi une fonction audio et vidéo, comme Google, YouTube et Facebook. Chaque fois que vous consultez vos e-mails, vous utilisez un langage tel que l'IMAP (*Internet Message Access Protocol*), le SMTP (*Simple Mail Transfer Protocol*), ou le POP3 (*Post Office Protocol*). L'envoi de fichiers s'effectue quant à lui par le biais de FTP (*File Transfer Protocol*). Et comme pour régler l'heure sur votre téléphone portable, c'est grâce au NTP (*Network Time Protocol*) que les mises à jour sont effectuées.

Ces protocoles, désignés sous le nom de protocoles d'application, ne constituent qu'une famille de protocoles parmi toutes celles qui existent en ligne. Par exemple, pour que les données de l'un de ces protocoles puissent naviguer sur Internet et arriver sur votre ordinateur de bureau, votre ordinateur portable ou votre smartphone, il faut d'abord les emballer dans un protocole de transport spécialisé ; songez à ce propos que la poste, qui achemine le courrier lentement, préfère que vous envoyiez lettres et colis dans des enveloppes et des boîtes de taille standard. TCP (*Transmission Control Protocol*) sert ainsi à acheminer, entre autres, les e-mails et les pages Web. De même, on a recours au protocole UDP (*User Datagram Protocol*) pour transmettre des applications urgentes et en temps réel, comme la téléphonie par Internet ou les émissions en direct.

On ne pourra jamais dresser un tableau exhaustif des rouages et des strates de ce qu'au temps de mon enfance on appelait le cyberespace, le Net ou l'autoroute de l'information, mais l'essentiel est de ne pas oublier que ces protocoles nous ont permis de numériser et de mettre en ligne pratiquement tout ce qui n'est pas de la nourriture, de la boisson, des vêtements ou un logement. Internet est désormais presque aussi essentiel à nos vies que l'air dans lequel circule la foule d'informations qu'il transmet. Et puis, comme on n'a pas manqué de nous le rappeler – à chaque fois que nos réseaux sociaux nous alertent à propos d'une page qui donne de nous une image compromettante –, numériser quelque chose revient à l'enregistrer sous un format conçu pour durer indéfiniment.

Quand je repense à mon enfance, notamment à ces neuf ans où dans la famille nous n'avions pas Internet, il me vient à l'esprit qu'il m'est impossible de rendre compte de tout ce qui est arrivé alors, car je ne peux m'en remettre pour cela qu'à ma mémoire. Les données n'existent tout simplement pas.

Ma génération est la dernière pour qui c'est vrai, aux États-Unis et probablement dans le monde entier : nous sommes les derniers dont l'enfance n'a pas été consignée dans le *cloud* mais conservée dans des formats analogiques comme des journaux intimes écrits à la main, des Polaroids ou des cassettes VHS, bref des objets manufacturés tangibles et imparfaits qui se dégradent avec le temps et risquent d'être irrémédiablement perdus. J'ai fait mes devoirs sur papier, avec crayon et gomme, et non sur des tablettes connectées à Internet. Ma croissance était notée par une entaille sur le cadre de la porte de la maison, pas via la *smart home*...

Nous habitions une imposante maison en brique rouge jouxtant une petite pelouse où des cornouillers donnaient de l'ombre. Je trimballais partout mes soldats en plastique et l'été, je les planquais sous les magnolias. La maison était conçue de façon originale : l'entrée principale était située au premier étage, et on y accédait par un immense escalier. C'était là avant tout que se trouvait notre espace de vie, avec la cuisine, la salle à manger, les chambres.

Juste au-dessus se trouvait un grenier envahi par la poussière et les toiles d'araignée, où je n'avais pas le droit d'aller. Il servait de débarras et ma mère le disait infesté d'écureuils, alors que mon père prétendait qu'il était hanté par des loups-garous prêts à dévorer les gamins assez bêtes pour s'y aventurer. En dessous de l'étage principal, il y avait un sous-sol plus ou moins aménagé – une rareté en Caroline du Nord, notamment près de la côte. Les sous-sols sont inondables, et le nôtre était constamment humide, en dépit du déshumidificateur et de la pompe d'assèchement qui tournaient en permanence.

Quand nous nous sommes installés là, mes parents ont fait agrandir l'arrière de l'étage principal pour y aménager une buanderie, une salle de bains, ma chambre et un petit salon équipé d'un canapé et d'une télé. De ma chambre, je voyais le bureau par la fenêtre percée dans ce qui était à l'origine le mur extérieur de la maison. Cette fenêtre, qui jadis donnait dehors, s'ouvrait désormais sur l'intérieur de la maison.

Pendant les neuf ans ou presque que ma famille a passés dans cette maison d'Elizabeth City, cette chambre était la mienne, avec sa fenêtre. On avait eu beau y mettre un rideau, celui-ci ne ménageait guère d'intimité, voire pas du tout. Autant que je m'en souvienne, j'adorais tirer le rideau et regarder dans le salon. Ce qui signifie que, si ma mémoire est bonne, j'adorais épier.

J'épiais Jessica, ma grande sœur, qui avait le droit de se coucher plus tard que moi et de regarder des dessins animés, alors que moi j'étais trop jeune. J'épiais Wendy, ma mère, qui s'asseyait sur le canapé pour plier le linge propre tout en regardant les infos du soir à la télé. Il n'empêche que celui que j'épiais le plus c'était Lon, ou plutôt « Lonnie », comme on l'appelait dans le Sud, à savoir mon père qui avait l'habitude de réquisitionner le bureau jusqu'au petit matin.

Il était gardes-côtes, même si je n'avais pas la moindre idée à l'époque de ce que ça voulait dire. Je savais seulement que parfois il était en uniforme, et parfois en civil. Il partait très tôt le matin et rentrait tard le soir, et souvent il rapportait de nouveaux gadgets, une calculatrice TI30 Texas Instruments, un chronomètre Casio attaché à un cordon, un haut-parleur pour la chaîne stéréo. Parfois il me montrait ses trésors, et parfois non. Je vous laisse imaginer ceux qui m'intéressaient le plus…

Celui qui m'a vraiment fasciné a été rapporté un soir, juste après l'heure d'aller me coucher. J'étais au lit prêt à m'assoupir quand j'ai entendu les pas de mon père dans le couloir. Je me suis levé, j'ai tiré le rideau. Il tenait un drôle de carton d'à peu près la taille d'une boîte à chaussures, d'où il a sorti un machin beige qui ressemblait à un parpaing duquel s'échappaient de grands câbles noirs, telles les tentacules d'un monstre des abysses de l'un de mes cauchemars.

Lentement, méthodiquement – parce que c'était toujours ainsi que procédait cet ingénieur discipliné, et aussi parce qu'il ne voulait pas s'énerver –, il avait démêlé les câbles, puis en avait tendu un sur la moquette à poils longs pour relier l'arrière de la boîte à la télé. Puis il avait branché l'autre câble dans une prise électrique murale derrière le canapé.

D'un seul coup la télé s'est allumée et le visage de mon père s'est illuminé. Il passait habituellement ses soirées sur le canapé à boire du soda et à regarder les gens courir sur un terrain de sport, mais là c'était différent. Il m'a fallu un moment pour me rendre compte que je venais d'assister à l'événement le plus extraordinaire de ma courte vie. Il faut bien le reconnaître : *mon père contrôlait la télé !*

Je venais de rencontrer un Commodore 64, un des premiers ordinateurs domestiques du marché.

Évidemment, je ne savais pas du tout ce qu'était un ordinateur, et encore moins si mon père jouait ou travaillait avec. Il avait beau sourire et donner l'impression de s'amuser, il se consacrait à l'écran avec la même ferveur que lorsqu'il bricolait pour la maison. Mais une chose était sûre : ce qu'il faisait, je voulais le faire aussi.

Dès lors, chaque fois qu'il débarquait dans le salon et sortait l'espèce de brique beige, je grimpais sur mon lit, je tirais le rideau et l'observais en cachette se lancer dans ses aventures. Un soir, l'écran montrait une balle qui tombait et, en bas, une barre ; mon père la déplaçait pour frapper la balle, la faire rebondir et démolir un bloc de briques multicolores et de forme différente (*Arkanoid*). Une autre fois, c'étaient des briques de taille et de couleur différentes qui n'arrêtaient pas de tomber. Mon père les faisait pivoter et les alignait comme il faut ; aussitôt elles disparaissaient (*Tetris*). Je ne comprenais rien à ce que faisait mon père – c'était du plaisir ou du boulot ? – jusqu'à cette nuit où je l'ai vu voler.

Mon père, qui m'avait toujours fait le plaisir de me montrer les hélicoptères (des vrais) de la base aérienne des gardes-côtes toute proche quand ils passaient près de la maison, était en train de piloter son propre hélicoptère, juste devant moi, dans le salon ! Il a décollé d'un petit héliport aux couleurs nationales puis s'est envolé dans la nuit noire et constellée juste avant de s'écraser au sol. Las, le petit cri qu'il a poussé a étouffé le mien… Mais on n'avait pas fini de rigoler, contrairement à ce que je croyais, car il est rentré dare-dare à la base et il a redécollé.

« *Choplifter !* », c'était le nom de ce jeu vidéo. Et le point d'exclamation n'était pas là par hasard, il faisait partie de l'expérience du jeu. *Choplifter !* était captivant. Combien de fois je l'ai observé effectuer une sortie, décoller du salon, survoler un désert lunaire et tout plat, puis tirer sur des avions et des chars ennemis, qui de leur côté le prenaient pour cible. L'hélico n'arrêtait pas de se poser et de redécoller, car mon père essayait de délivrer des otages et de les conduire en lieu sûr. La première image que j'ai eue de lui était donc celle d'un héros.

La première fois que le minuscule hélicoptère s'est posé intact avec un groupe de passagers miniatures, mon père a lancé depuis le canapé un « hourra » un peu trop bruyant. Aussitôt, il a tourné la

25

tête vers la fenêtre, pour voir s'il m'avait dérangé, et là nos regards se sont croisés.

J'ai bondi dans mon lit, relevé la couverture et suis resté sans bouger tandis que je l'entendais s'approcher d'un pas lourd.

Il a tapoté la vitre. « Tu devrais déjà être couché, bonhomme. Tu es encore debout ? »

J'ai retenu mon souffle.

D'un seul coup, il a ouvert la fenêtre, a plongé les bras dans ma chambre et m'a attrapé, avec ma couverture et tout le reste, et m'a fait passer dans le salon. C'est arrivé si vite que mes pieds n'ont jamais touché la moquette.

En moins de deux, je me suis retrouvé assis sur ses genoux en qualité de copilote. J'étais trop jeune et excité pour m'apercevoir qu'il m'avait donné une manette de jeu qui n'était pas branchée. Tout ce qui comptait, c'est que je volais à côté de mon père.

2

Le mur invisible

Elizabeth City est une ville portuaire pittoresque de taille moyenne, dont le centre historique est relativement intact. Comme la plupart des premières colonies de peuplement en Amérique, elle s'est développée au bord de l'eau, en l'occurrence sur les rives de la Pasquotank (déformation d'un mot algonquin signifiant « là où le courant bifurque »). Ce fleuve descend de la Chesapeake Bay, traverse les marais qui chevauchent la frontière de la Caroline du Nord et de la Virginie, avant de se jeter dans le détroit d'Albemarle en même temps que d'autres rivières comme la Chowan et la Perquimans. Chaque fois que je me demande si ma vie n'aurait pas pu suivre un autre cours, je pense à cette ligne de partage des eaux : quel que soit l'itinéraire qu'empruntent ces fleuves, ils parviennent tous à destination en fin de compte.

Dans ma famille, notamment du côté de ma mère, on a toujours été proche de l'océan. En effet, ma mère est une descendante directe des Pères fondateurs – le premier de ses lointains ancêtres à s'être installé sur ces rivages fut John Alden, le tonnelier du *Mayflower*. Il épousa l'une des passagères, une certaine Priscilla Mullins, qui eut l'honneur discutable d'être la seule jeune femme à bord et par conséquent la seule fille célibataire en âge de se marier au sein de ceux qui fondèrent la colonie de Plymouth, dans le Massachusetts.

Leur union a cependant bien failli ne jamais se faire, à cause de l'ingérence de Miles Standish, le chef de la colonie de Plymouth. Il est tombé amoureux de Priscilla mais celle-ci a repoussé ses avances pour épouser John, ce qui a inspiré à Henry Wadsworth Longfellow (lui-même descendant du couple Alden-Mullins) le poème « La Parade nuptiale de Miles Standish », dont j'ai entendu parler tout au long de ma jeunesse.

> Seule dans la pièce on entendait courir la plume
> du jouvenceau,
> Qui diligemment rédigeait des lettres importantes,
> pour qu'elle rejoigne le Mayflower,
> Prêt à appareiller le lendemain, ou le surlendemain
> au plus tard, plaise à Dieu !
> Sur le chemin du retour en apportant des nouvelles
> de ce cruel hiver,
> Des lettres écrites par Alden, célébrant le nom de Priscilla,
> Célébrant le nom et la renommée de la vierge Puritaine,
> Priscilla !

Fille de John et Priscilla, Elizabeth fut le premier enfant des fondateurs à voir le jour en Nouvelle-Angleterre. Ma mère, qui porte le même prénom, est sa descendante directe. Néanmoins, la lignée se transmettant essentiellement par les femmes, les noms de famille changent à chaque génération : une Alden épouse un Pabodie, qui lui-même épouse une Grinnell, qui se marie avec un Stephens, lequel convole avec une Jocelin… Marins, mes ancêtres sont partis de ce qui est aujourd'hui le Massachusetts pour descendre dans le Connecticut et le New Jersey en longeant la côte. Ils ont pour cela emprunté les routes commerciales et échappé aux pirates qui écumaient la mer entre les colonies et les Caraïbes. Enfin, à l'époque de la guerre d'Indépendance, la branche Jocelin est venue s'installer en Caroline du Nord.

Amaziah Jocelin, ou Amasiah Josselyn, les deux orthographes existent, était un corsaire et un héros de guerre. Capitaine d'un trois-mâts à dix canons, le *Firebrand*, il s'est ainsi illustré lors de la défense de Cape Fear. L'Amérique ayant accédé à l'indépendance, il est devenu officier d'intendance de la marine affecté au port de Wilmington, où il a fondé la première chambre de commerce qu'il a appelée, c'est drôle, « le bureau des renseignements »... Les Jocelin et leurs descendants, les Moore, les Hall, les Meyland, les Howell, les Steven, les Reston et les Stokley, qui forment la dernière branche de la lignée maternelle, ont participé activement à tous les conflits armés survenus dans notre pays, depuis la guerre d'Indépendance et la guerre de Sécession (où les membres de la famille de Caroline du Nord, engagés dans l'armée sudiste, se sont battus contre leurs cousins nordistes de Nouvelle-Angleterre) jusqu'aux deux guerres mondiales. Ma famille a toujours répondu à l'appel du devoir.

Mon grand-père maternel est surtout connu pour avoir été le contre-amiral Edward J. Barrett. Quand je suis né, il était directeur adjoint du département du génie aéronautique des gardes-côtes à Washington. Il allait occuper d'autres postes similaires ou de commandement opérationnel, à Governors Island, petite île située à un kilomètre de Manhattan, ou à Key West, en Floride, où il chapeautait la Joint Interagency Task Force East, une unité placée sous la responsabilité des gardes-côtes et regroupant plusieurs services américains et étrangers chargés de lutter contre le trafic de stupéfiants dans les Caraïbes. Si je ne me rendais pas vraiment compte qu'il avait grimpé très haut dans la hiérarchie, je constatais néanmoins qu'au fil du temps, chacune de ses entrées en fonction donnait lieu à une cérémonie qui dépassait de loin la précédente, et où l'on avait droit à des discours toujours plus longs et à des gâteaux dont la taille ne cessait d'augmenter... Je me rappelle qu'un artilleur m'a offert à cette occasion la douille d'un obus de 40 mm avec lequel on venait de tirer une salve en son honneur. L'étui en cuivre était encore tout chaud et sentait la poudre...

Quand je suis né, Lon, mon père avait le grade de maître au Centre de formation technique aéronaval des gardes-côtes à Elizabeth City. Il y concevait des programmes d'enseignement et était formateur en électronique. Il était souvent absent, laissant ma mère nous élever ma sœur et moi. Pour nous responsabiliser, celle-ci nous demandait de faire le ménage, et pour nous apprendre à lire elle avait collé sur les tiroirs de notre commode une étiquette indiquant ce qu'ils contenaient – « CHAUSSETTES », « SOUS-VÊTEMENTS ». Elle nous faisait souvent monter dans notre petit chariot Red Flyer et nous conduisait jusqu'à la bibliothèque du coin. Une fois sur place, je me dirigeais immédiatement vers le rayon qui m'intéressait, celui des « grosses machines », comme je l'appelais. Quand elle voulait savoir s'il y avait des engins en particulier qui retenaient mon attention, j'étais intarissable :

« – Les camions à benne, les rouleaux compresseurs, les chariots élévateurs, les grues et les…

– C'est tout, bonhomme ?

– Et aussi les bétonneuses et les bulldozers… »

Elle adorait tester mon niveau en maths. Au K-mart ou au Winn-Dixie, elle me laissait choisir les livres, les petites voitures et les petits camions et me les achetait si j'étais capable de calculer mentalement combien ça lui coûterait. Au fil du temps, elle compliquait les choses. Alors qu'au début il me fallait simplement lui donner un chiffre approximatif et l'arrondir au dollar près, elle voulait ensuite que je calcule la somme exacte, en ajoutant pour finir 3 % au total. Cette dernière colle me laissait confus – ce n'était pas les calculs en soi qui me posaient problème mais le raisonnement.

« – Pourquoi ?

– Ça s'appelle les taxes. Chaque fois qu'on achète quelque chose, on verse 3 % à l'État.

– Qu'est-ce qu'il en fait ?

– Tu aimes bien les routes, hein ? Et aussi les ponts ? Eh bien cet argent sert à les entretenir. Et aussi à remplir de livres les bibliothèques. »

Quelques temps après, j'ai eu peur de m'être planté dans mes calculs mentaux, quand la somme à laquelle j'étais parvenu ne coïncidait pas avec celle du ticket de caisse. Ma mère m'a expliqué :

« – Les taxes ont augmenté. Il faut désormais rajouter 4 %.

– Comme ça la bibliothèque va pouvoir se procurer d'autres livres ?

– Espérons-le, répondit ma mère.

Ma grand-mère habitait à deux ou trois rues de chez nous, en face d'un imposant pacanier et du magasin animalier Caroline Feed and Seed Mill. Je tirais sur ma chemise pour y mettre les noix de pécan tombées par terre, puis j'entrais dans sa maison et je m'installais sur la moquette, à côté de la longue étagère pleine de livres. Je me plongeais alors généralement dans les fables d'Ésope ou les *Bulfinch's Mythology*, probablement mon livre préféré. Je le feuilletais en ne m'arrêtant que pour casser des noix de pécan, tandis que je me passionnais pour des histoires de chevaux volants, de labyrinthes et de Gorgones à la chevelure de serpents qui pétrifiaient les pauvres mortels ayant le malheur de les regarder dans les yeux. J'éprouvais le plus grand respect pour Ulysse et j'aimais bien Zeus, Apollon, Hermès et Athéna, mais de toutes les divinités, c'était Héphaïstos que j'admirais le plus : le dieu du feu, des volcans, de la forge et de la métallurgie, bref, le dieu des bricoleurs. J'étais fier d'orthographier correctement son nom grec et de savoir que Vulcain, comme l'appelaient les Romains, désignait aussi la planète dont était issu Spock dans *Star Trek*. Je suis toujours resté fidèle à l'idée de base qui détermine le panthéon gréco-romain. En haut d'une montagne, une bande de dieux et de déesses immortels passaient le plus clair de leur temps à se bagarrer et à espionner les êtres humains. Lorsqu'il y avait quelque chose qui les intriguait ou les dérangeait, il leur arrivait de se déguiser en agneau, en cygne ou en lion avant de descendre de l'Olympe pour voir ce qui se passait et mener l'enquête. Bien souvent, il s'était produit une catastrophe – quelqu'un s'était noyé, avait été foudroyé ou avait été transformé en arbre –, quand ils venaient faire la loi et se mêler des affaires des mortels.

Un jour, mon choix s'est porté sur une édition illustrée des légendes arthuriennes, et j'ai découvert ce que l'on avait écrit sur une autre montagne légendaire, située celle-ci au pays de Galles.

Elle tenait lieu de forteresse à Rhita Gawr, un géant tyrannique qui refusait d'admettre que l'époque de son règne était révolue et que le monde serait désormais dirigé par les êtres humains, qu'il trouvait petits et faibles. Bien déterminé à rester au pouvoir, il descendit de son promontoire pour attaquer les uns après les autres les divers royaumes et défaire leurs armées. En fin de compte, il réussit à vaincre et tuer tous les rois du pays de Galles et d'Écosse. Lorsqu'il les mettait à mort, il leur rasait la barbe, avec laquelle il se fabriquait une cape qui lui servait de trophée. C'est alors qu'il lança un défi au roi Arthur, le souverain le plus puissant de Grande-Bretagne, en lui proposant le marché suivant : ou bien il se rasait lui-même la barbe et se rendait, ou bien il allait se faire décapiter avant de perdre sa toison. Révolté par tant d'arrogance, le roi Arthur s'en fut l'affronter en haut de sa montagne forteresse, et tous les deux se battirent pendant plusieurs jours. Alors que son adversaire l'attrapait par les cheveux et s'apprêtait à lui couper la tête, le roi Arthur rassembla ses dernières forces et plongea son épée de légende dans un œil du géant, qui mourut sur le coup. Arthur et ses chevaliers entreprirent alors d'ériger un cairn funéraire au-dessus du corps de Rhita Gawr, mais il se mit à neiger avant qu'ils aient le temps de finir. Tandis qu'ils s'en allaient, la cape du géant, faite de barbes tressées et ensanglantées, retrouva une blancheur immaculée.

Ce sommet, expliquait une note, s'appelait alors Snaw Dun, ce qui en vieil anglais signifie « tas de neige » et qui est devenu aujourd'hui le mont Snowdon. Il s'agit d'un volcan depuis longtemps éteint qui culmine à environ mille mètres d'altitude, ce qui en fait le sommet le plus élevé du pays de Galles. Je me souviens avoir été surexcité par le fait de reconnaître ici mon nom, et la façon dont on l'écrivait jadis m'a fait toucher du doigt que le monde était plus vieux que moi, et même que mes parents. J'étais fier de constater que mon patronyme allait de pair avec les exploits d'Arthur, de Lancelot, de Gauvain, de Perceval, de Tristan et des autres chevaliers de la Table ronde. Enfin, jusqu'à ce que j'apprenne que tout cela était purement imaginaire et relevait de la mythologie...

Des années plus tard, avec l'aide de ma mère, je suis allé écumer les bibliothèques pour savoir ce qui relevait du mythe et ce qui était basé sur des faits. C'est ainsi que j'ai découvert que l'on avait rebaptisé Snowdon le château de Stirling, en Écosse, en souvenir de la victoire d'Arthur, les Écossais tenant à faire valoir leurs droits au trône d'Angleterre. J'apprenais par la même occasion que la réalité est toujours plus compliquée et moins flatteuse qu'on le souhaiterait, mais aussi, étonnamment, plus riche que la mythologie.

Quand j'ai appris la vérité sur Arthur, ça faisait déjà un moment qu'un autre genre d'histoires, ou un autre genre de narration, m'obsédait. Une Nintendo a en effet débarqué à la maison à Noël 1989. J'étais tellement accro à cette console grise à deux tons que ma mère, inquiète, m'a averti que je ne pourrais louer un nouveau jeu vidéo que lorsque j'aurais terminé de lire un livre. À l'époque, les jeux vidéo coûtaient cher, et après être devenu un spécialiste de ceux qui avaient été livrés avec la console – une unique cartouche contenait *Super Mario Bros* et *Duck Hunt* –, j'avais hâte de relever d'autres défis. L'ennui était qu'à 6 ans, je mettais plus de temps à lire qu'à terminer une partie. Le moment était venu pour le néophyte que j'étais de se lancer à nouveau dans le piratage. Je m'étais donc mis à rapporter de la bibliothèque des livres plus courts et des ouvrages illustrés, en l'occurrence des encyclopédies consacrées aux inventions, avec des dessins déments de vélocipèdes et de ballons dirigeables, sans oublier des bandes dessinées qui étaient, je ne le réaliserai que plus tard, des versions abrégées destinées aux enfants de livres de Jules Verne et de H. G. Wells.

C'est la NES, la console de jeux bas de gamme et néanmoins géniale mise au point par Nintendo, qui a fait mon éducation. *La Légende de Zelda* m'a appris que le monde est fait pour être exploré ; *Mega Man* m'a fait toucher du doigt que l'on a beaucoup à apprendre de ses ennemis ; quant à *Duck Hunt*, eh bien il m'a expliqué que même si quelqu'un se moque de vos échecs, ce n'est pas une raison pour lui tirer une balle dans la tête. Reste qu'en fin de compte, c'est à *Super Mario Bros* que je dois la leçon la plus importante de ma vie. Et je suis parfaitement sincère. Je vous demande d'y réfléchir sérieusement : c'est peut-être le chef-d'œuvre absolu en matière de jeu à défilement horizontal. Au début de la partie, Mario se trouve tout à gauche de l'écran, et il ne peut se déplacer que dans un sens, vers la droite, tandis que défilent de nouveaux paysages et de nouveaux ennemis. Il traverse huit mondes s'étageant chacun sur quatre niveaux où le temps est compté, jusqu'à ce qu'il atteigne l'affreux Bowser et libère la princesse Toadstool (« champignon vénéneux » en français). Pendant qu'il circule à travers ces trente-deux niveaux, Mario se trouve confronté à ce que dans le jargon des jeux vidéo on appelle « un mur invisible ». En effet il ne peut pas revenir en arrière, il est condamné à aller de l'avant. Idem pour Luigi, son frère, et idem pour vous et moi. La vie ne défile que dans un sens, celui de la temporalité, et nous aurons beau aller très loin, ce mur invisible sera toujours derrière nous, il nous coupera du passé et nous poussera vers l'inconnu. Il faut bien qu'un petit garçon qui vit en Caroline du Nord dans les années 1980 comprenne qu'il mourra un jour, alors pourquoi ne pas l'apprendre auprès de deux frères plombiers d'origine italienne, qui adorent les champignons vénéneux ?

Un jour, la cartouche de *Super Mario Bros* que j'avais déjà souvent mise à contribution a refusé de se charger, même quand je soufflais dedans. Car c'est ainsi que l'on procédait à l'époque, ou du moins c'est ainsi que l'on pensait qu'il fallait faire : souffler dans l'ouverture de la cartouche pour en chasser la poussière, les saletés et les poils de chien ou de chat qui s'y étaient réfugiés. Mais j'avais beau faire, souffler dans la cartouche elle-même comme dans l'emplacement où on la glissait dans la console, l'écran télé était plein de taches et de lignes qui ondulaient et ça ne m'a pas rassuré du tout.

Quand j'y repense, c'était sans doute la broche de connexion qui était défectueuse sur la Nintendo, mais à 7 ans on ignore ce qu'est une broche de connexion. J'étais frustré et désespéré. Le pire, c'est que mon père venait de partir en déplacement avec les gardes-côtes et qu'il ne serait pas de retour avant quinze jours pour m'aider à résoudre ce problème. Ne connaissant pas d'astuce pour accélérer le temps et faire s'écouler ces deux semaines plus rapidement, j'ai décidé de régler la question tout seul. Si je réussissais, mon père serait impressionné. Je suis allé dans le garage chercher la boîte à outils en métal gris.

Je me suis dit que pour savoir ce qui n'allait pas, j'allais commencer par démonter cet engin. En gros j'ai imité, ou j'ai essayé d'imiter, ce que faisait mon père quand il réparait le magnétoscope ou le lecteur de cassettes dans la cuisine, autrement dit les deux appareils qui pour moi ressemblaient le plus à la console Nintendo. Il m'a fallu pratiquement une heure pour parvenir à mes fins, en tâchant de glisser un tournevis normal dans des pas de vis cruciformes avec mes petites mains mal coordonnées, mais j'ai fini par y arriver.

Extérieurement, la console était gris terne et uniforme, mais à l'intérieur c'était une débauche de couleurs : les fils qui sortaient de la carte du circuit imprimé vert cru composaient un véritable arc-en-ciel et avaient des reflets dorés et argentés. J'ai resserré deux ou trois trucs, en ai desserré d'autres, en y allant plus ou moins au hasard, et j'ai soufflé sur toutes les composantes. Après, j'ai essuyé le tout avec une serviette en papier. Il m'a fallu souffler à nouveau sur la carte du circuit imprimé pour enlever les petits morceaux de papier accrochés aux broches.

Une fois terminés le nettoyage et la réparation, il me restait à remonter l'appareil. Treasure, notre labrador golden, avait dû avaler une minuscule vis, à moins qu'elle n'ait disparu dans la moquette ou sous le canapé. Et je n'ai sans doute pas remis en place les composantes comme elles étaient installées au départ car elles tenaient à peine dans la coque. Le couvercle n'arrêtait pas de sauter, alors je pressais sur l'appareil comme quand on essaie de boucler une valise trop pleine. Le couvercle a fini par se refermer, mais d'un côté seulement. L'autre se redressait, et quand je le remettais en place, c'est en face que ça se soulevait. Je me suis occupé alternativement des deux pendant un moment avant de laisser tomber et de rebrancher la console sur le secteur.

J'ai appuyé sur le bouton de mise en marche – il ne s'est rien passé. J'ai appuyé sur le bouton de réinitialisation – rien. Or il n'y avait que deux boutons sur l'appareil. Avant mon intervention, le témoin lumineux situé juste à côté était rouge, mais là il était éteint. Légèrement déformée, la console était H.S. J'ai senti monter en moi une vague de honte et d'angoisse.

Quand il rentrerait de son déplacement avec les gardes-côtes, mon père ne serait pas fier de moi : il me sauterait dessus comme un Goomba. Sauf que j'avais moins peur de sa colère que de le décevoir. Dans son milieu, il était connu pour être un ingénieur en électronique spécialisé en avionique. Pour moi, c'était une espèce de savant fou au foyer qui s'efforçait de tout réparer lui-même – prises électriques, lave-vaisselle, chauffe-eau et climatiseurs. Je lui servais d'assistant quand il le voulait bien, ce qui m'amenait à apprécier l'aspect physique du travail manuel et le côté intellectuel de la mécanique de base, ainsi que les principes fondamentaux de l'électronique – différence entre courant et voltage, entre énergie et résistance… Tous les travaux que nous entreprenions ensemble se concluaient soit par un succès soit par des imprécations, tandis que mon père balançait à travers la pièce l'appareil irrécupérable avant de le flanquer dans un carton. Je ne le jugeais jamais pour ses échecs, j'étais au contraire très impressionné qu'il ait tenté le coup.

Lorsqu'il est rentré à la maison et a découvert ce que j'avais fait de la console NES, il ne s'est pas mis en colère, ce qui m'a beaucoup étonné. On ne peut pas dire qu'il était ravi, mais enfin il s'est montré patient. Il m'a expliqué qu'il était aussi important de savoir ce qui s'était passé que d'identifier le composant qui était tombée en panne : comprendre le pourquoi du comment permet d'éviter d'être victime de cette défaillance de nouveau. Il m'a montré à tour de rôle les divers composants de la console, en me précisant non seulement leur nom mais surtout à quoi ils servaient, et en m'expliquant comment ils agissaient de concert pour que le mécanisme fonctionne correctement. Il était indispensable d'analyser l'une après l'autre les pièces d'un mécanisme pour savoir si sa conception lui permettait d'atteindre l'objectif assigné. Si tel était le cas et que l'appareil ne fonctionnait tout simplement pas bien, il fallait réparer. Sinon, il ne restait plus qu'à le modifier pour l'améliorer. D'après lui, c'était le seul protocole à suivre pour réparer quelque chose ; en réalité, c'était notre responsabilité vis à vis de la technologie.

Comme toutes les leçons qu'il m'a transmises, celle-ci était plus vaste que le sujet du jour. En fin de compte, ça illustrait l'idée d'autonomie, que les Américains, soutenait mon père, avaient oubliée entre l'époque de son enfance et la mienne. Nous vivions désormais dans un pays où il revient moins cher de remplacer une machine défectueuse que de la faire réparer, et moins cher de la faire réparer que de se procurer les pièces détachées et de se débrouiller pour les mettre en place soi-même. Voilà qui suffit à installer la tyrannie de la technologie, qui se perpétue à cause de l'ignorance de ceux qui s'en servent tous les jours sans rien y comprendre. Ne pas vouloir s'informer sur le fonctionnement et la maintenance de base d'un appareil indispensable revient à accepter passivement cette tyrannie et à se plier à ses conditions : quand votre appareil fonctionne, vous fonctionnez aussi, mais quand il tombe en panne, vous craquez. Ce que vous possédez finit par vous posséder.

Il s'avéra que j'avais sans doute esquinté un point de soudure, mais pour savoir lequel exactement, mon père voulait utiliser des appareils de contrôle dont il disposait dans son laboratoire, à la base des gardes-côtes. J'imagine qu'il aurait pu les apporter à la maison mais pour une raison ou pour une autre, il a préféré m'emmener là-bas. Il avait décidé que j'étais prêt.

Je ne l'étais pas. Je n'étais jamais allé dans un endroit aussi impressionnant. Pas même la bibliothèque. Pas même RadioShack, dans la galerie marchande de Lynnhaven. Ce sont avant tout des écrans dont je me souviens. Le labo lui-même était désert et sombre, un immeuble de l'administration comme il en existe tant, mais même avant que mon père n'allume la lumière, je suis resté malgré moi cloué sur place à fixer le clignotement de la lumière vert électrique. Pourquoi y avait-il autant de télés ? me suis-je demandé, et pourquoi étaient-elles toutes branchées sur la même chaîne ? Mon père m'a expliqué qu'il ne s'agissait pas de postes de télévision mais d'ordinateurs. J'en avais certes déjà entendu parler mais je ne savais pas ce que c'était. J'ai dû penser au départ que les écrans, ou si l'on veut les moniteurs, étaient eux-mêmes les ordinateurs.

Il me les a montrés l'un après l'autre, et m'en a précisé la fonction : celui-ci traitait les signaux radar, celui-là retransmettait les communications radio, un autre simulait les systèmes électroniques des avions. Je ne prétendrai pas que je comprenais ne serait-ce que la moitié de tout ça. Ces ordinateurs étaient bien plus perfectionnés que pratiquement tout ce dont on se servait à l'époque à domicile, bien plus en avance que tout ce que j'avais pu imaginer. Certes, il a fallu cinq bonnes minutes pour que démarrent leurs unités de traitement, une seule couleur s'est affichée sur leur écran et ils ne possédaient pas d'enceintes pour diffuser des effets sonores ou de la musique. Mais ces faiblesses ne faisaient que leur donner le cachet du sérieux.

Mon père m'a installé sur une chaise, qu'il a levée jusqu'à ce que je puisse quasiment toucher le bureau et le morceau de plastique rectangulaire posé dessus. Pour la première fois de ma vie, je me suis retrouvé devant un clavier. Il ne m'avait jamais laissé taper sur son Commodore 64, et si on m'autorisait à passer du temps devant un écran, c'était uniquement pour jouer à des jeux vidéo sur des consoles équipées de contrôleurs conçus à cet effet. Ces ordinateurs, en revanche, n'étaient pas des consoles de jeux mais des machines professionnelles à usage général que je ne savais pas faire marcher. Il n'y avait pas de contrôleur, de manette de jeu ou d'arme à feu – l'unique interface était ce morceau de plastique aplati sur lequel étaient alignés des chiffres et des lettres. Celles-ci étaient d'ailleurs disposées dans un autre ordre que celui qu'on m'avait appris à l'école. La première était le Q, suivi du W, du E, du R, du T et du Y. Quant aux chiffres, au moins ils se suivaient dans l'ordre qu'on m'avait enseigné.

Mon père m'expliqua que chaque touche avait une fonction bien précise, que lorsqu'on les combinait c'était aussi dans un but particulier, et que si on trouvait les bonnes combinaisons on pouvait faire des trucs géniaux. Pour me montrer, il a tapé une commande informatique, puis a appuyé sur la touche entrée. Quelque chose est apparu sur l'écran – je sais aujourd'hui que c'était un éditeur de texte. Il a alors attrapé un Post-it et un stylo pour griffonner des chiffres et des lettres, puis il m'a dit de les dactylographier sur le clavier pendant qu'il s'en allait réparer la Nintendo.

Dès qu'il a eu le dos tourné, j'ai tapé le tout avec deux doigts. Le gaucher contrarié que j'étais a immédiatement trouvé que c'était la façon la plus pratique d'écrire.

10 ENTRÉE « QUEL EST TON NOM ? » ; NOM$

20 AFFICHAGE « BONJOUR, »+NOM$ + « ! »

Ça peut vous sembler facile mais vous n'êtes pas un gamin. Or j'étais un petit garçon aux doigts potelés qui ne savait même pas ce qu'étaient des guillemets, et qui ne se doutait pas qu'il lui fallait garder enfoncée la touche majuscule pour les taper. Après avoir multiplié les tentatives et les erreurs, je suis parvenu à terminer le fichier. J'ai appuyé sur entrée, et en un éclair l'ordinateur m'a demandé : « QUEL EST TON NOM ? »

J'étais fasciné. Le Post-it ne précisant pas ce que je devais faire, j'ai donc décidé de répondre et j'ai appuyé de nouveau sur la touche entrée, avec laquelle je commençais à me familiariser. D'un seul coup, « BONJOUR, EDDIE ! » s'est affiché à l'écran dans un vert radioactif qui flottait au-dessus du noir.

Tels furent mes débuts en programmation et en informatique tout court. J'ai appris que ces appareils ne font ce qu'ils font que parce qu'on le leur dit, et cela d'une façon précise et très particulière… et que l'on peut même avoir 7 ans pour cela.

J'ai presque aussitôt mesuré les limites des consoles de jeux. Comparées aux ordinateurs, elles avaient un côté étouffant. Qu'il s'agisse de Nintendo, d'Atari ou de Sega, elles vous faisaient évoluer à des niveaux et dans des univers où vous pouviez faire des progrès et même remporter des victoires, mais sans jamais être en mesure de les changer. La Nintendo réparée regagna le salon, où je l'ai laissée tranquille. Mon père et moi faisions une partie à deux sur *Mario Kart, Double Dragon,* ou *Street Fighter.* J'étais devenu nettement meilleur que lui – c'était le premier passe-temps où je me montrais plus habile que mon père – mais je le laissais gagner de temps à autre. Je ne voulais pas qu'il me prenne pour un ingrat.

Je n'ai pas la programmation dans le sang et je n'ai jamais pensé être bon dans ce domaine. Mais depuis une dizaine d'années environ, je suis devenu assez compétent pour être dangereux. Je continue toujours à trouver ça magique, de taper les commandes dans ces curieux langages auxquels le processeur donne une application pratique qui ne m'est pas réservée mais est accessible à tout le monde. Je trouvais fascinant de me dire qu'un seul programmeur était en mesure de coder quelque chose d'universel n'obéissant à d'autres règles et d'autres lois que celles qui se réduisaient à une relation de cause à effet. Entre l'entrée et la sortie, il existait un rapport purement logique. Si mon entrée était défectueuse, la sortie le serait aussi. À l'inverse, si mon entrée était parfaite, il en irait de même pour la sortie. Je n'avais encore jamais rien vu d'aussi juste et de cohérent, d'aussi impartial. Un ordinateur attendrait indéfiniment de recevoir mes instructions, en revanche il les traiterait dès que j'appuierais sur la touche entrée sans poser de questions. Aucun enseignant ne s'était montré aussi patient et ouvert. Nulle part ailleurs, et certainement pas à l'école ni même à la maison, je ne m'étais senti à ce point maître de la situation. Comme tant d'enfants dégourdis qui se passionnaient pour l'informatique, j'allais estimer que le fait qu'une série d'instructions parfaitement rédigées puissent accomplir encore et encore la même opération était la seule vérité intangible de notre génération.

3

Le garçon du périphérique

Juste avant mon neuvième anniversaire, ma famille a quitté la Caroline du Nord pour venir s'installer dans le Maryland. J'ai eu la surprise de constater que mon nom m'avait précédé. On voyait en effet « Snowden » écrit partout dans le comté d'Anne Arundel où nous avions élu domicile, même si je n'ai d'abord pas compris pourquoi.

Richard Snowden était un commandant britannique qui avait débarqué dans le Maryland en 1658, sitôt que la liberté religieuse accordée aux catholiques et aux protestants par Lord Baltimore avait concerné également les quakers. Son frère John l'a rejoint en 1674, après avoir accepté de quitter le Yorkshire où il était emprisonné pour avoir prêché la religion quaker. Lorsque le navire de William Penn, le *Welcome*, a remonté le Delaware en 1682, John fut l'un des rares Européens à l'accueillir.

Pendant la guerre d'Indépendance, trois de ses petits-fils ont servi dans l'armée des insurgés. Les quakers étant pacifistes, en rejoignant la lutte pour l'indépendance, ils ont fait l'objet de critiques de la part de leurs coreligionnaires, mais leur conscience exigeait qu'ils revoient leur position en la matière. William Snowden, dont je descends en ligne directe du côté de mon père, a été fait prisonnier

41

par les Britanniques lors de la bataille de Fort Washington, dans le New Jersey, et il est mort en détention à Manhattan, dans la prison de Sugar House, tristement célèbre. (La légende veut que les Britanniques aient assassiné leurs prisonniers de guerre en leur faisant avaler de force du gruau mélangé à du verre pilé.) Sa femme Elizabeth, née Moor, était une conseillère appréciée du général Washington et fut la mère d'un autre John Snowden – un homme politique, historien et propriétaire d'un journal en Pennsylvanie, dont les descendants se sont dispersés dans le sud du pays pour s'installer dans le Maryland, sur les terres de leurs cousins Snowden.

Le comté d'Anne Arundel englobe la plus grande partie des 800 hectares de bois que Charles II avait accordés en 1686 à la famille de Richard Snowden. Les Snowden ont mis sur pied la fonderie de Patuxent, l'une des forges les plus importantes des colonies américaines où l'on fabriquait aussi des balles et des boulets de canon, et la plantation Snowden, une ferme et une laiterie administrées par les petits-fils de Richard Snowden. Après de brillants états de service dans le régiment du Maryland pendant la guerre d'Indépendance, ils ont regagné la plantation où, pour mettre en pratique les principes qui les avaient animés pendant le conflit, ils ont aboli l'esclavage sur leurs terres et affranchi ainsi 200 esclaves africains presque un siècle avant la guerre de Sécession.

Aujourd'hui, l'ancien domaine des Snowden est coupé en deux par la Snowden River Parkway, une route à quatre voies très fréquentée et bordée d'espaces verts, de restaurants et de concessionnaires automobiles. Tout près de là passe la Route 32, Patuxent Freeway, qui mène directement au fort George G. Meade, le site de la deuxième plus grande base de l'armée de terre américaine, qui abrite le quartier général de la NSA. En réalité, Fort Meade occupe les terres qui appartenaient jadis à mes cousins Snowden. Certains affirment que ceux-ci les ont vendues aux militaires, d'autres qu'ils ont tout bonnement été expropriés par l'État.

À l'époque, je n'étais pas au courant de tout cela. Mes parents disaient en plaisantant que l'État du Maryland changeait le nom inscrit sur les panneaux chaque fois qu'un nouveau venu s'installait dans le coin. Ils trouvaient ça drôle, moi, ça me faisait froid dans le dos. Le comté d'Anne Arundel a beau n'être qu'à 400 kilomètres d'Elizabeth City par l'autoroute via l'Interstate 95, on avait l'impression de se trouver sur une autre planète. Nous venions de troquer les rives arborées d'un fleuve au profit d'un trottoir en ciment, et une école où j'étais apprécié et bon élève pour une autre où l'on se moquait de moi parce que je portais des lunettes, que je ne m'intéressais pas au sport et surtout parce que j'avais un accent du Sud prononcé qui me faisait traiter d'attardé.

Voilà qui explique que j'aie cessé de parler pendant les cours et me suis efforcé, quand j'étais seul à la maison, de parler « comme tout le monde ». Le fait ne pas pouvoir m'exprimer librement a eu des répercussions directes sur mes notes, qui se sont effondrées. Des profs ont alors tenu à faire évaluer mon quotient intellectuel afin de voir si je présentais des troubles de l'apprentissage. Or il s'est avéré que j'avais un QI de 140. Je ne me rappelle pourtant pas que quiconque se soit excusé, on s'est contenté de me donner des devoirs plus difficiles. D'ailleurs, alors que j'avais soudain trouvé de l'intérêt à m'exprimer, les mêmes enseignants qui avaient mis en doute mes capacités d'apprentissage me reprochèrent mon nouveau comportement.

Quant à ma nouvelle maison, elle se trouvait au bord du « périphérique », terme qui désignait autrefois l'Interstate 495, c'est-à-dire l'autoroute qui fait le tour de la ville de Washington et dessert aujourd'hui les cités-dortoirs qui pullulent autour de la capitale, remontant au nord jusqu'à Baltimore, dans le Maryland, et descendant au sud jusqu'à Quantico, en Virginie. Les gens qui vivent dans ces banlieues sont presque tous fonctionnaires quand ils ne travaillent pas pour des entreprises qui font affaire avec les autorités fédérales. Ils n'auraient autrement aucune raison d'habiter dans cette région.

Nous vivions à Crofton, une petite agglomération du Maryland située entre Annapolis et Washington, dans la partie ouest du comté d'Anne Arundel. Il s'agit d'une ville nouvelle construite autour de son club sportif privé, le Crofton Country Club. Sur une carte, la ville ressemble à un cerveau humain, avec toutes ces voies de circulation qui ondulent, s'enroulent et s'entortillent les unes aux autres, comme les plis et les replis du cortex cérébral. Nous habitions sur Knightsbridge Turn, une large rue bordée de maisons à deux niveaux, avec chacune une grande allée et un garage pour deux voitures. Notre maison était pile au milieu de la boucle où je distribuais des journaux. Avec mon vélo Huffy à dix vitesses, et muni d'une carte, j'allais livrer à domicile *The Capital*, un vénérable quotidien d'Annapolis que les lecteurs ne recevaient pas toujours régulièrement, surtout en hiver, dans le secteur délimité par une autoroute, la Crofton Parkway, et une nationale, la Route 450, qui dans notre quartier prend le nom de Defense Highway.

Pour mes parents, c'était une époque exaltante. Le fait qu'ils se soient installés à Crofton avait pour eux valeur de promotion, tant sur le plan social que financier. Les rues y étaient bordées d'arbres, la délinquance était rare, et le mélange de langues, de cultures et d'ethnies était emblématique d'une population aisée et bien élevée, composée de diplomates étrangers et d'Américains travaillant pour les services de renseignement. Notre jardin était quasiment un terrain de golf, à deux pas de chez nous se trouvaient des courts de tennis et, un peu plus loin, une piscine olympique. Pour ce qui était d'aller bosser, Crofton était l'endroit idéal. Mon père mettait moins de trois quarts d'heure pour gagner le quartier général des gardes-côtes, qui se trouvait à l'époque à Buzzards Point, un secteur du sud de Washington limitrophe de Fort Lesley J. McNair, où il avait été nommé adjudant-chef dans le département d'ingénierie aéronautique, et il ne fallait que vingt minutes à ma mère pour se rendre à son nouveau travail à la NSA, dont les bâtiments en forme de caisse à savon, surmontés de radômes et entièrement gainés de cuivre afin d'éviter que les signaux de communication ne soient interceptés, se dressaient au milieu de Fort Meade.

Je ne saurai trop insister, quand je m'adresse à des gens de l'extérieur, sur le fait qu'il était normal dans le coin d'avoir ce genre d'emplois. Par exemple, nos voisins de gauche travaillaient pour le ministère de la Défense, ceux de droite étaient employés au ministère de l'Énergie et au ministère du Commerce. Il fut un temps où pratiquement toutes les filles qui me faisaient vibrer avaient un père au FBI. Ma mère travaillait, comme quelque 125 000 autres employés dont le tiers vivaient sur la base, souvent avec leur famille. La base abritait 115 agences gouvernementales en plus de contingents issus des cinq composantes de l'armée américaine. Pour replacer les choses dans leur contexte, dans le comté d'Anne Arundel où vivaient un peu plus de 500 000 individus, une personne sur 800 bossait à la poste, une personne sur 30 dans l'enseignement public, et une personne sur quatre dans une entreprise, une agence ou un service lié à Fort Meade. La base avait ses propres bureaux de poste, ses écoles, sa police et ses pompiers. Une foule de gamins du quartier, d'enfants de militaires ou de civils, y affluaient chaque jour pour prendre des cours de golf, de tennis ou de natation. Nous avions beau habiter à l'extérieur, ma mère considérait l'intendance de Fort Meade comme une épicerie où elle effectuait des achats en gros. Elle profitait aussi de l'économat pour nous habiller de pied en cap, ma sœur et moi, qui ne cessions de grandir ; les vêtements n'étaient pas terribles, mais pratiques et surtout pas chers, car détaxés. Pour ceux d'entre vous qui n'ont pas été élevés dans ce milieu, il faut peut-être imaginer Fort Meade et ses environs, voire le « périphérique » dans son ensemble, comme une gigantesque agglomération gravitant autour d'une seule entreprise prise dans le cycle expansion-récession. C'est un endroit où la « monoculture » se rapproche beaucoup de celle de la Silicon Valley, à la différence toutefois qu'ici on ne fabrique pas des technologies mais le gouvernement lui-même.

Je devrais également ajouter que mes parents avaient chacun accès à des informations ultrasecrètes, mais que l'on avait passé ma mère au détecteur de mensonges, un contrôle de sécurité de haut niveau auquel les militaires ne sont pas soumis. Le plus drôle, c'est qu'elle n'avait absolument rien d'un espion. Elle était employée dans une société d'assurances indépendante destinée aux gens de la NSA, et qui leur proposait avant tout un plan de retraite. Il n'empêche que pour lui permettre de traiter les formulaires de pension, on s'est autant renseigné sur elle que si elle s'apprêtait à sauter en parachute dans la jungle pour organiser un coup d'État.

Encore aujourd'hui, la carrière de mon père reste à bien des égards obscure, ce qui n'a rien d'anormal. Dans le milieu où j'ai grandi, personne ne parlait vraiment de son travail, ni aux enfants ni aux autres. Il est vrai que très souvent, les adultes de mon entourage n'en avaient pas le droit et ne pouvaient rien en dire, même à leurs proches. Mais pour moi, cela tient surtout à la nature technique de leur travail et au désir du pouvoir de tout compartimenter. Les personnes travaillant dans les nouvelles technologies ont rarement conscience des applications plus larges et des implications politiques de leurs projets. Et le travail qui les absorbe a tendance à être tellement spécialisé que s'ils en parlaient lors d'un barbecue, ils ne seraient plus invités la fois suivante parce que ça n'intéresse personne.

Quand j'y repense, c'est peut-être la raison pour laquelle on en est là aujourd'hui.

4

Américain connecté

C'est juste après notre arrivée à Crofton que mon père a apporté à la maison notre premier ordinateur de bureau, un Compaq Presario 425 qui coûtait normalement 1 399 dollars mais qu'il avait acheté au rabais dans le magasin réservé aux militaires, et qu'il avait d'abord, au grand dam de ma mère, installé en plein milieu de la table à manger. Nous sommes aussitôt devenus inséparables. Si auparavant je n'avais généralement pas très envie de sortir jouer au ballon, je trouvais désormais cette simple idée parfaitement ridicule. Aucun extérieur n'était plus vaste que celui auquel j'avais accès grâce à ce PC terne et imposant, équipé d'une unité centrale Intel 186 de 25 mégahertz, ce qui le rendait pour l'époque incroyablement rapide, et d'un disque dur de 200 méga-octets. En plus, tenez-vous bien, il avait un écran couleur (un moniteur couleur de 8 octets, pour être précis, ce qui lui permettait d'afficher 256 couleurs. Aujourd'hui votre appareil est probablement capable d'en afficher des millions).

Ce Compaq est devenu mon compagnon de tous les instants – l'équivalent d'un frère ou d'une autre sœur –, et aussi mon premier amour. Il est entré dans ma vie à l'âge où je devenais moi-même, et je découvrais l'univers. C'était tellement excitant d'explorer tout ça que je ne me suis plus intéressé, du moins pendant un temps, aux gens de ma famille et à la vie que je menais. Autrement dit, je ressentais les prémices de la puberté. Sauf que ma puberté était profondément marquée par l'informatique, et que les changements considérables qu'elle provoquait en moi se retrouvaient, d'une certaine façon, partout dans le monde.

Quand mes parents me demandaient de me préparer pour l'école, je faisais la sourde oreille. Quand ils me disaient de me laver les mains avant de passer à table, c'était comme si je n'avais rien entendu. Et chaque fois qu'on me rappelait que cet ordinateur était à tout le monde et pas seulement à moi, je mettais tellement de mauvaise volonté à céder ma place à mon père, ma mère ou ma sœur qu'ils étaient obligés de m'ordonner de quitter la pièce pour éviter que je leur tourne autour, l'air maussade, et leur donne des conseils ; je montrais par exemple à ma sœur les macros et les raccourcis sur le traitement de texte quand elle rédigeait un rapport de recherche, ou bien je donnais à mes parents des tuyaux sur les tableurs quand ils essayaient de calculer le montant de leurs impôts.

Je tenais à ce qu'ils expédient rapidement ce qu'ils faisaient sur l'ordinateur, afin de pouvoir me consacrer à nouveau à ce qui m'intéressait et qui était bien plus important, comme jouer à *Loom*. Avec les progrès de l'informatique, des jeux tels que *Pong*, où l'on simulait une partie de ping-pong, ou ceux dans lesquels intervenaient des hélicoptères, bref ceux de mon père sur la console Commodore dorénavant désuète, avaient cédé la place à d'autres qui avaient compris que dans n'importe quel individu qui se sert d'un ordinateur sommeille un lecteur, quelqu'un qui ne veut pas seulement éprouver des sensations mais découvrir et vivre une histoire. Aux jeux rudimentaires que nous proposaient Nintendo, Atari et Sega quand j'étais gamin, avec toujours des combines pour libérer le président américain des ninjas qui le retenaient prisonnier (véridique), en avaient succédé d'autres qui reconstruisaient les légendes antiques pour lesquelles je me passionnais jadis et que je feuilletais allongé sur la moquette chez ma grand-mère.

Loom se déroulait au sein de la guilde des tisserands dont les anciens (qui s'appelaient Clotho, Lachésis et Atropos, comme les Parques) avaient mis au point un métier à tisser secret qui contrôlait le monde ou, selon le scénario, « incorporait de subtils schémas d'influence dans le tissu même de la réalité ». Quand un jeune garçon découvrait le pouvoir du métier à tisser, il était contraint à l'exil et tout sombrait dans le chaos, jusqu'à ce que le monde conclue qu'une machine qui décide de votre sort n'est peut-être pas une si belle invention, après tout.

Incroyable. Mais enfin, ce n'est qu'un jeu.

Il ne m'a cependant pas échappé, même si j'étais encore très jeune, que la fameuse machine qui intervenait dans le jeu symbolisait en quelque sorte l'ordinateur avec lequel j'étais justement en train de jouer… Les fils multicolores renvoyaient aux câbles de toutes les couleurs que l'on voyait à l'intérieur de l'ordinateur, et le grand fil gris qui prédisait un avenir aléatoire ressemblait au long câble qui, à l'arrière, le reliait au monde entier. Voilà, à mes yeux, ce qu'il y avait de magique : avec ce câble, la carte d'extension, le modem et un téléphone, je pouvais appeler et me connecter à un nouveau dispositif qui s'appelait Internet.

Ceux d'entre vous qui sont nés après l'an 2000 ne comprendront peut-être pas pourquoi on en fait toute une histoire, mais croyez-moi, c'était une invention prodigieuse. De nos jours, être connecté va de soi. Smartphones, ordinateurs portables, ordinateurs de bureau… tout est connecté, toujours. Connecté à quoi, au juste ? Et de quelle façon ? Peu importe. Il suffit de cliquer sur l'icône que les gens d'un certain âge, dans votre famille, appellent « le bouton Internet », pour pouvoir prendre connaissance des infos, vous faire livrer une pizza, écouter de la musique ou regarder en streaming des vidéos (autrefois on allait au cinéma et on regardait la télé). À l'époque, il fallait faire tout le chemin depuis l'école et brancher les modems dans la prise murale directement, avec nos petites mains de gosses de 12 ans.

Je ne dis pas que je connaissais grand-chose à Internet, ni que je savais comment au juste je m'y connectais, en revanche je saisissais parfaitement le miracle de la chose. Car à l'époque, lorsqu'on demandait à l'ordinateur de se connecter, c'était toute une histoire : l'appareil se mettait à biper et à siffler comme un dingue et ça pouvait durer une éternité, ou du moins plusieurs minutes, vous pouviez décrocher un autre téléphone à la maison à ce moment-là et réellement *entendre les ordinateurs parler*. Impossible évidemment de comprendre ce qu'ils se disaient puisqu'ils communiquaient dans un langage machine qui transmettait jusqu'à 14 000 symboles par seconde. N'empêche, même si je n'y comprenais rien, cela prouvait qu'il n'y avait pas que les grandes sœurs qui pouvaient se servir du téléphone…

L'accès à Internet et l'émergence du Web ont été aussi déterminants pour les gens de ma génération que le Big Bang ou l'explosion cambrienne. Voilà qui a changé irrévocablement le cours de ma vie, et celle de tout le monde. À partir de mes 12 ans environ, j'ai essayé d'être connecté en permanence. Et quand je n'étais pas en ligne, je planifiais ma prochaine session. Internet était mon sanctuaire ; le Web est devenu mon aire de jeux, ma cabane dans les arbres, ma forteresse, ma salle de classe débarrassée des murs. Ce qui m'a rendu, si c'était possible, encore plus sédentaire et blafard. Peu à peu j'ai cessé de dormir la nuit, du coup je me rattrapais pendant les cours. Ça m'a valu des notes lamentables.

Je ne me suis pourtant pas inquiété de ces revers scolaires, ça ne devait pas non plus trop affoler mes parents. Après tout, ce que j'apprenais sur Internet paraissait bien mieux et aussi beaucoup plus utile, concrètement parlant, pour mon avenir professionnel que tout ce que l'école pouvait bien m'enseigner. C'est du moins ce que je n'arrêtais pas de leur seriner à mes parents.

Ma curiosité était aussi vaste qu'Internet lui-même : un espace illimité qui connaissait une croissance exponentielle et ajoutait des pages web tous les jours, toutes les heures, toutes les minutes, dans des domaines auxquels je ne connaissais rien, sur des sujets dont je n'avais jamais entendu parler… Dès l'instant où j'en ai appris l'existence, j'ai éprouvé une envie irrépressible de les comprendre ; je me reposais à peine, je m'accordais à peine le temps de manger, voire d'aller aux toilettes. Je ne me cantonnais pas à des questions d'ordre technique, comme apprendre à réparer un lecteur de CD-ROM, car je passais aussi plein de temps sur des sites de jeux, rien que pour rechercher des *cheat codes* pour *Doom* et *Quake*. Mais j'étais en général tellement inondé d'informations que je me suis peut-être un peu emmêlé les crayons. Un cours intensif destiné à ceux qui veulent se construire eux-mêmes leur ordi, et hop !, j'en suivais juste après un autre sur l'architecture de processeurs, non sans faire un détour par les arts martiaux, les armes à feu, les voitures de sport et le porno soft goth, qui fut pour moi une révélation.

J'avais parfois l'impression qu'il me fallait tout savoir et que je ne mettrais pas un terme à la session en cours tant que ce ne serait pas le cas. Un peu comme si je faisais la course avec l'informatique, de la même façon que chez les adolescents de mon âge c'était à qui serait le plus grand ou le premier à avoir de la barbe. À l'école, j'étais entouré de jeunes, dont certains venaient de pays étrangers, qui essayaient de s'intégrer et faisaient des efforts considérables pour avoir l'air cool et branché. Seulement avoir la dernière casquette No Fear et savoir comment en courber les bords pour que ça en jette, c'était, au sens propre du terme, un jeu d'enfant par comparaison avec ce que je faisais. Ça me paraissait à ce point indispensable de repérer les sites et autres didacticiels à leur naissance que j'en voulais à mes parents quand, pour me punir de leur rapporter un bulletin scolaire médiocre ou de m'être fait coller, ils m'empêchaient d'aller sur l'ordinateur le soir si j'avais cours le lendemain. Je ne supportais pas qu'on ne me laisse plus ce privilège, d'autant plus que chaque fois que je n'avais pas pu aller sur Internet, j'étais passé à côté de nouveaux trucs. Mes parents ont multiplié les mises en garde et menacé de m'interdire pour de bon de me servir de l'ordinateur, tant et si bien que j'ai fini par céder. J'imprimais donc le fichier que j'étais en train de lire puis j'allais dans ma chambre. Je l'examinais jusqu'à ce que mes parents aillent à leur tour se coucher. Je ressortais alors sur la pointe des pieds dans la maison plongée dans le noir, en veillant à ne pas faire grincer la porte ni craquer le parquet à côté de l'escalier. Je n'allumais pas la lumière, je me fiais à la lueur de l'économiseur d'écran pour réveiller l'ordinateur et me connecter, en collant mes oreillers à l'appareil pour éviter que l'on entende le modem siffler pendant que s'établissait la connexion.

Comment expliquer ça à quelqu'un qui n'a pas connu cette époque ? Mes jeunes lecteurs, avec les critères des gens de leur âge, trouveront peut-être qu'à ses débuts l'Internet était bien trop lent, et que de son côté le Web était très laid et pas vraiment divertissant. Mais ils ont tort. À l'époque, se connecter signifiait entrer dans un autre monde qui nous semblait le plus souvent coupé de la vie réelle. Le réel ne s'était pas encore confondu avec le virtuel, et il appartenait à chacun d'apprécier les limites de ces deux mondes.

C'était justement ce qu'il y avait d'exaltant : on était libre d'imaginer quelque chose d'inédit, de tout recommencer à zéro. On encourageait l'expérimentation et l'originalité de l'expression, tout comme on insistait sur le rôle prééminent de la créativité chez l'individu, ce qui venait compenser le manque de convivialité du Web 1.0. Prenez l'exemple de GeoCites : ce site avait peut-être un fond qui clignotait en vert et en bleu, avec un texte qui défilait en blanc, tel un bandeau vous interpellant au milieu de l'écran – « Lisez d'abord ça ! » – sous le gif d'un hamster en train de danser. Mais pour moi, ces excentricités foireuses et qui trahissaient un travail d'amateur indiquaient tout simplement que c'était une intelligence humaine, celle d'un individu, qui était à l'origine du site. Profs d'informatique, ingénieurs système, diplômés de littérature travaillant au noir, économistes scotchés à leur fauteuil du sous-sol, etc. : tous étaient ravis de faire part de leurs recherches et de leurs convictions, non par intérêt financier mais tout bonnement pour gagner des gens à leur cause. Qu'il s'agisse, en l'occurrence, de PC, de Mac, de régimes macrobiotiques ou de la peine de mort, moi, ça m'intéressait. Ça m'intéressait parce qu'ils débordaient d'enthousiasme. On pouvait même les contacter, ces drôles de types brillants, et ils ne demandaient qu'à répondre à mes questions par le truchement des formulaires (« cliquez sur l'hyperlien ou faites un copier-coller sur votre navigateur ») et des adresses mail (@usenix. org, @frontier.net) figurant sur leurs sites.

À l'approche de l'an 2000, le monde connecté allait devenir de plus en plus centralisé et consolidé, les États et le monde des affaires s'efforçant d'intervenir davantage dans ce qui avait toujours été une relation de pair à pair, ou *peer-to-peer*. Reste que pendant un laps de temps bref et merveilleux qui, tant mieux pour moi, a grosso modo coïncidé avec mon adolescence, Internet était d'abord fait par et pour les gens. Son but était d'éclairer le citoyen lambda et non de monnayer les services qu'on lui rendait, et il obéissait davantage à un ensemble provisoire de normes collectives en constante évolution qu'aux termes d'un contrat de service qui visait l'exploitation et qu'on pouvait faire appliquer dans le monde entier. À ce jour, je considère que les années 1990 ont engendré l'anarchie la plus agréable et la plus réussie que j'ai connue.

Je me suis également passionné pour le *bulletin board system* (BBS), ou système de bulletin électronique, du Web. Là-dessus, on pouvait choisir un nom d'utilisateur et taper n'importe quel message que l'on avait envie de poster, en s'intégrant à un groupe de discussion qui existait ou bien en en créant un nouveau. La totalité des réponses vous parvenaient sous forme de fils de discussion. Imaginez la chaîne d'e-mails la plus longue à laquelle vous ayez participé, sauf que cette fois c'était public. Il y avait aussi les applications de chat, comme Internet Relay Chat, qui offraient là aussi sous forme de message instantané la version immédiatement gratifiante du même dispositif. Cela permettait de discuter de n'importe quel sujet en temps réel, ou du moins d'une façon aussi proche du temps réel qu'une conversation téléphonique, une radio en direct ou les infos à la télé.

Dans la plupart de mes messages et chats, je cherchais des réponses à des questions concernant la construction de mon propre ordinateur. On me répondait de façon extrêmement précise et studieuse, avec une gentillesse et une générosité qui seraient aujourd'hui impensables. Il suffisait par exemple que je panique et demande pourquoi un jeu de composantes électroniques que je m'étais payé avec mon argent de poche n'était pas compatible avec la carte mère que l'on m'avait offerte à Noël pour que je reçoive une explication détaillée, ainsi que les conseils d'un informaticien professionnel qui vivait à l'autre bout du pays. Loin d'être pompée dans un manuel, la réponse avait été rédigée uniquement à mon intention, pour m'aider à résoudre mes problèmes les uns après les autres, jusqu'à ce qu'on n'en parle plus. J'avais 12 ans et je correspondais avec un adulte que je ne connaissais pas et qui habitait au diable, ce qui ne l'empêchait pas de me traiter en égal car je prenais l'informatique au sérieux. Cette courtoisie, si éloignée des propos sournois que l'on échange de nos jours sur les réseaux sociaux, tient selon moi au fait qu'à l'époque la barre pour entrer dans le milieu était haute. Après tout, les seules personnes qui fréquentaient ces forums étaient celles qui le pouvaient, qui en avaient vraiment envie et qui possédaient les compétences requises, la passion nécessaire. Car dans les années 1990 il ne suffisait pas cliquer pour se connecter sur Internet ; il fallait se démener même pour ouvrir une session.

Un jour, un BBS sur lequel j'avais l'habitude d'aller a voulu organiser à Washington, à New York et au Consumer Electronic Show de Las Vegas, des rencontres auxquelles participeraient en chair et en os ses utilisateurs réguliers. On a lourdement insisté pour que j'y aille en me faisant miroiter des gueuletons et des soirées arrosées, jusqu'à ce que je me décide à avouer mon âge. J'ai eu peur que mes correspondants rompent tout contact avec moi mais, au contraire, ils y ont vu une raison supplémentaire de m'encourager. On m'a ainsi fait parvenir des mises à jour depuis le salon de Las Vegas en même temps que des images du catalogue ; un type a proposé de m'envoyer gratuitement des pièces d'ordinateur, par courrier… Si je leur avais avoué mon âge, en revanche je ne leur avais jamais dit comment je m'appelais puisque je n'avais pas à décliner mon identité sur ces plateformes, ce que j'appréciais énormément. L'anonymat ou bien le recours à des pseudonymes permettait d'avoir des rapports équilibrés. Je pouvais me réfugier derrière pratiquement n'importe quel pseudo et devenir du même coup une autre version de moi-même en plus âgé, plus grand et plus viril. Je pouvais même avoir plusieurs « moi ». J'en profitais pour poser les questions qui me semblaient trahir mon amateurisme sur des forums d'amateurs, en me glissant chaque fois dans la peau d'un personnage différent. Mes compétences en informatique se développaient si vite que, loin d'être fier d'avoir fait tant de progrès, j'étais au contraire gêné d'avoir été jadis un ignare en la matière, et je voulais avancer. Je tenais à dissocier mes divers « moi ». Je me disais que squ33ker devait être autrefois, il y a bien longtemps, c'est-à-dire mercredi dernier, un drôle d'imbécile pour poser des questions sur la compatibilité d'un jeu de composantes !

En dépit de cette philosophie prônant la coopération et la mise en commun, je ne nie pas qu'il existait aussi une concurrence impitoyable et qu'il arrivait que les intervenants, presque tous des hommes hétérosexuels travaillés par leurs hormones, s'engueulent et ne se fassent pas de cadeaux. Mais comme on ne savait pas à qui au juste on avait affaire, ceux qui vous détestaient n'existaient pas vraiment. En dehors de vos déclarations et de la façon dont vous vous exprimiez, ils ne connaissaient rien de vous. Si, ou plutôt quand l'un de vos arguments provoquait la colère, vous n'aviez qu'à changer de pseudo et mettre un nouveau masque pour rejoindre vos détracteurs et démolir cet avatar que vous aviez renié comme s'il s'agissait d'un inconnu. Je vous assure que, par moments, c'était un vrai soulagement.

Dans les années 1990, Internet n'avait pas encore été victime de la plus grande injustice de l'histoire numérique, lorsque les gouvernements et les entreprises ont décidé de confondre celui que vous êtes sur Internet et celui que vous êtes dans la vie de tous les jours. Autrefois, les gamins pouvaient se connecter et raconter des inepties sans être obligés de s'en justifier le lendemain. Vous estimerez peut-être que ce n'est pas vraiment le milieu le plus sain pour se développer, mais c'est pourtant le seul dans lequel vous avez la possibilité d'évoluer. Je veux dire par là que dans les premiers temps d'Internet, les occasions de se dissocier nous ont encouragés, ceux de ma génération et moi, à remettre en question les convictions les plus solidement ancrées en nous au lieu de camper sur nos positions et de les défendre mordicus quand elles étaient contestées. Cette faculté que nous avions de nous réinventer signifiait que nous n'avons jamais été obligés de prendre parti, ou encore de serrer les rangs par peur de faire quelque chose qui nuirait à notre réputation. Les erreurs vite punies mais vite corrigées permettaient au « coupable » et à la communauté d'avancer. Pour moi comme pour bien d'autres, c'était la liberté.

Imaginez, si vous voulez, que tous les matins à votre réveil vous puissiez choisir un nouveau nom et un nouveau visage. Imaginez aussi que vous puissiez choisir une nouvelle voie et un nouveau vocabulaire, comme si la « touche Internet » était en réalité un bouton de réinitialisation. Au XXIe siècle, Internet et sa technologie allaient viser d'autres objectifs : défendre la fidélité à la mémoire, la logique identitaire et du même coup le conformisme idéologique. Mais, à l'époque, du moins pendant un certain temps, Internet nous protégeait en oubliant nos transgressions et en pardonnant nos écarts.

Ce n'est pas sur les BBS que j'ai au départ été confronté à la nécessité de me présenter moi-même pour ce que j'étais, mais dans un domaine où le fantastique revêtait une importance accrue, à savoir les terres et les donjons des jeux de rôle, tout particulièrement dans les jeux en ligne massivement multijoueurs. Pour jouer à *Ultima Online*, celui que je préférais, il m'a fallu me créer et endosser une identité alternative, ou « alt ». Je pouvais ainsi choisir d'être un sorcier, un bricoleur ou un voleur, et j'étais libre de basculer entre ces « alts », ce qui n'était pas le cas dans la vie réelle, où l'on a tendance à trouver louche que l'on soit sujet à des mutations.

Je me lançais dans *Ultima*, cet *escape game*, en incarnant l'un de mes « alts », et en interagissant avec les « alts » des autres. J'ai fini par connaître ces « alts », puisque j'entreprenais parfois les mêmes recherches qu'eux, et c'est ainsi que je me suis parfois rendu compte que j'avais déjà rencontré ceux qui les utilisaient, mais à un moment où ils avaient endossé une autre identité. J'avais aussi conscience qu'il pouvait se passer exactement la même chose de leur côté. Ils lisaient mes messages et comprenaient alors que si j'étais actuellement un chevalier qui répondait au nom de « Shrike », j'étais aussi, ou plutôt j'avais été, « Corwin », un barde, ainsi que « Belgarion », un forgeron. Il arrivait que ce ne soit qu'une occasion de plaisanter, mais le plus souvent j'étais animé d'un esprit de compétition, le succès revenant pour moi à identifier plus d'« alts » d'un autre individu qu'il n'en reconnaîtrait des miens. Dès lors qu'il s'agissait de voir si j'étais capable de démasquer les autres sans me faire repérer, je devais veiller à rédiger mes messages sans me trahir, tout en croisant le fer avec eux et en restant à l'affût de ce qui pourrait révéler leur identité par inadvertance.

Si les « alts » d'*Ultima* avaient de multiples noms, ils ne pouvaient pas fluctuer anarchiquement en raison de la nature même de leurs rôles respectifs, qui étaient clairement définis, avaient valeur d'archétypes et étaient si imbriqués dans l'ordre social existant au sein de l'*escape game* qu'y jouer s'apparentait parfois à accomplir un devoir civique. Après une journée d'école, ou passée à effectuer un travail apparemment inutile et ingrat, on pouvait avoir l'impression de rendre un service précieux en se mettant le soir dans la peau d'un guérisseur, d'un berger, d'un alchimiste ou d'un mage. La stabilité relative de l'univers d'*Ultima*, qui se développait en permanence en suivant des lois et des codes de conduite précis, garantissait que chaque « alt » avait une tâche spécifique et serait jugé en fonction de sa capacité à l'accomplir, ou de la bonne volonté qu'il y mettait.

Je les adorais, ces jeux, ainsi que les vies alternatives qu'ils me permettaient de vivre, même si dans ma famille on ne les trouvait pas si libérateurs que ça. Il sont en effet très chronophages, et je passais tellement d'heures sur *Ultima* que j'ai fait exploser notre note de téléphone et que personne n'arrivait à nous joindre car la ligne était toujours occupée. Ma sœur, désormais une jeune fille, piquait une crise quand elle constatait que ma vie en ligne lui avait fait rater certains potins du lycée de la plus haute importance. Elle comprit cependant très vite que pour se venger il lui suffisait de décrocher le téléphone, ce qui interrompait aussitôt la connexion. Le modem arrêtait de siffler et, avant même qu'elle entende la tonalité, je poussais des hurlements.

Si l'on vous interrompt pendant que vous êtes en train de lire les nouvelles sur écran, vous pouvez toujours revenir en arrière et recommencer là où vous vous êtes arrêté. Mais si vous êtes absorbé dans un jeu que vous ne pouvez ni mettre en pause ni enregistrer, parce qu'il y a 100 000 autres individus qui y jouent au même moment, vous êtes foutu. Vous avez beau être le maître du monde, un tueur de dragons légendaire qui possède un château et une armée, trente secondes seulement après avoir perdu la connexion vous vous reconnectez à un écran grisâtre qui affiche cette cruelle épitaphe : « VOUS ÊTES MORT ! »

Ça me gêne un peu d'avoir accordé autant d'importance à tout ça, mais je dois bien reconnaître qu'à l'époque j'avais l'impression que ma sœur voulait absolument m'empoisonner l'existence, notamment lorsqu'elle faisait exprès de sourire, avant de décrocher le téléphone, non pas pour donner un coup de fil, mais uniquement pour me rappeler que c'était elle qui commandait. Nos parents en ont eu tellement marre de nos engueulades qu'ils ont fait preuve d'indulgence, ce qui n'était pas dans leur habitude. Ils ont mis un terme à notre abonnement Internet que l'on payait à la minute au profit d'un forfait avec accès illimité, et ont fait poser une seconde ligne.

La paix est revenue dans notre foyer.

5

Piratage

Les ados sont tous des hackers. Ils ne peuvent pas faire autrement car leur condition est intenable. Ils pensent être des adultes et les adultes les prennent pour des gamins.

Souvenez-vous, si possible, de votre adolescence. Vous aussi, j'imagine, étiez un pirate, prêt à tout pour échapper à la surveillance de vos parents. Au fond, vous en aviez marre d'être traité comme un gosse.

Rappelez-vous de ce que vous avez ressenti quand quelqu'un de plus âgé et de plus fort que vous essayait de vous contrôler, comme si l'âge et la taille se confondaient avec l'autorité. À un moment donné, vos parents, vos profs, vos entraîneurs, vos chefs scouts et les membres de la communauté religieuse profitaient de leur statut pour s'immiscer dans votre vie privée, vous assigner des buts qu'ils avaient choisis et vous obliger à vous conformer à des principes révolus. Chaque fois que ces gens remplaçaient vos espoirs, vos rêves et vos désirs par les leurs, c'était, à les entendre, « pour votre bien » ou « dans votre intérêt ». Si ça s'avérait parfois exact, on se souvient tous que ce n'était pas toujours le cas – « puisque je te le dis » paraissait alors un peu court, et « tu me remercieras un jour » sonnait faux. Si donc vous avez été adolescent, vous avez certainement dû en baver à cause de l'une de ces phrases toutes faites, et vous retrouver du côté des perdants.

Grandir revient à comprendre dans quelle mesure votre vie a été régie par un ensemble de règles, de vagues directives et de normes de plus en plus insupportables que l'on vous a imposées sans vous demander votre avis, et qui pouvaient changer d'un moment à l'autre. Il vous a même parfois fallu enfreindre certaines règles pour avoir conscience qu'elles existaient.

Si vous étiez comme moi, ça vous scandalisait.

Si vous étiez comme moi, vous étiez myope, maigre, en avance pour votre âge, et dès que vous avez eu 10 ans vous vous êtes intéressé à la politique.

On vous a expliqué à l'école que dans le système politique américain, les gens ont le droit de vote et acceptent ainsi d'être gouvernés par leurs égaux. Ça s'appelle la démocratie. Celle-ci, pourtant, faisait défaut dans le cours d'histoire, car si nous avions eu le droit de vote, mes camarades et moi, M. Martin se serait retrouvé au chômage. Au lieu de ça, c'était lui qui faisait la loi en histoire tout comme Mme Evans faisait la loi en anglais, M. Sweeney en sciences, Monsieur Stockton en maths, et tous ces profs changeaient constamment les règles du jeu à leur profit et pour accroître encore leur pouvoir. Si l'un d'eux ne voulait pas vous laisser aller aux toilettes, vous n'aviez plus qu'à vous retenir. Si un autre avait promis d'organiser un voyage d'études à la Smithsonian Institution de Washington avant d'y renoncer en raison d'une infraction imaginaire, en guise d'explication, il se contentait d'invoquer son autorité et le respect de la discipline. Même à l'époque, je me rendais compte que s'opposer au système serait difficile, entre autres parce qu'on ne pourrait changer les règles que si ceux qui les avaient établies acceptaient de se mettre en position de faiblesse. Tel est en fin de compte le vice rédhibitoire ou le défaut de conception que l'on introduit délibérément dans tous les systèmes, qu'il s'agisse de politique ou d'informatique : ceux qui définissent les règles n'ont aucune raison d'aller contre leurs intérêts.

Voyant qu'il n'était pas possible d'exprimer un quelconque désaccord à l'école, j'en ai conclu que le système d'enseignement avait perdu toute légitimité. Je pouvais donc plaider ma cause jusqu'à avoir une extinction de voix, ou tout simplement me résigner à n'avoir jamais voix au chapitre…

La tyrannie bienveillante du système scolaire ne dure cependant qu'un temps, comme toutes les tyrannies d'ailleurs. Au bout d'un moment, le refus de toute liberté d'action aboutit à une autorisation de résister, même si les adolescents ont tendance à confondre résistance et fuite devant la réalité, sans même parler de violence. Je ne pouvais pas recourir aux exutoires habituels des ados en rupture car j'étais trop sympa pour m'adonner au vandalisme et pas assez cool pour me défoncer. (À ce jour, je n'ai encore jamais été ivre et je n'ai jamais fumé de cigarette.) Au lieu de ça, je me suis lancé dans le piratage informatique, ce qui reste à ma connaissance la façon la plus saine, raisonnable et pédagogique pour les jeunes de revendiquer leur autonomie et de s'adresser aux adultes d'égal à égal.

Comme la plupart de mes camarades, je n'aimais pas les règles mais j'avais peur de les enfreindre. Je savais comment ça se passait : tu corrigeais un prof qui s'était trompé, tu recevais un avertissement ; tu t'opposais au prof s'il ne voulait pas reconnaître son erreur, on te flanquait une colle ; quelqu'un copiait sur toi lors d'un contrôle, vous étiez collés tous les deux même si tu ne l'avais pas expressément autorisé à pomper sur toi, et l'autre était exclu provisoirement. On se livre au piratage une fois que l'on a compris qu'il existe un lien systémique entre l'entrée et la sortie (ou *input* et *output*), entre la cause et l'effet. Le piratage n'est donc pas propre à l'informatique, il existe partout où il y a des règles. Pour pirater un système, il faut mieux connaître ses règles que ceux qui les ont définies ou les appliquent, et exploiter la distance fragile qui sépare le projet initial de la façon dont il fonctionne réellement ou peut être mis en œuvre. En tirant parti de ces utilisations involontaires, les hackers contreviennent moins aux règles en vigueur qu'ils ne les discréditent.

Les êtres humains sont programmés pour reconnaître les constantes. Tous les choix que nous faisons sont informés par des hypothèses inconscientes et exposées en pleine connaissance de cause, qu'elles soient logiques ou empiriques. Elles nous servent à évaluer les répercussions de nos décisions, et ce que nous décrivons comme l'intelligence, c'est bien la faculté de faire ça avec précision et rapidité. Reste que les plus brillants d'entre nous s'en remettent à des hypothèses que l'on n'a jamais vérifiées, ce qui explique que nos choix se révèlent souvent imparfaits. Ceux qui en savent plus ou qui réfléchissent plus vite et avec plus de précision que nous profitent de ces défauts pour faire advenir des choses auxquelles nous ne nous attendions pas. C'est cet aspect égalitaire du piratage – qui ne se soucie pas de qui vous êtes mais de comment vous raisonnez – qui explique que ce soit un moyen très fiable pour faire face à des figures d'autorité tellement persuadées de la vertu de leur système qu'il ne leur est jamais venu à l'esprit de le mettre à l'épreuve.

Ce n'est évidemment pas à l'école que j'ai appris tout ça, mais sur Internet. Ça m'a en effet donné l'occasion de me consacrer à tous les sujets qui m'intéressaient sans être tributaire du rythme imposé par les profs et mes camarades de classe. Cependant, plus je passais de temps en ligne, plus mon travail scolaire s'écartait du programme officiel.

L'été de mes 13 ans, j'ai décidé de ne plus retourner au lycée, ou du moins de m'affranchir en grande partie de mes obligations scolaires. Cela dit, je ne savais pas trop comment m'y prendre, et tous les plans que j'avais concoctés risquaient de se retourner contre moi. Si je séchais les cours, mes parents ne me laisseraient plus avoir libre accès à l'ordinateur. Si j'abandonnais mes études, ils m'enterreraient au fond d'un bois puis raconteraient aux voisins que j'avais fugué. Il me fallait trouver une combine, et elle m'a été soufflée le jour de la rentrée des classes. C'est tout juste d'ailleurs si on ne me l'a pas servie sur un plateau.

Au début de chaque cours, les profs nous ont distribué le programme dans lequel étaient indiqués les sujets qui seraient abordés, les lectures indispensables et la date des contrôles, des interrogations écrites et des devoirs à faire à la maison. Ils nous ont aussi expliqué leur notation, c'est-à-dire les critères pour récolter un A, un B, un C ou un D. C'était la première fois que l'on me donnait ce genre d'informations. Leurs lettres et leurs notes ressemblaient à une drôle d'équation qui allait m'aider à résoudre mon problème.

De retour à la maison, j'ai regardé tout ça de près et j'ai calculé ce que dans chaque matière je pouvais me dispenser d'apprendre, tout en escomptant malgré tout avoir la moyenne. En cours d'histoire par exemple, les interrogations écrites représentaient 25 % de la note globale, les contrôles 35 %, les dissertations 15 %, les devoirs 15 % et la participation au cours 5 %. Comme en général j'avais de bons résultats aux interrogations écrites et aux contrôles sans pour autant passer des heures à étudier, ça ne devrait pas m'occuper trop longtemps, à la différence des dissertations et des devoirs qui ne rapportaient pas beaucoup et se révélaient fastidieux.

Il en est ressorti que si je ne faisais jamais mes devoirs mais cartonnais dans tout le reste, j'obtiendrais au total une note de 85, autrement dit un B. Sans faire ni devoirs ni dissertations mais en m'en sortant haut la main par ailleurs, j'obtiendrais pour le coup une note de 70 ou, si vous préférez, un C moins. Avec ses 10 %, la participation au cours ne risquait pas de me pénaliser, et même si le prof me mettait alors zéro au motif que j'étais un élément perturbateur, j'obtiendrais quand même une note de 65, soit un D moins, et j'aurais juste la moyenne.

Le système de mes profs était complètement foireux. Leurs consignes pour décrocher la meilleure note pouvaient aussi servir à conquérir le maximum de liberté – un stratagème pour éviter de faire ce qui ne me plaisait pas sans être pénalisé.

À partir du moment où j'ai compris ça, j'ai complètement laissé tomber mes devoirs. C'était génial, je nageais en plein bonheur, le genre de bonheur inaccessible aux personnes en âge de travailler et de payer des impôts, jusqu'à ce que M. Stockton me demande devant mes camarades pourquoi je ne lui avais pas remis cinq ou six devoirs. Encore trop jeune pour verser dans la fourberie, et oubliant l'espace d'un instant qu'ainsi je jouais contre moi-même, j'ai joyeusement expliqué mon petit calcul au prof de maths. Les autres se sont esclaffés et l'instant d'après ils se sont mis à calculer, histoire de voir s'ils pouvaient se permettre eux aussi d'adopter un mode de vie post-devoirs.

« Très astucieux, Eddie », m'a dit avec le sourire M. Stockton avant de continuer son cours.

Au lycée je suis passé pour un petit malin jusqu'à ce que, le lendemain, M. Stockton nous distribue le nouveau programme dans lequel il était spécifié qu'au-dessus de six devoirs non rendus, l'élève récolterait automatiquement un F à la fin du semestre et serait donc recalé.

Très astucieux, M. Stockton.

Après le cours, il m'a dit quelques mots en privé. « Tu devrais te servir de ton intelligence pour faire le meilleur travail possible, pas pour tirer au flanc. Tu as un gros potentiel, Ed. Mais je ne crois pas que tu te rendes compte que les notes que tu obtiens ici vont te suivre toute ta vie. Tu dois y penser. »

Libéré des devoirs, du moins pendant un moment, j'avais par conséquent plus de temps libre, j'ai alors fait davantage de piratage informatique et je me suis perfectionné. Je suis allé feuilleter à la librairie les photocopies un peu floues de petits fanzines comme *2 600* ou bien *Phrack*, j'ai assimilé leurs techniques et par la même occasion j'ai souscrit à leur esprit anti-autoritaire.

J'étais en bas de l'échelle, un script kiddie n00b qui se servait d'outils qu'il ne comprenait pas et qui fonctionnaient suivant des principes qui lui échappaient. On continue à me demander pourquoi, lorsque j'ai fini par acquérir des compétences, je n'en ai pas profité pour piller des comptes bancaires ou subtiliser des numéros de cartes bleues. Sincèrement, j'étais trop jeune et trop bête pour imaginer que ce soit possible, et en plus je n'aurais pas su quoi faire de mon butin. Tout ce dont j'avais envie, tout ce qu'il me fallait, je l'avais gratuitement. À défaut, j'ai trouvé le moyen de pirater des jeux vidéo, ce qui m'a permis de mener simultanément plusieurs vies et de voir par exemple à travers les murs. Il faut bien reconnaître aussi qu'à l'époque, il n'y avait pas beaucoup d'argent sur Internet, du moins par rapport à aujourd'hui. En matière de vol, je n'ai jamais vu personne faire autre chose que du piratage téléphonique, c'est-à-dire se débrouiller pour ne pas payer ses communications.

Si l'on demandait aux meilleurs pirates informatiques de l'époque pourquoi, après s'être introduits dans un important site d'information, ils s'étaient contentés de remplacer les gros titres par un gif planant et vantant les compétences du Baron von Hackerface avant de disparaître des écrans moins d'une heure plus tard, ils vous feraient la même réponse que l'alpiniste à qui l'on demandait pourquoi il a gravi l'Everest : « Parce que c'est comme ça. » Dans l'ensemble, les hackers, et notamment les jeunes, ne sont pas animés par l'appât du gain ou la soif du pouvoir ; ils veulent mesurer les limites de leur talent et montrer qu'il n'y a rien d'impossible.

J'étais un ado, et si je faisais ça par pure curiosité, je m'aperçois rétrospectivement que c'était aussi révélateur d'un point de vue psychologique, dans la mesure où mes premières tentatives de bidouillage n'avaient pour but que de soulager ma névrose. Plus je me rendais compte que la sécurité informatique recelait des failles, plus je redoutais ce qui pouvait arriver si on s'en remettait à un appareil présentant des risques. Pendant l'adolescence, le premier piratage qui a failli m'attirer des ennuis était lié à une peur qui allait soudain devenir une hantise, celle d'une guerre nucléaire qui dévasterait la planète entière.

Je venais de lire un article sur l'histoire du programme nucléaire américain, et voilà que d'un seul coup, en à peine deux ou trois clics, je me suis retrouvé sur le site du Laboratoire national de Los Alamos. C'est comme ça que fonctionne Internet : piqué par la curiosité, on laisse courir ses doigts, qui pensent alors à votre place. Mais ça m'a vite fait flipper de constater que la sécurité du site web du plus important centre de recherche et de mise au point des armes nucléaires des États-Unis présentait une faille béante. Sa vulnérabilité s'apparentait à celle d'une maison dont on n'a pas fermé la porte à clé. On était en présence d'une structure arborescente ouverte.

Je m'explique. Imaginez que je vous aie envoyé un lien vous permettant de télécharger un fichier pdf qui se trouve sur sa propre page, sur un site web multipage. L'URL de ce fichier serait en principe quelque chose du genre website.com/files/pdfs/filename.pdf. Or, comme la structure d'une URL vient tout droit de celle du répertoire, chaque composante de cette URL représente une « branche » de l'« arborescence ». En l'occurrence, à l'intérieur du répertoire website. com est hébergé un dossier de fichiers, dans lequel se trouve un dossier de pdfs qui lui-même renferme le nom du fichier pdf que vous cherchez à télécharger. Aujourd'hui, la plupart des sites web ne vous permettent d'accéder qu'à ce fichier déterminé, et non aux structures arborescentes. Mais en ces temps reculés, chaque site web d'importance était conçu et administré par des gens qui débutaient dans ce domaine et laissaient souvent grande ouverte l'arborescence des répertoires, ce qui signifie qu'en tronquant l'URL de votre dossier, de manière à ce qu'il devienne quelque chose comme website. com/files, vous pouviez avoir accès à tous les fichiers hébergés sur le site, en pdf ou dans un autre format, y compris à ceux qui n'étaient pas forcément destinés au grand public. Eh bien, c'était le cas avec le site de Los Alamos.

C'était une procédure transversale rudimentaire, et c'est précisément celle que j'ai suivie : je suis passé aussi vite que possible d'un fichier à un sous-dossier, puis à un dossier de niveau supérieur, et ensuite j'ai répété l'opération, tel un ado qui se balade dans le carnet d'adresses de ses parents. Moins d'une demi-heure après avoir lu un article sur la menace que représentent les armes nucléaires, je suis tombé sur des fichiers extrêmement sensibles, en principe réservés aux seuls employés autorisés à les consulter.

Certes, les documents en question n'étaient pas vraiment des plans ultrasecrets permettant de fabriquer une bombe atomique dans son garage. (De toute façon, on trouvait déjà tout ce qu'on voulait là-dessus sur des sites web destinés aux bricoleurs.) Il s'agissait plutôt de circulaires confidentielles. Il n'empêche que la peur d'apercevoir des champignons atomiques à l'horizon et le fait que mes parents travaillaient tous les deux pour la défense nationale m'ont amené à agir : j'en ai parlé à un adulte. J'ai adressé au webmaster du laboratoire un e-mail expliquant que le site Internet de Las Alamos était vulnérable, puis j'ai attendu en vain qu'il me réponde.

Tous les jours, en rentrant du lycée, je me rendais sur le site pour vérifier si on en avait modifié la structure arborescente, et je déchantais. Rien n'avait changé, sauf que je bouillais d'indignation. J'ai finalement décroché le téléphone, celui de la seconde ligne, pour appeler le numéro qui figurait en bas de la page d'accueil.

Une standardiste m'a répondu. Je me suis aussitôt mis à bredouiller, et je ne pense même pas avoir pu parler de structure arborescente car ma voix s'est brisée. « Attendez, je vous passe le service technique », m'a dit la fille, qui m'a immédiatement passé un autre poste où je suis tombé sur une boîte vocale.

Quand j'ai entendu le bip je m'étais suffisamment ressaisi pour pouvoir laisser un message. Je me rappelle seulement comme il se terminait : soulagé, j'ai répété mon nom et mon numéro de téléphone. Je crois même avoir épelé mon patronyme en recourant à l'alphabet phonétique des militaires, comme le faisait parfois mon père, ce qui donnait : « Sierra November Oscar Whiskey Delta Echo November. » Puis j'ai raccroché et je suis retourné à mes occupations, qui pendant huit jours ont consisté presque exclusivement à aller sur le site de Los Alamos.

De nos jours, vu les moyens dont dispose le pouvoir en matière de cyber-renseignement, on s'intéresserait certainement à celle ou celui qui mettrait à contribution une trentaine de fois par jour les serveurs de Los Alamos. Mais à l'époque, j'étais seulement considéré comme quelqu'un qui s'intéressait à ce centre de recherche. Ça me laissait pantois. Est-ce que tout le monde s'en fichait ?

Les semaines ont passé, et pour un adolescent les semaines sont parfois aussi longues que des mois, jusqu'à ce qu'un soir, juste avant que nous passions à table, le téléphone a sonné. C'est ma mère, qui se trouvait à la cuisine en train de préparer le repas, qui a répondu.

J'étais devant l'ordinateur, dans la salle à manger, quand j'ai compris que c'était pour moi.

« – Oui, oui, il est là. Puis-je vous demander qui vous êtes ?

Je me suis retourné sur ma chaise, et je l'ai vue à côté de moi, le téléphone collé à la poitrine. Elle était livide et tremblante.

Il y avait quelque chose de pressant et de lugubre dans sa façon de me poser cette question à voix basse, c'était nouveau et ça m'a flanqué la trouille.

– Qu'est-ce que tu as fait ?

Si j'avais su, je le lui aurais dit.

– Qui c'est ? lui ai-je demandé.

– Las Alamos, le laboratoire de recherche nucléaire.

– Ah, enfin !

J'ai récupéré l'appareil et me suis assis.

– Allô ?

Au bout du fil se trouvait un porte-parole du département d'informatique de Los Alamos. Il s'est montré charmant et me donnait du « monsieur Snowden ». Il m'a remercié de leur avoir signalé le problème et m'a annoncé qu'ils venaient d'y remédier. Je n'ai pas osé lui demander pourquoi ils avaient attendu aussi longtemps, et il a fallu que je me retienne pour ne pas aller tout de suite vérifier sur l'ordinateur.

Ma mère ne m'avait pas quitté des yeux. Elle essayait de suivre notre discussion, mais n'entendait que l'un de nous deux. J'ai levé le pouce, et pour la rassurer complètement, j'ai pris une voix grave pour expliquer froidement à mon interlocuteur ce qu'il savait déjà.

– Je vous remercie de m'avoir prévenu. J'espère que je ne vous ai pas attiré d'ennuis.

– Pas du tout.

Le type m'a alors demandé ce que je faisais dans la vie.

– Pas grand-chose.

Il a alors voulu savoir si je cherchais du travail.

– Pendant l'année scolaire je suis très occupé mais j'ai beaucoup de vacances, et l'été je suis libre.

C'est à ce moment-là que ça a fait tilt dans sa tête et qu'il a compris qu'il parlait à un adolescent.

– Eh bien, mon petit, tu sais désormais à qui t'adresser. N'hésite pas à nous contacter quand tu auras dix-huit ans. Maintenant, passe-moi la dame à qui j'ai parlé tout à l'heure.

J'ai redonné le téléphone à ma mère morte d'inquiétude et qui est retournée dans la cuisine envahie par la fumée. Le repas avait brûlé, mais tant pis, le porte-parole du département d'informatique avait dû dire suffisamment de choses élogieuses sur moi pour qu'elle s'abstienne de me punir.

6

Inachevé

Je ne me souviens pas très bien du lycée car j'y ai souvent roupillé, histoire de rattraper les nuits blanches passées devant l'ordi. En général, ça ne dérangeait pas trop les profs et, du moment que je ne ronflais pas, on me fichait la paix. Il y avait cependant quelques renfrognés qui poussaient la cruauté jusqu'à me réveiller – en faisant crisser une craie sur le tableau ou en tapant l'une contre l'autre deux brosses d'effaçage – et me poser la question piège :

« – Et *vous*, monsieur Snowden, qu'en pensez-vous ?

Je levais la tête, me redressais sur ma chaise, bâillais, et, tandis que mes camarades riaient sous cape, il ne me restait plus qu'à répondre.

À dire vrai je les aimais bien, ces moments où il me fallait relever le gant. J'aimais bien qu'on me pose des colles, alors que j'étais complètement hébété et dans le coltar, devant trente paires d'yeux et d'oreilles et que je séchais devant le tableau à moitié effacé. Si j'arrivais à penser assez vite pour trouver une bonne réponse, j'entrais dans la légende. Sinon, je pouvais toujours sortir une blague – il n'est jamais trop tard pour ça. Au pire, je bafouillais et je passais pour un imbécile. Tant pis. Il faut toujours laisser les gens vous sous-estimer. Parce que quand ils sous-évaluent votre intelligence et vos aptitudes, ils ne font que souligner leurs propres faiblesses – les trous béants dans leur jugement doivent rester comme ça pour qu'ensuite vous puissiez parader.

Adolescent, j'étais sans doute un peu trop enclin à penser que les questions importantes doivent être traitées de façon binaire, qu'une seule solution est valable, tout le reste devant être rejeté. Je crois que j'étais sous le charme du modèle de la programmation où seules deux réponses sont possibles, « oui » ou « non », l'équivalent du vrai et du faux en code machine. On pouvait même aborder les QCM sous l'angle de la logique binaire. Si je ne voyais pas tout de suite laquelle des réponses était correcte, il ne me restait plus qu'à procéder par élimination et rechercher des termes comme « toujours » ou « jamais », ainsi que les exceptions.

Un peu avant la fin de l'année scolaire, j'étais alors en troisième, j'ai dû faire un autre genre de devoir où il n'était pas possible de répondre en remplissant des cases au crayon ; il fallait user de rhétorique pour rédiger des phrases complètes et des paragraphes entiers. En clair, le prof d'anglais m'a demandé de rédiger un petit texte autobiographique « de moins de mille mots ». Quelqu'un que je connaissais mal entendait donc que je livre le fond de ma pensée sur un sujet qui justement ne m'inspirait pas : moi-même. Je n'y suis pas arrivé. C'était le vide total. J'ai donc remis une page blanche, ce qui m'a valu une note calamiteuse assortie du commentaire suivant : « Inachevé ».

Le devoir touchait à la sphère privée, or j'avais un problème d'ordre personnel. Il ne m'était pas possible de « rédiger un petit texte autobiographique » parce qu'à l'époque j'étais en plein brouillard et mal dans ma peau, et que je n'avais pas l'intention de mentir. Notre petite famille était en train de voler en éclats. Mes parents allaient divorcer. Tout s'est passé très vite. Mon père a quitté le domicile familial, ma mère a mis en vente la maison de Crofton, elle s'est d'abord installée dans un appartement avec ma sœur et moi, puis dans un pavillon en copropriété à Ellicott City,

l'agglomération voisine. Des amis m'ont expliqué que pour devenir adulte, il faut enterrer l'un de ses parents ou avoir soi-même
au moins un enfant. Ce que l'on ne m'a pas dit, c'est que pour
les jeunes d'un certain âge, un divorce revient à vivre les deux en
même temps. D'un seul coup s'effacent les idoles de votre enfance,
et à la place, à supposer que vous ne vous retrouviez pas tout seul,
il y a quelqu'un qui est encore plus perdu que vous, qui enrage et
qui voudrait que vous lui promettiez que tout se passera bien. Ce
qui ne sera évidemment pas le cas, du moins pendant un moment.

Alors que les tribunaux statuaient sur les droits de garde et de
visite, ma sœur a déposé des dossiers d'inscription dans plusieurs
facs, où elle a obtenu des réponses favorables, et elle s'est mise à
compter les jours qui lui restaient à vivre ici avant de s'en aller
faire ses études à l'université de Wilmington, en Caroline du Nord.
Quand elle s'en irait, je perdrais ce qui me rattachait encore à ce
qu'avait été notre famille.

Ma réaction a été de me replier sur moi-même. J'ai tout fait
pour devenir quelqu'un d'autre, pour me métamorphoser en celui
qui était indispensable à ceux que j'aimais. Je me montrais sincère avec ma sœur et mes parents, ils pouvaient compter sur moi.
Mes copains me trouvaient joyeux et insouciant. Mais quand je
me retrouvais seul, j'étais sombre, voire morose, et j'avais toujours
peur d'être un fardeau pour mes proches. Je repensais sans cesse à
toutes ces fois où, dans la voiture qui nous conduisait en Caroline
du Nord, j'avais passé mon temps à me plaindre, à toutes les fêtes
de Noël que j'avais gâchées en rapportant de mauvaises notes, à
toutes ces occasions où je n'avais pas voulu me déconnecter d'Internet et faire ma part de ménage. Me revenaient à l'esprit les
comédies que j'avais multipliées dans mon enfance, je les revoyais,
comme des vidéos tournées sur des scènes de crime, preuve que ce
qui était arrivé était de ma faute.

Pour me déculpabiliser, j'ai ignoré mes émotions et affecté d'être
indépendant, jusqu'à donner l'impression d'être devenu adulte avant
l'âge. Au lieu de dire que je « jouais » sur l'ordinateur, j'expliquais
que je « travaillais » avec. Il m'a suffi de changer de vocabulaire tout

en continuant à faire exactement la même chose pour être perçu différemment, par les autres et par moi-même.

J'ai arrêté de me faire appeler « Eddie » au profit de « Ed ». C'est aussi à cette époque que j'ai eu mon premier téléphone portable, que je portais attaché à la ceinture comme un homme, un vrai.

Le côté positif et inattendu du traumatisme que j'avais subi, l'occasion de me réinventer, m'a permis d'apprécier à sa juste valeur le monde extérieur. J'ai eu la surprise de constater que plus je prenais de recul envers les deux adultes qui me couvraient d'affection, plus je me rapprochais des autres, qui me traitaient en égal. Les mentors qui m'ont appris à faire de la voile, à me battre, à parler en public et à monter à la tribune ont tous contribué à mon éducation.

J'ai pourtant commencé à être très fatigué au début de l'année suivante et à m'endormir plus souvent que d'habitude – pas seulement au lycée mais aussi devant l'ordinateur. Je me réveillais en pleine nuit, assis devant un écran rempli de charabia parce que je m'étais assoupi sur le clavier. Je n'ai pas tardé pas à avoir mal dans les bras et les jambes, mes ganglions étaient enflés, j'avais le blanc des yeux qui virait au jaune et j'étais bien trop épuisé pour me lever, même après avoir dormi douze heures d'affilée.

J'ai eu droit à quantité de prises de sang (je ne pensais pas avoir autant de ce liquide dans mon organisme !), dont il est ressorti que j'étais atteint de mononucléose infectieuse. C'était une maladie humiliante qui vous minait, entre autres parce qu'en général on l'attrape en s'envoyant en l'air, comme disaient mes camarades, et moi, à l'âge de 15 ans, je n'avais encore jamais fricoté qu'avec un modem. L'école c'était fini, je multipliais les absences, ce qui ne me rendait même pas heureux. Pas plus que le fait de ne manger que des glaces. J'avais à peine la force de m'amuser avec les jeux que m'achetaient mes parents ; ils s'efforçaient chacun de leur côté de me trouver le plus cool, le dernier sorti comme s'ils étaient en compétition pour me remonter le moral ou se déculpabiliser par rapport au divorce. Je me demandais bien pourquoi ça valait le coup d'être vivant si ça ne me disait plus rien de manipuler une manette de jeu. Parfois, je me réveillais et il me fallait un moment pour comprendre que j'étais dans le pavillon de ma mère ou dans le studio de mon père alors que je ne me rappelais pas avoir fait la navette en voiture. Les jours se ressemblaient tous.

J'étais dans le brouillard. J'ai lu *La Conscience d'un hacker*, aussi connu sous le nom du *Manifeste du hacker*, *Le Samouraï virtuel* de Neal Stephenson et plein de Tolkien, m'endormant au milieu d'un chapitre, me perdant dans l'intrigue et confondant les personnages, jusqu'à ce que je rêve que Gollum était à côté de moi et me dise d'une voix plaintive : « Maître, maître, l'information veut être libre. »

Si j'étais résigné à tout ce que la fièvre me laissait entrevoir dans mon sommeil, c'était un vrai cauchemar de me dire que je devais rattraper les cours que j'avais ratés. Au bout d'environ quatre mois d'absence, le lycée m'a écrit pour m'annoncer que je devrais redoubler la seconde. Ça m'a drôlement secoué, mais en lisant la lettre je me suis bien rendu compte que ça me pendait au nez, je le savais bien, et d'ailleurs ça faisait un moment que je l'appréhendais. Je ne me voyais pas du tout retourner à l'école et encore moins redoubler une année, et j'étais prêt à prendre mes dispositions pour l'éviter.

Recevoir des nouvelles de l'école au moment où la mononucléose tournait à la dépression m'a pourtant sorti de ma torpeur. D'un seul coup, j'étais debout en train d'enfiler autre chose qu'un pyjama. D'un seul coup, j'étais sur Internet et au téléphone, à la recherche de failles à utiliser dans le système. J'ai multiplié les démarches, et j'ai fini par trouver la solution dans ma boîte aux lettres : on m'avait accepté à la fac. Apparemment, il n'était pas indispensable d'avoir un diplôme de fin d'études secondaires pour postuler.

Le centre universitaire de premier cycle d'Anne Arundel était une institution locale certainement pas aussi vénérable que l'établissement que fréquentait ma sœur, mais ça ferait l'affaire. L'essentiel était qu'il délivre une formation et des diplômes reconnus par l'État. J'ai montré aux responsables du lycée le papier expliquant que j'avais désormais la possibilité de m'inscrire à la fac ; ils ont accepté avec un curieux mélange à peine dissimulé de joie et de résignation. J'assisterais donc aux cours deux jours par semaine, c'était le maximum que je pouvais faire si je voulais tenir debout et être opérationnel. En suivant un programme d'enseignement plus exigeant que celui de la classe de seconde, je n'aurais pas à pâtir de l'année perdue. Je la sauterais, tout simplement.

Le centre universitaire se trouvait à une demi-heure de chez moi en voiture, et les premiers trajets furent périlleux – je venais tout juste d'avoir mon permis et j'avais tendance à m'endormir au volant. J'assistais donc aux cours, puis je rentrais me coucher. Dans chaque matière j'étais le plus jeune, et peut-être aussi le plus jeune étudiant tout court de l'établissement, le petit nouveau qui faisait tour à tour figure de mascotte ou de personnage déconcertant. Quand on songe qu'en plus j'étais toujours en convalescence, on comprend que je ne traînais pas trop sur le campus. Il faut dire aussi qu'il n'y avait pas de cité-U et que ça ne bougeait pas des masses. L'anonymat me convenait parfaitement, ainsi d'ailleurs que les cours, bien plus intéressants que ceux pendant lesquels j'avais roupillé au lycée.

Avant de poursuivre mon récit et de quitter le lycée pour de bon, je dois avouer que je dois toujours faire ce devoir d'anglais, celui qui m'a valu de récolter un « Inachevé ». Mon petit texte autobiographique. Plus je vieillis, plus ça me pèse, et finir par l'écrire aujourd'hui n'est pas chose plus aisée.

Il se trouve que lorsqu'on a eu une vie comme la mienne, on n'est pas très enclin à rédiger son autobiographie. Ce n'est pas évident d'avoir passé tout ce temps à jouer les passe-murailles et de tourner brusquement casaque pour faire des « révélations » sur ce que l'on est dans un livre. Les services de renseignement essaient d'inculquer l'anonymat à leurs membres, de les doter en quelque sorte d'une personnalité vierge, à l'image d'une page blanche sur laquelle on écrit « secret » et « art de l'imposture ». On s'exerce à passer inaperçu, à ressembler à Monsieur ou Madame Tout-le-monde. On habite dans une maison banale, on conduit une voiture qui n'a rien de spécial, on s'habille exactement comme les autres. La différence, c'est que tout cela est calculé et que paraître normal et ordinaire nous sert de couverture. Telle est la récompense perverse d'un métier qui vous demande de faire preuve d'abnégation et ne vous attire aucun prestige ; la consécration est d'ordre privé et ne nous vient pas pendant le travail, mais quand on retourne auprès des autres en feignant d'être l'un d'eux.

Cette fragmentation de l'identité porte plusieurs noms, dans le langage courant ou chez les psychologues, j'ai toutefois tendance à l'assimiler à une forme de cryptage. Le matériau d'origine, en l'occurrence notre identité, existe toujours, mais il est verrouillé et crypté. Ce codage obéit à une règle inversement proportionnelle qui veut que plus on en sait sur les autres, moins on en sait sur soi-même. Au bout d'un moment, on oublie ce que l'on aime et ce qui nous déplaît. On laisse tomber ses idées politiques, et la politique en général ne nous intéresse plus. Tout est englouti par le boulot, qui au départ vous demande d'abord d'effacer votre personnalité et, finalement, d'effacer votre conscience. « La mission d'abord. »

Voilà qui m'a amené pendant des années à cultiver le secret, tandis que je ne pouvais ni ne voulais rien dire sur moi. C'est seulement maintenant, alors que ça fait presque aussi longtemps que j'ai quitté le milieu du renseignement que n'y ont duré mes états de service, que je me rends compte que ça ne suffit pas, loin de là. Après tout, je n'étais pas encore un espion quand j'ai rendu copie blanche en cours d'anglais – j'étais même trop jeune pour avoir de la barbe. J'étais plutôt un gamin qui pratiquait l'espionnage en herbe sous diverses identités que j'endossais dans les jeux vidéo, mais qui avant tout était confronté au silence et aux mensonges qui ont suivi le divorce de ses parents.

Cette rupture a fait de nous une famille dans laquelle on savait tenir sa langue, cacher les choses et user de subterfuges. Mes parents conservaient chacun leur part d'ombre et ils ne nous disaient pas tout à ma sœur et moi, qui savions également garder nos secrets quand par exemple l'un de nous passait le week-end chez notre père et l'autre chez notre mère. L'une des choses les plus dures, pour un enfant de divorcés, c'est quand l'un de ses parents l'interroge sur la vie que mène l'autre.

Ma mère avait pris l'habitude de s'absenter, elle a recommencé à sortir avec des hommes. De son côté, mon père essayait de combler le vide mais ça lui arrivait de piquer une crise parce que la procédure de divorce n'en finissait pas et que ça lui coûtait très cher. En pareille occasion, tout se passait comme si nous avions inversé les rôles, il fallait que j'aie confiance en moi pour lui tenir tête et le raisonner.

C'est douloureux pour moi d'écrire ça, non pas tant parce que ça me chagrine de réveiller des souvenirs pénibles que parce que ça ne fait pas justice à mes parents, qui se sont montrés extrêmement corrects et ont fini par enterrer leurs différends par amour pour leurs enfants, puis par se réconcilier et retrouver le bonheur chacun de leur côté.

Ces changements sont banals et humains. Les mémoires sont fixes, ils sont l'instantané d'une personne en mouvement. C'est pourquoi le meilleur témoignage que l'on puisse faire de soi-même est une promesse, pas une déclaration. Une promesse à ses principes et à ce qu'on veut devenir.

Si je m'étais inscrit dans un premier cycle universitaire, c'était pour sauver ma peau après avoir essuyé un échec, et non pour faire des études supérieures. Mais je m'étais promis de décrocher au moins mon diplôme de fin d'études secondaires. Promesse tenue le week-end où je suis allé dans une école publique de la région de Baltimore passer le diplôme d'éducation générale (General Education Development degree), qui est reconnu par le gouvernement américain comme l'équivalent du diplôme de fin d'études secondaires.

Je me souviens être reparti le cœur léger après m'être acquitté des deux années de scolarité que je devais à l'État en consacrant à peine deux jours à passer cet examen. Ça ressemblait à du piratage mais c'était plus que ça : c'était pour moi une façon de tenir parole.

7

Le 11 septembre 2001

À partir de l'âge de 16 ans j'ai vécu seul, ou presque. Ma mère se réfugiait dans le travail et souvent j'avais la maison pour moi tout seul. C'était moi qui organisais mon emploi du temps, me faisais la cuisine et lavais mes affaires. Je me chargeais de tout, sauf des factures.

J'avais une Honda Civic blanche modèle 1992 que je baladais à travers tout l'État, branché comme tout le monde sur WHFS, une radio qui diffusait du rock indé – « Écoutez-moi ça ! » était l'un de leurs slogans. Je n'arrivais pas très bien à être un type normal mais je m'y efforçais.

Ma vie est devenue un circuit qui allait de chez moi à la fac puis chez mes amis, notamment ceux que j'avais connus en cours de japonais. Je ne sais pas quand nous nous sommes aperçus que nous formions une petite bande, mais pendant le second semestre nous allions à la fac autant pour nous voir que pour apprendre cette langue. Telle est, à ce propos, la meilleure façon d'avoir l'air normal : s'entourer de gens aussi bizarres que vous, voire plus. Dans l'ensemble, mes amis rêvaient d'être artistes ou graphistes et ils ne juraient que par les films d'animation japonais. Nos liens d'amitié se sont renforcés et j'ai fini par bien connaître ce genre de films. Si bien que je partageais un tas d'avis éclairés sur des œuvres comme *Le Tombeau des Lucioles, Utena, la fillette révolutionnaire, Evangelion, Cowboy Bebop, Vision d'Escaflowne, Kenshin le vagabond, Nausicaa de la vallée du vent, Trigune, Slayers,* et mon préféré, *Ghost in the shell.*

L'une de mes nouvelles amies, appelons-la Mae, était une femme plus âgée, bien plus âgée que nous, qui avait 25 ans bien sonnés. Pour nous tous c'était une sorte d'idole car ses dessins étaient publiés dans des revues et qu'elle était une cosplayeuse enthousiaste. Nous nous entraînions à parler japonais ensemble et ça m'a beaucoup impressionné d'apprendre qu'elle dirigeait aussi Magnetic Squirrel, une entreprise qui concevait des sites web et dont le nom s'inspirait des phalangers volants qu'elle trimballait parfois avec elle dans un sac en feutre violet Crown Royal.

C'est donc ainsi que j'ai commencé à travailler en freelance, en concevant des sites web pour la fille que j'avais rencontrée en cours. Elle, ou plutôt sa boîte, m'a recruté en me payant au noir 30 dollars de l'heure, ce qui à l'époque n'était pas mal du tout. Restait à savoir combien d'heures on allait me régler.

Mae aurait tout aussi bien pu me payer en sourires car je l'avais dans la peau, j'étais complètement amoureux d'elle. Et même si je n'ai pas réussi à le cacher je ne pense pas que ça l'ait dérangée, puisque je rendais toujours mon travail dans les délais impartis et que je ne ratais jamais une occasion de lui rendre service. Et puis j'apprenais vite. Dans une entreprise qui compte deux personnes, on doit être capable de tout faire. J'aurais pu m'installer où je voulais et bosser pour Magnetic Squirrel – je ne m'en suis d'ailleurs pas privé puisque c'est là l'intérêt de travailler en ligne – mais elle préférait me faire venir au bureau, autrement dit chez elle, dans une maison de ville à deux étages où elle vivait avec son mari, un type sympa et intelligent que j'appellerai Max.

Oui, Mae était mariée. Qui plus est, leur pavillon se trouvait à l'intérieur de la base de Fort Meade où Max travaillait en tant que linguiste pour l'armée de l'air, car il avait été affecté à la NSA. Je ne sais pas si l'on a le droit de diriger une entreprise depuis chez soi quand on occupe un logement qui appartient à l'État et se trouve sur une base militaire, mais j'étais un adolescent qui en pinçait pour une femme mariée qui était aussi ma patronne, alors je n'allais pas chercher la petite bête.

C'est pratiquement inimaginable de nos jours, mais à l'époque presque tout le monde pouvait avoir accès à Fort Meade. Il n'y avait ni bornes anti-bélier, ni barrières, ni points de contrôle hérissés de barbelés. J'y entrais en Honda Civic, les vitres baissées et la radio à fond, sans être obligé de m'arrêter à l'entrée pour montrer mes papiers. Un week-end sur deux, le quart de mes camarades de japonais se retrouvaient dans la petite maison de Mae pour regarder des films d'animation et créer des *comics*. Voilà comment ça se passait, en ces temps révolus où la phrase « On est dans un pays libre, non ? » était répétée à longueur de séries télé et dans toutes cours de récré.

Les jours ouvrés, je débarquais chez Mae le matin, je me garais dans l'impasse une fois que Max était parti travailler à la NSA et je passais la journée entière là-bas, jusqu'à ce qu'il revienne. Pendant les quelque deux ans où j'ai travaillé pour sa femme il nous est arrivé de nous trouver ensemble à la maison, lui et moi. En définitive, il s'est montré gentil et généreux. Au début, je pensais qu'il ne se rendait pas compte que j'avais un faible pour Mae, ou alors qu'il me jugeait incapable de la séduire, ce qui explique qu'il n'hésitait pas à nous laisser seuls tous les deux. Mais un jour, alors que nous nous croisions sur le pas de la porte – lui partant, moi arrivant –, il m'a poliment confié qu'il gardait un flingue dans sa table de nuit.

Magnetic Squirrel, qui en fait se réduisait à Mae et moi, ressemblait à toutes ces start-up créées par deux ou trois individus à l'époque où la net-économie était en plein essor, des petites entreprises qui cherchaient à avoir leur part de gâteau avant que tout s'écroule. Ça se passait en gros selon le schéma suivant : une grande entreprise, un constructeur automobile par exemple, demandait à une importante agence publicitaire ou bien à une grosse agence de communication de lui construire son site web afin d'accroître sa visibilité. Incapables de répondre elles-mêmes à cette demande, l'agence de pub ou la boîte de com' recherchaient alors un web designer sur les portails d'emplois freelance qui proliféraient à cette époque.

Les petites boîtes, ou dans le cas qui nous intéresse, celles qui étaient gérées par un jeune homme célibataire et une femme mariée plus âgée que lui, répondaient aux appels d'offres, et la concurrence était tellement féroce que les devis étaient ridiculement bas. Il faut ajouter que celle ou celui qui décrochait le contrat devait payer le portail, et qu'il lui restait ensuite à peine de quoi vivre, et encore moins de subvenir aux besoins de sa famille. Non seulement ce n'était pas intéressant sur le plan financier, mais on n'en retirait aucun prestige, ce qui était humiliant : ceux qui travaillaient en freelance ne pouvaient généralement pas parler des projets qu'ils avaient réalisés car l'agence de pub ou la boîte de com' prétendaient l'avoir réalisé en interne.

Avec Mae comme patronne, j'en suis venu à bien connaître le monde, et surtout celui des affaires. Elle était très futée et travaillait deux fois plus que ses homologues pour réussir dans un domaine plutôt macho, où les clients étaient prêts à vous sauter pour que vous bossiez gratis pour eux. Cette culture d'exploitation décontractée a encouragé ceux qui travaillaient en freelance à se lancer dans des combines pour contourner le système, et Mae savait gérer ses contacts pour ne plus avoir à passer par les portails. Elle essayait d'éviter les intermédiaires pour traiter directement avec les plus gros clients. Elle s'est montrée géniale là-dedans, d'autant plus que c'était maintenant moi qui m'occupais de la partie technique, ce qui lui permettait de se consacrer exclusivement aux aspects artistiques et commerciaux. Elle a mis à profit ses talents d'illustratrice pour concevoir des logos et proposer des services de *branding*. Quant à moi, les méthodes et le codage étaient suffisamment simples pour que je me forme sur le tas, et même si le travail pouvait devenir répétitif et abrutissant, je ne me plaignais pas. J'ai donc accroché au boulot le plus ingrat qui existait sur Notepad++. C'est incroyable ce que l'on fait par amour, surtout quand il n'est pas partagé…

Je me demande si Mae s'était rendue compte depuis le début des sentiments que j'éprouvais pour elle et si elle avait tout simplement décidé d'en profiter. Reste que si j'étais une victime, j'étais consentant, et le temps passé dans sa boîte s'est avéré très positif pour moi.

Il n'empêche qu'au bout d'un an à Magnetic Squirrel, j'ai compris qu'il me fallait penser à l'avenir. Il était maintenant difficile de passer outre les certificats d'aptitude professionnelle. Dans la plupart des offres d'emploi et des contrats portant sur des postes qualifiés, on exigeait dorénavant des candidats qu'ils soient officiellement accrédités par de grandes sociétés d'informatique comme IBM et Cisco à utiliser et à entretenir leur matériel. Du moins, c'était le message d'une pub qui passait sans arrêt à la radio. Un beau jour, alors que je rentrais chez moi après l'avoir entendue pour la énième fois, j'ai fini par appeler le numéro qu'on nous donnait et m'inscrire pour suivre le cursus sanctionné par un certificat délivré par Microsoft. Les cours se déroulaient à l'Institut d'informatique professionnelle de l'université John Hopkins. Toute cette histoire qui coûtait les yeux de la tête et vous obligeait à aller dans un « campus satellite » et non au siège de l'université sentait un peu l'arnaque, mais tant pis. C'était à l'évidence un projet mercantile qui permettrait à Microsoft de monétiser la formation des informaticiens, dont on avait un besoin croissant, aux directeurs des ressources humaines de raconter qu'avec un diplôme hors de prix on ferait le tri entre les charlatans et les vrais pros, et aux minables comme moi d'ajouter John Hopkins sur leur CV, et grâce à ce sésame d'être embauché en priorité.

Il a suffi de les inventer pour que ces certificats de compétence entrent dans les mœurs. Un certificat « A+ » signifiait que vous saviez entretenir et réparer les ordinateurs ; un certificat « Net+ » que vous pouviez vous occuper de travaux de réseau basiques. Mais enfin tout cela ne vous amenait jamais qu'à bosser dans les services d'aide aux utilisateurs. Les meilleurs diplômes étaient ceux qui faisaient bénéficier d'un ensemble d'accréditations professionnelles reconnues par Microsoft. On trouvait d'abord la certification professionnelle Microsoft de base (Microsoft Certified Professional, MCP) ; juste au-dessus, la certification d'administrateur système Microsoft (Microsoft Certified Systems Administrator, MCSA) ; et enfin la certification d'ingénieur système Microsoft (Microsoft Certified Systems Engineer, MCSE). C'était le nec plus ultra, la certitude de bien gagner sa vie. Au départ, ceux qui possédaient cette qualification gagnaient 40 000 dollars par an, une somme qui me laissait pantois à l'aube du XXIe siècle et alors que je n'avais que 17 ans. Mais pourquoi pas ? Une action Microsoft se vendait 100 dollars, et Bill Gates venait d'être désigné l'homme le plus riche du monde.

Ce n'était pas évident de décrocher la certification d'ingénieur système si l'on songe aux compétences techniques requises, mais on était loin de ce que tout bon hacker qui se respectait considérait comme du génie. Il fallait certes investir énormément d'argent et ça demandait beaucoup de temps. Il m'a ainsi fallu passer sept tests de sélection et débourser chaque fois 150 dollars, puis payer 18 000 dollars en frais de scolarité à l'université John Hopkins pour être habilité à suivre les cours préparatoires que, fidèle à mon habitude, je n'ai pas terminés, préférant passer directement l'examen final quand j'ai trouvé que ça suffisait. John Hopkins, hélas, ne vous remboursait pas…

Je roulais à vive allure sur la Route 32 sous un magnifique ciel bleu-Microsoft, en essayant d'échapper aux contrôles de vitesse. Si tout se passait bien, j'arriverais chez Mae avant 9 h 30. J'ai passé mon bras à travers la vitre baissée pour sentir le vent – c'était une bonne journée. J'avais mis la radio, ça discutait, j'attendais les infos trafic.

J'étais sur le point de prendre Canine Road pour arriver plus vite à Fort Meade quand un bulletin d'information a annoncé qu'un avion venait de s'écraser à New York.

Mae m'a ouvert la porte, je l'ai suivie dans l'escalier, puis dans le vestibule plongé dans l'obscurité jusqu'au bureau exigu situé à côté de sa chambre. Il n'y avait là pas grand-chose, rien que deux meubles de travail, une table à dessin et une cage pour les écureuils. J'avais beau être un peu préoccupé par les nouvelles, nous avions du pain sur la planche. Je me suis concentré sur le travail qui nous attendait. J'étais en train d'ouvrir les dossiers du projet dans un simple éditeur de texte – nous écrivions à la main le code d'accès aux sites web – quand le téléphone a sonné.

Mae a décroché. « Quoi ? C'est vrai ? »

Comme nous étions assis tout près l'un de l'autre, je pouvais entendre la voix de son mari. J'avais l'impression qu'il hurlait.

Mae est devenue blême et elle s'est connectée sur un site d'information. La seule télé se trouvait en bas. J'étais en train de lire le compte rendu du site qui expliquait qu'un avion s'était écrasé sur l'une des tours jumelles du World Trade Center lorsque Mae a laissé échapper « OK. Ohlala. OK » avant de raccrocher.

Elle s'est tournée vers moi.

« – Un deuxième avion s'est écrasé sur l'autre tour.

Jusqu'alors, j'avais cru à un accident.

– Max croit qu'on va fermer la base.

– Comment ça, les entrées principales ? Sans blague !

Je n'avais pas encore mesuré la gravité de la situation et je pensais à mon trajet de retour.

– Max dit que tu devrais rentrer chez toi. Il ne veut pas que tu restes bloqué ici.

J'ai soupiré et enregistré le travail que je venais à peine de commencer. Au moment où je me levais pour m'en aller, nouveau coup de fil. Ce coup-ci, l'échange téléphonique a été encore plus bref. Mae était livide.

– Tu ne vas pas y croire… »

Le tohu-bohu, le chaos, les manifestations de terreur les plus archaïques… L'ordre s'effondre, la panique s'installe aussitôt et comble le vide. Jusqu'à la fin de ma vie, je me rappellerai avoir emprunté Canine Road dans l'autre sens et être ainsi passé devant le quartier général de la NSA, alors que le Pentagone venait d'être attaqué à son tour. Les tours de verre noir de l'agence laissaient s'échapper une foule paniquée, ce n'était que hurlements,

téléphones qui sonnaient, conducteurs qui démarraient sur les cha-
peaux de roues et voulaient être les premiers à s'enfuir. Les États-
Unis venaient d'être victimes du pire attentat terroriste qu'ils aient
jamais connu, le personnel de la NSA, à savoir celui du principal
service de renseignement électromagnétique, abandonnait en masse
son lieu de travail, et j'ai moi-même suivi le mouvement.

Michael Hayden, le directeur de la NSA, a donné l'ordre d'évacuer les lieux avant que la plupart des gens du pays soient au courant. Par la suite, la NSA et la CIA, qui avait elle aussi renvoyé
presque tous ses employés chez eux ce jour-là pour ne conserver qu'une équipe réduite, se sont justifiées en expliquant qu'elles
craignaient que l'une d'elles soit peut-être, éventuellement, sait-on
jamais, prise pour cible par le quatrième avion détourné, à savoir
le vol 93 d'United Airlines, au même titre que la Maison Blanche
ou le Capitole par exemple.

Une chose est sûre, je ne pensais pas aux prochains points
d'impact potentiels quand je me suis frayé un chemin dans les
embouteillages, puisque nous voulions tous quitter en même temps
le même parking. Je ne pensais à rien, je suivais le mouvement, voilà
tout, au milieu d'un concert d'avertisseurs (je ne crois pas avoir
jamais entendu auparavant quelqu'un donner un coup de klaxon
dans une base militaire depuis) et des radios qui annonçaient en
hurlant que la tour sud du World Trade Center venait de s'effondrer, tandis que les conducteurs manœuvraient le volant avec leurs
genoux et appuyaient fébrilement sur la touche « rappel » de leur
portable. Je le ressens encore, ce vide qui m'environnait chaque
fois que la communication était interrompue parce que le réseau
de téléphone portable était surchargé. Je me rendais compte peu à
peu, coupé du monde et coincé dans les bouchons, que même si
c'était moi qui conduisais, je n'étais au fond qu'un passager.

Sur Canine Road, les feux rouges ont cédé place aux êtres humains
quand la police de la NSA s'est mise à réguler la circulation. D'ici
quelques heures, quelques jours, quelques semaines, ils allaient recevoir l'appui des militaires, qui déploieraient des Humvees équipés
de mitrailleuses sur les barrages routiers et les points de contrôle

que l'on viendrait d'installer. Ces nouvelles mesures de sécurité étaient souvent appelées à devenir permanentes, et s'y ajouteraient une débauche de barbelés électrifiés et des milliers de caméras de surveillance. Tout cela explique que j'aurais désormais du mal à revenir sur la base et à passer devant le siège de la NSA, jusqu'à ce que j'y travaille pour de bon.

Si tout ce cirque qui a donné lieu à ce qu'on allait appeler la « guerre contre le terrorisme » n'a pas été la seule raison pour laquelle j'ai laissé tomber Mae après les attentats du 11 Septembre, ça a joué néanmoins. Ce qui s'était passé ce jour-là l'avait bouleversée. Nous avons fini par cesser de travailler ensemble et nous sommes éloignés l'un de l'autre. Il m'arrivait de discuter avec elle occasionnellement et de m'apercevoir alors que je n'éprouvais plus la même chose pour elle, et que moi aussi j'avais changé. Quand elle a quitté Max et est partie s'installer en Californie, elle était presque devenue une étrangère pour moi. Elle était bien trop opposée à la guerre.

8

Le 12 septembre 2001

Essayez de vous rappeler la plus grosse fête de famille à laquelle vous ayez assisté. Combien de personnes y avait-il ? Une trentaine, une cinquantaine ? Même s'ils vous étaient tous apparentés, vous n'avez peut-être pas eu l'occasion de tous bien les connaître. Le nombre de Dunbar, soit la célèbre estimation du nombre maximum de relations stables que peut avoir une personne dans sa vie, s'élève à 150. Maintenant, souvenez-vous de l'école. Combien aviez-vous de camarades dans votre classe, quand vous étiez à l'école primaire, au collège et au lycée ? Combien d'entre eux sont devenus des amis, combien d'autres étaient de simples connaissances, et enfin combien y en avait-il dont seule la tête vous disait quelque chose ? Disons un millier, si vous avez fait votre scolarité aux États-Unis. Voilà qui accroît de façon exagérée le périmètre des gens que vous pouvez appeler « vos proches », même si vous vous êtes peut-être senti lié à eux.

Les attentats du 11 septembre 2001 ont fait pratiquement 3 000 morts. Imaginez que soient morts ceux que vous aimez, ceux que vous connaissez, ou même simplement ceux que vous avez croisés dans la vie. Imaginez l'école déserte, les classes vides. Disparus, tous les gens de votre entourage, comme ceux qui donnaient chair à votre vie quotidienne. Le 11 Septembre a laissé des trous. Dans les familles, dans les communautés, dans le sol…

Maintenant, réfléchissez un peu : la réplique des États-Unis a causé la mort de plus d'un million de gens.

Les deux décennies qui ont suivi ont égrené une litanie de destructions occasionnées par les Américains, qui se sont évertués à détruire leur propre pays en adoptant des lois et des politiques secrètes, en mettant sur pied des tribunaux secrets, en menant des guerres secrètes aux conséquences tragiques et dont l'existence a été maintes fois classifiée, niée, démentie et déformée par le gouvernement américain. Après avoir passé à peu près la moitié de ce temps dans les services de renseignement américains et l'autre moitié en exil, je sais mieux que la plupart des gens comment la CIA et la NSA se trompent. Je sais également que recueillir et analyser des renseignements peut alimenter la propagande et la désinformation, auxquelles on recourt aussi souvent contre nos alliés que contre nos ennemis, et parfois même contre notre peuple. Malgré tout, j'ai encore du mal à admettre l'ampleur du changement et la rapidité avec laquelle cela s'est déroulé. On est passé d'une Amérique qui se définissait par le respect de ceux qui exprimaient leur désaccord à un système sécuritaire où une police militarisée exige que l'on fasse preuve d'une soumission totale, et où l'on voit, dans toutes les villes, les membres des forces de l'ordre sortir leur arme et vous intimer l'ordre d'obéir : « Ne résistez plus ! »

Voilà pourquoi, quand j'essaie de comprendre comment on en est arrivé là depuis près de vingt ans, j'en reviens toujours à ce mois de septembre, à ce jour marqué par le point d'impact (Ground Zero) et à ses répercussions immédiates. Revenir à cet automne-là, c'est se heurter à une vérité encore plus sinistre que les mensonges répandus sur les liens supposés entre les Talibans et Al Qaida, ainsi que sur les armes de destruction massive dont Saddam Hussein aurait soi-disant disposé. On est alors bien obligé d'admettre que le carnage et les sévices commis à l'époque où j'entrais dans l'âge adulte ne sont pas seulement une émanation du pouvoir exécutif et des services de renseignement, mais qu'ils sont également nés dans le cœur et l'esprit des Américains, moi y compris.

Je me rappelle être sorti de la cohue des espions de la NSA qui s'enfuyaient de Fort Meade au moment même où s'est écroulée la tour nord. Une fois sur l'autoroute, j'ai essayé de tenir le volant d'une main, pour appeler ma famille, sans succès. J'ai fini par avoir ma mère, qui ne travaillait plus à la NSA mais était employée au tribunal fédéral de Baltimore. Là-bas, au moins, ils n'avaient pas été évacués.

Sa voix m'a fait peur, il fallait absolument que je la rassure.

« – Tout va bien, lui ai-je dit. Je rentre de la base. Il n'y a personne de chez nous à New York, hein ?

– Je… je n'en sais rien. Je n'arrive pas à joindre mémé.

– Papa est à Washington ?

– Si ça se trouve, il est au Pentagone. »

J'en ai eu le souffle coupé. En 2001, mon père avait pris sa retraite de garde-côte et il occupait désormais un poste de direction dans le département aviation du FBI. Ce qui voulait dire qu'il passait un temps fou dans tout un tas de bâtiments officiels à Washington et dans les environs.

Ma mère reprit la parole, sans me laisser le temps de la réconforter.

– J'ai un double appel. C'est peut-être mémé. Je te laisse.

Comme elle ne m'a pas rappelé, j'ai essayé vainement de la joindre, puis je suis rentré l'attendre à la maison. Assis devant la télé qui hurlait, j'ai consulté de nouveaux sites d'information. Le modem que nous venions d'installer s'est vite montré plus résistant que les antennes-relais des téléphones portables et les satellites de communication qui tombaient en panne un peu partout.

Ce ne fut pas une mince affaire pour ma mère de revenir de Baltimore tant il y avait de monde sur la route. Elle est arrivée en pleurs, mais nous nous en sortions à bon compte. Papa était sain et sauf.

Quand on a revu ma grand-mère et mon grand-père, on a beaucoup discuté – de ce que l'on allait faire à Noël ou pour le jour de l'an – sans jamais faire allusion au Pentagone ni aux tours jumelles.

En revanche, mon père m'a raconté comment il avait vécu le 11 Septembre comme si c'était hier. Quand les avions sont venus se fracasser sur les tours, il se trouvait au quartier général des gardes-côtes. Avec trois de ses collègues, ils ont quitté leur bureau pour regarder les infos sur un écran dans une salle de conférences. Un jeune officier est passé devant eux en courant. « Ils viennent de bombarder le Pentagone ! », leur a-t-il annoncé. Devant leur incrédulité, il a insisté : « Je déconne pas, ils viennent de bombarder le Pentagone ! » Mon père s'est précipité vers une baie vitrée d'où l'on voyait à peu près les deux cinquièmes du Pentagone, de l'autre côté du Potomac. Des nuages de fumée noire et épaisse s'en échappaient.

Plus j'écoutais mon père, plus je me demandais ce que signifiait exactement la phrase « ils viennent de bombarder le Pentagone ». « Ils » ? Qui ça, « Ils » ?

Les Américains ont aussitôt divisé le monde entre « eux » et « nous », chacun devant choisir s'il était avec « nous », ou contre « nous », comme George Bush Jr. l'a si bien fait observer alors que les ruines fumaient encore. Les gens de mon quartier ont donc hissé des drapeaux américains pour bien montrer de quel côté ils se trouvaient. Entre l'endroit où habitait mon père et celui où résidait ma mère, d'autres ont rassemblé des gobelets en carton de couleur rouge, bleue ou blanche pour les accrocher aux grillages bordant les autoroutes et les ponts routiers, afin d'écrire avec « L'UNION FAIT LA FORCE » et « RESTER UNIS, NE JAMAIS OUBLIER ».

J'avais l'habitude de me rendre de temps en temps à un stand de tir et désormais, à côté des cibles traditionnelles et des silhouettes découpées dans du carton, figuraient des effigies d'hommes arabes portant le keffieh. Sur les armes qui sommeillaient dans des présentoirs aux vitres poussiéreuses, on avait apposé une affichette proclamant qu'elles étaient vendues… Les gens faisaient la queue pour s'acheter un portable, dans l'espoir d'être prévenus à l'avance lors du prochain attentat ou de pouvoir dire au moins adieu à leurs proches s'ils se trouvaient dans un avion détourné.

Près de 100 00 espions ont repris du service dans les agences de renseignement tout en sachant pertinemment qu'ils n'avaient pas rempli leur mission de départ, qui était de protéger notre pays. Ils devaient avoir l'air penauds, imaginez un peu. Non seulement ils éprouvaient les mêmes colères que tout le monde, mais ils se sentaient coupables et ils n'étaient pas pressés de dresser l'inventaire des erreurs commises. Le plus important pour eux était de se réhabiliter. Pendant ce temps, leurs supérieurs remuaient ciel et terre pour disposer de budgets et de pouvoirs exorbitants, profitant de la menace du terrorisme pour accroître leurs moyens et l'étendue des mandats qu'on leur avait attribués, et ce de façon inimaginable non seulement pour la population mais également pour ceux qui leur avaient accordé ces pouvoirs.

Le 12 septembre a marqué le début d'une nouvelle ère que les Américains ont abordée en faisant preuve d'une détermination commune, renforcée par un regain du sentiment patriotique ainsi que par la compassion et la bienveillance que leur a témoignées le monde. Quand j'y repense, il saute aux yeux que les États-Unis auraient pu saisir la balle au bond et faire de grandes choses. Ils auraient pu considérer que le terrorisme n'était pas le phénomène théologique qu'il prétendait être mais un crime, point barre. Ils auraient pu se servir de ce rare moment de solidarité pour renforcer les valeurs démocratiques et encourager les populations à présent toutes connectées à la résilience. Mais ils ont choisi la guerre.

J'ai soutenu cette politique inconditionnellement et aveuglément, c'est le plus grand regret de ma vie. Oui, j'étais scandalisé, mais ce n'était là que le début d'un processus où mes émotions allaient m'amener à abandonner tout jugement rationnel. Je prenais pour argent comptant ce que l'on racontait dans les médias et je répétais tout ça comme un perroquet. Je voulais être un libérateur. Je voulais rendre la liberté aux opprimés. Je croyais dur comme fer à la vérité fabriquée dans l'intérêt de l'État que, dans ma colère, je confondais avec le bien du pays. On aurait dit que j'avais renié mes opinions politiques ; les principes anti-institutionnels qui avaient inspiré le hacker que j'étais et le patriotisme apolitique hérité de mes parents, tout cela était passé à la trappe. J'étais désormais animé par une soif de vengeance. Le plus humiliant est de reconnaître que cette métamorphose s'est opérée naturellement et que je l'ai accueillie sans hésiter.

J'imagine que je voulais faire partie de quelque chose. Avant le 11 Septembre, l'idée d'entrer dans l'armée m'inspirait des sentiments partagés car je trouvais ça inutile, ou tout simplement ennuyeux. Tous les anciens militaires que je connaissais s'étaient trouvés sous les drapeaux après la Guerre froide, autrement dit entre la chute du mur de Berlin et les attentats de 2001. C'était l'époque où les États-Unis n'avaient pas d'ennemis, et ça a coïncidé avec ma jeunesse. J'ai donc grandi dans un pays qui était la seule et unique superpuissance, et où régnaient la prospérité et la stabilité, du moins aux yeux de gens comme moi. Il n'y avait pas de nouvelles frontières à franchir, ni de graves problèmes d'ordre civique à régler, sauf sur le Web. Le 11 Septembre a tout changé. Désormais, il y avait une bataille à livrer.

Je trouvais cependant consternants les choix qui s'offraient à moi. Si j'estimais que c'était derrière un terminal que je servirais le mieux mon pays, ça me paraissait néanmoins bien trop peinard et plan-plan d'occuper un poste ordinaire dans l'informatique alors que le monde était en proie à des conflits asymétriques. J'espérais faire comme au cinéma ou à la télé, où les hackers combattent d'autres hackers dans des pièces où clignotent des lumières qui alertent de la présence de virus, bref, traquer les ennemis et déjouer leurs plans. Malheureusement, les principales agences de renseignement qui accomplissaient ce genre de boulot, la CIA et la NSA, exigeaient que leurs employés aient un diplôme universitaire, ce qui signifiait que si les boîtes de haute technologie vous recrutaient avec une simple certification d'ingénieur système, il n'en allait pas de même pour l'État. Cependant, plus je me renseignais là-dessus sur Internet et plus je me rendais compte qu'après le 11 Septembre, on était entré dans un monde où l'on multipliait les exceptions. Les agences de renseignement se développaient si vite, notamment dans tout ce qui touchait aux aspects technologiques, qu'il leur arrivait de ne pas exiger de diplôme universitaire des anciens militaires. C'est à ce moment-là que j'ai décidé de m'engager dans l'armée.

Vous trouverez peut-être que c'était logique, sinon inévitable, de prendre cette décision vu les antécédents de mes parents. Il n'en est rien. Servir sous les drapeaux revenait pour moi autant à me rebeller contre cet héritage qu'à m'y conformer. Après m'être entretenu avec les officiers en charge du recrutement de la marine, de l'armée de l'air et de l'armée de terre, j'ai opté pour cette dernière, alors que certains, dans ma famille de gardes-côtes, avaient toujours pensé que son état-major était composé de barjots.

Quand j'ai annoncé la nouvelle à ma mère, elle a pleuré pendant des jours. Je me suis bien gardé de mettre mon père au courant car il m'avait déjà expliqué que j'y gâcherais mon talent informatique. Seulement j'avais 20 ans, et je savais ce que je faisais.

Le jour de mon départ, je suis allé glisser sous sa porte une lettre manuscrite – eh oui –, dans laquelle je lui expliquais pourquoi j'avais pris cette décision. En guise de conclusion, je lui ai écrit quelque chose qui me fait encore grimacer aujourd'hui : « Désolé Papa, mais c'est indispensable à mon épanouissement personnel. »

9

Rayons X

J e suis entré dans l'armée de terre pour donner « le meilleur de moi-même », comme disait le slogan, et aussi parce que ça n'avait rien à voir avec les gardes-côtes. J'ai eu la chance d'obtenir des notes suffisamment élevées aux examens d'entrée pour avoir la possibilité de passer directement sergent dans les forces spéciales juste après mes classes, en suivant une filière que les officiers recruteurs appelaient le « 18 rayons X ». L'objectif était d'étoffer les rangs des petites unités qui livraient les combats les plus durs dans les guerres disparates et nébuleuses que menaient les États-Unis. Ce programme était une aubaine : avant le 11 Septembre, il aurait fallu que je sois déjà dans l'armée de terre pour avoir l'occasion de suivre la formation qualifiante extrêmement rigoureuse des forces spéciales. Désormais, on triait au départ les candidats, en sélectionnant ceux qui avaient la meilleure forme physique, les facultés intellectuelles les plus développées et une grande facilité d'apprentissage de la langue, bref, ceux qui avaient des chances de décrocher la timbale. On leur faisait aussi miroiter un entraînement particulier et une rapide montée en grade, de manière à recruter les candidats prometteurs qui risquaient sinon d'aller voir ailleurs. En guise de préparatifs, j'avais passé deux mois à courir, ce qui était épuisant

97

(j'avais beau être en forme, j'ai toujours détesté le jogging), avant que l'officier recruteur ne m'appelle pour m'annoncer que mon dossier était accepté. J'étais le premier qu'il avait recruté par le biais de ce programme et il était très fier de m'annoncer qu'après avoir fait mes classes, je serais sans doute promu sergent des forces spéciales dans les communications, le génie ou les renseignements.

Sans doute.

Mais auparavant j'allais devoir les faire, mes classes, à Fort Benning, en Géorgie.

Tout au long du trajet qui m'a conduit du Maryland en Géorgie, je me suis retrouvé assis à côté du même type, dans le bus, dans l'avion puis à nouveau dans le bus. Imaginez un énorme culturiste gonflé comme une baudruche qui devait peser dans les 100 ou 150 kilos. C'était un véritable moulin à paroles, qui tantôt m'expliquait qu'il flanquerait une gifle au sergent instructeur si celui-ci se foutait de sa gueule, et tantôt me recommandait un traitement aux stéroïdes pour me muscler. Il m'a tenu le crachoir jusqu'à ce que nous parvenions à destination, le camp d'entraînement de Fort Benning Sand Hill (qui, avec le recul n'avait pas beaucoup de sable – *sand* veut dire sable en anglais).

Les sergents instructeurs nous ont accueillis en hurlant et en nous regardant de haut ; nous avons chacun eu droit à un surnom en fonction des infractions et des graves erreurs initiales que nous avions commises, comme le fait de descendre du bus en chemise à fleurs ou d'avoir un nom qu'il suffit de déformer légèrement pour le rendre plus drôle. Je suis donc devenu Snowflake, autrement dit « flocon de neige », au lieu de Snowden, tandis que mon acolyte devenait « Flowers » et n'a pu que serrer les dents – personne n'osait serrer les poings – et fulminer en silence.

Une fois que les mêmes sergents instructeurs se sont rendu compte que Flowers et moi nous connaissions déjà, et que j'étais le moins balèze de toute la section (je mesurais 1,80 m et pesais 56 kilos), ils se sont débrouillés pour nous mettre ensemble le plus souvent possible, histoire de rigoler. Je me rappelle encore de cet exercice qui consistait à trimballer sur 100 mètres son camarade blessé, en recourant pour cela à diverses techniques, s'allonger à côté de lui et le traîner par terre en rampant, le porter sur ses épaules ou carrément dans ses bras comme une mariée... Lorsqu'il m'a fallu évacuer Flowers, on ne me voyait plus sous sa grosse carcasse. On aurait dit qu'il flottait, tandis que j'étais en nage et pestais là-dessous, en faisant de mon mieux pour arriver au bout de mes peines avant de m'écrouler. Flowers s'est alors relevé en riant, m'a enroulé autour de son cou comme si j'étais une serviette humide, et est reparti en sautillant.

Nous étions tout le temps sales et nous avions tout le temps mal. Il n'empêche qu'en l'espace de quelques semaines, j'étais dans une forme olympique. Ma constitution fluette, que j'avais prise pour un handicap, est vite devenue un avantage, car nous multipliions les exercices basés sur la corpulence. Flowers était incapable de grimper à la corde alors que ça ne me posait aucun problème. Il avait un mal fou à hisser son corps lourd au-dessus de la barre pour faire un minimum de tractions tandis que je pouvais en effectuer le double avec un seul bras. C'était tout juste s'il arrivait à faire deux ou trois pompes avant de se mettre à transpirer quand de mon côté, j'étais capable d'enchaîner les pompes claquées, et même en ne prenant appui que sur un seul poing. Quand on voulait voir si nous étions en mesure d'en faire pendant deux minutes d'affilée, on m'arrêtait avant la fin car j'avais explosé le score.

Où que nous allions, c'était en marchant au pas ou en courant. Nous courrions sans cesse. Des kilomètres avant le repas, des kilomètres après le repas, sur les routes, les chemins, à travers champs, tandis que le sergent instructeur marquait la cadence :

Je suis allé dans le désert
Où cavalent les terroristes
J'ai sorti ma machette
J'ai dégainé mon arme

Droite, gauche, droite, gauche – tuez tuez tuez !
Si vous nous cherchez, votre compte est bon.

Je suis allé dans les grottes
Où se planquent les terroristes
J'ai sorti une grenade
Et l'ai balancée à l'intérieur

Gauche, droite, gauche, droite – tuez tuez tuez !
Si vous nous cherchez, votre compte est bon

Courir en formation, marquer la cadence… Ça vous berce, ça vous arrache à vous-même, vous n'entendez plus que le boucan généré par les dizaines de mecs qui gueulent à l'unisson, et il n'est pas question de regarder autre chose que les pieds de celui qui court devant vous. Au bout d'un moment, vous ne pensez plus à rien, vous ne faites que compter, et votre esprit se dissout au milieu des hommes de troupe tandis que vous mesurez la distance parcourue, kilomètre après kilomètre. Tel était précisément l'objectif de l'armée de terre. Si le sergent instructeur ne se ramasse pas une baffe, ce n'est pas tant parce qu'il vous fout la trouille que parce que vous êtes crevé : ça n'en vaut pas le coup. L'armée de terre fabrique ses combattants en les privant de toute combativité, jusqu'à ce qu'ils soient trop faibles pour y attacher de l'importance ou faire autre chose qu'obéir.

Il n'y avait que le soir, dans nos baraquements, qu'on nous laissait un peu de répit, mais pour y avoir droit il nous fallait d'abord nous mettre en rang devant nos lits superposés, réciter le credo du soldat puis chanter l'hymne national. Flowers ne se souvenait jamais des paroles. En plus, il n'avait pas d'oreille.

Parmi nous, certains se couchaient tard et discutaient de ce qu'ils allaient faire à Ben Laden une fois qu'ils l'auraient chopé, ils étaient tous certains de le gauler un jour. La plupart de leurs fantasmes impliquaient la décapitation, la castration ou une bande de chameaux en rut. Pendant ce temps, je rêvais de courir non pas dans les paysages luxuriants et glaiseux de Géorgie mais dans le désert.

Au cours de la troisième ou quatrième semaine, nous avons fait un exercice d'orientation en terrain inconnu. Le principe est

simple : votre section doit s'enfoncer dans les bois et crapahu-
ter pour rejoindre des coordonnées déterminées à l'avance, esca-
lader des rochers et traverser des ruisseaux avec pour seuls repères
une carte et une boussole, sans GPS ni instrument numérique.
Nous avions déjà fait ce genre d'entraînement mais pas en tenue
de combat, chacun de nous trimballant cette fois un sac à dos qui
pesait dans les 25 kilos. Pire, les chaussures qu'on m'avait filées
étaient trop grandes et je nageais dedans. Dès le départ j'ai eu des
ampoules, tandis que je traversais la prairie à grandes enjambées.

Nous étions à peu près à la moitié de l'exercice et je m'en sortais bien. Je suis alors monté en vitesse sur un arbre abattu par la
tempête qui nous barrait la route afin de relever notre position à
l'aide d'une boussole. Une fois certain que nous avancions dans la
bonne direction, je m'apprêtais à sauter à terre lorsque j'ai aperçu
un serpent lové sur lui-même juste en dessous de moi. Je ne suis
pas naturaliste et je ne sais de quelle espèce de serpent il s'agissait
mais enfin, sur le coup je m'en fichais. En Caroline du Nord, on
explique aux enfants que tous les serpents sont mortels et ce n'était
pas le moment de remettre ça en doute.

À la place, j'ai essayé de marcher dans le vide. J'ai essayé de
tendre au maximum ma jambe pour combler la distance, jusqu'à
ce que je réalise tout à coup que j'étais en train de tomber. Quand
mes pieds ont touché le sol, j'ai éprouvé une douleur fulgurante,
bien pire que n'importe quelle piqûre de vipère. En faisant quelques
pas mal assurés pour reprendre mon équilibre, je me suis rendu
compte qu'il y avait un souci. Un gros souci. Je souffrais atroce-
ment mais je ne pouvais pas m'arrêter car j'étais dans l'armée et
pour l'instant celle-ci se trouvait en pleine forêt. J'ai donc fait un
effort de volonté, envoyé promener la douleur et tâché d'avancer
à un rythme soutenu, gauche, droite, gauche, droite.

Chemin faisant, j'avais de plus en plus de mal à marcher, et
même si j'ai tenu bon et que je suis allé jusqu'au bout, c'était uniquement parce que je n'avais pas le choix. En arrivant à la caserne,
j'avais les jambes engourdies et c'est à peine si j'ai pu rejoindre
mon lit superposé. Il m'a fallu m'accrocher au montant, hisser

mon torse comme si je sortais d'une piscine, et soulever ensuite le bas du corps.

Le lendemain matin, c'est le bruit d'une poubelle métallique balancée à travers le baraquement qui m'a tiré d'un sommeil agité, signe que quelqu'un avait fait son boulot, à la grande satisfaction du sergent instructeur. Je me suis redressé comme un automate, me suis extrait du lit, et j'ai sauté à terre. Et là mes jambes se sont dérobées. Elles ont cédé et je suis tombé – à croire que je n'avais plus de jambes du tout.

J'ai essayé de me relever, je me suis cramponné au lit du bas pour me redresser en appui sur les bras, mais dès que je bougeais les jambes, tous les muscles de mon corps se contractaient et je retombais.

Entre-temps, un attroupement s'était créé autour de moi. Les rires ont fait place à l'inquiétude puis au silence quand le sergent instructeur s'est approché. « Qu'est-ce qui t'arrive, espèce de bras cassé ? Lève-toi tout de suite ou je vais t'étendre pour de bon. »

Lorsqu'il a vu mon visage se tordre de douleur alors que je m'efforçais de lui obéir, ce qui n'était pas très sage de ma part, il m'a fait signe d'arrêter en posant sa main sur ma poitrine. « Flowers ! Va déposer Snowflake sur le banc. » Il s'est ensuite accroupi au-dessus de moi, comme s'il ne voulait pas que les autres l'entendent parler doucement et m'a dit d'une voix calme et rauque : « Dès que ça ouvre, soldat, tu pointes ton cul à l'infirmerie », c'est-à-dire l'endroit où l'armée envoie ses blessés se faire maltraiter par des professionnels.

Dans l'armée, se blesser est une honte : d'abord parce que l'armée est censée donner à ses soldats l'impression d'être invincibles, mais aussi parce qu'elle ne veut pas qu'on lui reproche de les soumettre à un entraînement dangereux. C'est ce qui explique que tous ceux qui s'esquintent pendant leurs classes passent pour des mauviettes ou, pire, pour des comédiens.

Après m'avoir porté sur le banc, Flowers a dû me laisser. Il n'était pas blessé et on isolait ceux qui l'étaient. Nous étions les intouchables, les lépreux, les bidasses qui ne pouvaient pas suivre l'entraînement à cause d'entorses, de déchirures, de fractures de la cheville ou de piqûres d'araignées nécrosées. Mes nouveaux camarades de guerre seraient désormais des mecs qui auraient séjourné eux aussi sur ce banc de la honte. Un camarade de guerre est quelqu'un qui, en vertu du règlement, va partout où vous allez, tout comme vous l'accompagnez partout où il va, même si les chances de se retrouver seul sont très minces. Rester seul pourrait conduire à réfléchir, et réfléchir peut causer des problèmes à l'armée.

Celui qu'on m'a attribué était un bel homme intelligent, un ancien mannequin pour catalogues qui faisait très Captain America. Il s'était esquinté la hanche huit jours plus tôt mais il avait fallu attendre que la douleur devienne insupportable pour qu'il s'en inquiète et qu'il se retrouve aussi éclopé que moi. Ça ne nous disait rien de discuter, si bien qu'on se déplaçait en silence appuyés sur nos béquilles, gauche, droite, gauche, droite, tout doucement. À l'hôpital, on m'a fait passer des radios puis on m'a expliqué que j'avais des fractures bilatérales des tibias. Il s'agissait de fractures de stress ; les os s'étaient fissurés en surface, ce qui risquait de s'aggraver avec le temps et la pression exercée par le corps, et de briser alors complètement les tibias. Pour guérir, il n'y avait qu'une chose à faire : ne plus poser le pied à terre pendant un bon moment. Tels sont les ordres que l'on m'a donnés avant que l'on veuille bien me reconduire au bataillon.

Sauf que c'était impossible, car je ne pouvais pas m'en aller sans mon camarade de guerre. Il avait lui aussi eu droit à des radios juste après moi et il n'était pas revenu. Je me suis dit qu'on devait toujours être en train de l'examiner et j'ai attendu. Des heures. Pour m'occuper, je lisais des journaux et des magazines, un luxe impensable quand on fait ses classes.

Une infirmière est venue me demander de venir à la réception parler au sergent-instructeur qui était au bout du fil. Quand je suis arrivé clopin-clopant au standard, l'autre était furax.

« – Alors, Snowflake, ça te plaît, la lecture ? Pendant que tu y es, tu pourrais peut-être aussi te faire servir du pudding et te procurer des exemplaires de *Cosmopolitan* ? Comment ça se fait que vous autres, les deux crevures, vous êtes toujours là-bas ?

— Sergent, lui ai-je répondu avec l'accent du Sud que j'avais repris pour l'occasion, j'attends toujours mon camarade de guerre.

— Et où est-ce qu'il est, bordel de merde ?

— Je n'en sais rien, sergent. Il est parti se faire examiner et depuis je ne l'ai pas revu.

Ma réponse ne lui a pas plu et il s'est mis à gueuler encore plus fort :

— Bouge-toi le cul, espèce d'éclopé, et retrouve-le moi, bordel ! »

Je me suis levé et je suis allé avec mes béquilles me renseigner au bureau des admissions. Il était sur le billard, mon copain de guerre, m'a-t-on expliqué.

C'est seulement en fin de journée, après avoir été inondé de coups de téléphone par le sergent instructeur, que j'ai su ce qui s'était passé. Ça faisait apparemment huit jours que mon camarade se baladait avec une fracture de la hanche, et si on ne l'avait pas opéré sur-le-champ pour réparer les dégâts, il aurait pu se retrouver handicapé à vie.

On m'a donc réexpédié tout seul à Fort Benning, où j'ai retrouvé ma place sur le banc. Celui qui passe plus de trois ou quatre jours assis là-dessus risque fort d'être « recyclé », c'est-à-dire obligé de tout recommencer à zéro et de refaire ses classes depuis le début ou, pire, d'être transféré à l'antenne médicale et ensuite renvoyé chez lui. Voilà ce qui arrivait à des mecs qui avaient toujours rêvé de s'engager dans l'armée, des gus pour qui c'était le seul moyen d'échapper à des familles cruelles ou à des boulots qui ne menaient à rien. Désormais, il leur fallait envisager que ça échoue et qu'ils soient obligés de retourner à la vie civile, avec toutes les séquelles que vous imaginez.

Nous étions les laissés-pour-compte, les blessés encore en état de marcher à qui on ne demandait rien d'autre que de passer douze heures par jour assis sur un banc, à contempler un mur en brique à longueur de temps. À cause de nos blessures on avait été déclarés inaptes au service, et pour notre peine on nous avait séparés des autres et on nous fuyait comme des pestiférés ; c'est comme si le sergent craignait qu'on contamine les autres avec notre faiblesse ou les idées qui avaient pu nous venir pendant qu'on était restés sur le banc. Notre punition ne se limitait pas aux souffrances causées par nos blessures car on nous privait aussi des petits plaisirs, comme celui d'assister au feu d'artifice du 4 juillet, le jour de la fête nationale. Au lieu de ça, on nous a chargés, ce soir-là, d'ouvrir l'œil et de vérifier qu'il n'y avait pas de début d'incendie dans les baraquements déserts.

Nous avons donc monté la garde à deux. Debout dans le noir à côté de mon camarade, appuyé sur mes béquilles, j'ai fait semblant d'être utile. Mon acolyte était un mec de 18 ans, costaud et gentil comme tout, victime d'une blessure douteuse qu'il s'était peut-être infligée lui-même. À l'entendre, il n'aurait jamais dû s'engager. On tirait le feu d'artifice au loin quand il m'a avoué avoir fait là une connerie, en ajoutant que la solitude lui pesait énormément ; ses parents, leur ferme familiale située dans les Appalaches, lui manquaient beaucoup.

J'ai compati, même si je ne voyais pas trop ce que je pouvais faire, à part l'envoyer chez l'aumônier. J'ai essayé de lui donner des conseils, je lui ai dit de prendre sur lui et que ça irait peut-être mieux après. Il s'est alors planté devant moi, le balèze, et m'a annoncé tout de go, sur un ton puéril et touchant, qu'il allait déserter – ce qui, dans l'armée, constitue un crime –, après quoi il m'a demandé si j'allais le dénoncer. C'est seulement à ce moment-là que j'ai remarqué qu'il s'était pointé avec son sac à linge sale. En fait il était en train de m'expliquer qu'il allait déserter là, tout de suite.

Je n'ai pas su comment gérer le truc, à défaut d'essayer encore de le faire revenir à la raison. Je l'ai prévenu que ce n'était pas terrible de déserter, que dans ce cas on allait lancer un mandat d'arrêt contre lui, que n'importe quel flic pourrait l'arrêter et qu'il finirait alors ses jours derrière les barreaux. Il s'est contenté de hocher la tête. Il m'a dit que là où il vivait, en pleine montagne, il n'y avait même pas de flics, et que c'était sa dernière chance de vivre libre.

J'ai compris qu'il avait pris sa décision. Il était bien plus mobile que moi et puis il était fort. S'il partait en courant, je serais incapable de le poursuivre ; si j'essayais de l'arrêter, il pouvait me casser en deux. Je pouvais juste le dénoncer, seulement dans ce cas-là on me sanctionnerait pour ne pas avoir demandé des renforts plus tôt et ne pas lui avoir flanqué de coups de béquille.

J'étais en colère. Je me suis rendu compte que j'étais en train de lui hurler dessus. Il ne pouvait pas attendre que j'aille aux latrines pour se tirer ? Pourquoi me mettre dans une situation pareille ?

« – Tu es le seul à être au courant, m'a-t-il dit doucement avant de fondre en larmes.

Le pire, ce soir-là, c'est que je l'ai cru. Il était paumé au milieu de 250 types. Nous avons observé un moment de silence, pendant qu'on entendait pétarader le feu d'artifice. Un soupir m'a échappé.

– Il faut que j'aille aux toilettes, lui ai-je expliqué. Je vais y rester un moment ». Je me suis éloigné en claudiquant et sans me retourner.

Et je ne l'ai jamais revu. C'est à ce moment-là que j'ai compris que moi non plus je ne ferai pas long feu dans l'armée.

J'en ai eu la confirmation lorsque j'ai revu le médecin.

C'était un grand Sudiste maigre et narquois. Il m'a examiné, m'a fait passer de nouvelles radios, puis m'a annoncé que je n'étais pas en état de reprendre le service. La prochaine étape de l'entraînement nous amènerait à jouer les troupes aéroportées. « Petit, m'a dit le médecin, si jamais tu sautes en parachute avec des guibolles dans cet état, elles vont se désagréger. »

J'étais découragé. Si je ne finissais pas mes classes dans le délai imparti, je pouvais dire adieu au programme 18 rayons X, ce qui signifiait que je serais alors affecté ailleurs en fonction des besoins de l'armée. Je pouvais très bien me retrouver fantassin, mécanicien, employé de bureau, éplucheur de patates ou encore – mon pire cauchemar – informaticien à la hotline de l'armée…

Le médecin a dû comprendre que j'étais démoralisé puisqu'il s'est raclé la gorge et m'a proposé la chose suivante : ou bien on me « recyclait » et je tentais ma chance ailleurs dans les forces armées, ou bien il rédigeait un rapport me permettant d'engager une « séparation administrative » en vertu de quoi je serais en quelque sorte licencié. Il n'y avait là rien de déshonorant même s'il n'y avait pas non plus de raisons de s'en vanter, et seuls les engagés qui étaient sous les drapeaux depuis moins de six mois pouvaient avoir recours à cette procédure. C'était une séparation franche qui s'apparentait davantage à une rupture de contrat qu'à un divorce. Et ça pouvait aller vite.

Je reconnais que l'idée m'a séduit. Je me suis même dit que ce serait peut-être une sorte de récompense karmique que l'on me décernerait pour avoir eu pitié du petit jeune des Appalaches qui avait joué les filles de l'air. Le médecin m'a laissé réfléchir et quand il est revenu une heure plus tard, j'ai accepté sa proposition.

Peu après, j'ai été transféré à l'antenne médicale où l'on m'a prévenu que pour que cette séparation administrative soit effective, il me fallait signer au préalable un document attestant que j'étais en pleine forme et que mes jambes étaient complètement guéries. Il était indispensable que j'y appose ma signature mais ce n'était là qu'une simple formalité, m'a-t-on expliqué. Je griffonnais un truc sur un bout de papier, et hop, je pouvais m'en aller.

Je tenais le formulaire d'une main et le stylo de l'autre, et je n'ai pas pu m'empêcher de sourire. J'ai tout de suite vu la combine. Ce que j'avais d'abord pris pour la proposition généreuse qu'un médecin bienveillant avait faite à un engagé en mauvaise santé n'était en réalité qu'une façon pour les autorités de se dédouaner et d'éviter d'avoir à me verser une pension d'invalidité. En vertu du règlement militaire, si l'on me rendait à la vie civile pour des raisons médicales, l'État devrait alors prendre à sa charge tous les frais engendrés par ma blessure et payer l'ensemble des traitements et des thérapies indispensables. En revanche, dès lors que j'avais accepté une « séparation administrative », c'était à moi de passer à la caisse, je devais m'y résigner si je voulais retrouver ma liberté.

J'ai signé et je suis parti le jour même, appuyé sur les béquilles dont l'armée m'avait fait cadeau.

10

Habilité et amoureux

Je ne me rappelle pas exactement quand, pendant ma convalescence, j'ai recommencé à avoir les idées claires. Il a d'abord fallu que je souffre moins, puis que je cesse de déprimer. Après m'être réveillé pendant des semaines avec rien d'autre à faire que de compter les heures, j'ai commencé à écouter ce que l'on me disait : j'étais jeune et j'avais l'avenir devant moi. Il a quand même fallu que j'arrive à me mettre debout et à marcher tout seul pour en être persuadé. C'était encore un des trucs parmi tant d'autres qui auparavant coulait de source, comme le fait d'être aimé par ma famille.

J'ai réalisé aussi, les premières fois où je me suis aventuré dans le jardin de ma mère, qu'il allait de soi depuis toujours que j'étais doué pour l'informatique.

Quitte à avoir l'air d'un imbécile, je vous avouerais que l'informatique a toujours été une seconde nature chez moi, au point que je ne prenais pas au sérieux mes aptitudes en la matière et que je n'avais pas envie qu'elles m'attirent des compliments, ni de réussir grâce à elles. Je voulais plutôt montrer que je n'étais pas seulement un cerveau dans un bocal, mais un être humain avec un cœur et des muscles.

Ce qui explique que j'aie passé quelque temps dans l'armée. Si ma fierté en avait pris un coup, ça m'avait en revanche donné plus d'assurance et de confiance en moi. J'y avais puisé de la force et plutôt que de redouter la douleur, je me félicitais de ce qu'elle m'avait apporté. Il devenait plus facile de vivre de l'autre côté des barbelés. En fin de compte, l'armée ne m'avait pas coûté grand-chose : on m'avait rasé la tête mais mes cheveux avaient repoussé, je m'étais mis à boîter, mais maintenant ça allait mieux.

J'étais prêt à me rendre à l'évidence. Si j'éprouvais toujours le besoin de servir mon pays, et c'était le cas, il me faudrait utiliser ma tête et mes doigts, autrement dit mettre à profit mes compétences en informatique. C'était la condition *sine qua non* pour que je donne le meilleur de moi-même à ma patrie. Sans être à proprement parler un ancien combattant, j'avais cependant été soumis à une enquête approfondie de la part des militaires, ce qui ne pouvait que m'aider à être accepté dans un service de renseignement où mes compétences seraient très recherchées, et mises à rude épreuve.

Je me suis donc résigné à faire une demande d'habilitation de sécurité – je ne pouvais pas y couper, je m'en rends compte aujourd'hui. Il existe trois niveaux d'habilitation de sécurité plus ou moins difficiles à obtenir : « confidentielle », « secrète » et « top secrète ». À cette dernière peut s'ajouter une autorisation d'accès à des « informations sensibles et cloisonnées », ce qui permet d'occuper un poste à la CIA ou à la NSA, les deux services de renseignement les plus importants. Il va de soi que ce dernier était le sésame le plus difficile à obtenir mais aussi celui qui ouvrait le plus de portes, de sorte que je suis retourné au centre universitaire de premier cycle Anne Arundel pendant que je cherchais des emplois pour financer ma candidature à l'épuisant SSBI (Single Scope Background Investigation/enquête sur les antécédents) requis pour être habilité. Étant donné qu'il faut au moins un an pour savoir si l'on vous délivrera ou non ce parchemin, je recommande vivement aux gens qui se remettent d'une blessure de déposer leur candidature... On vous demande simplement de remplir des for-

mulaires puis de buller toute la journée en essayant de ne pas commettre trop de délits, jusqu'à ce que les autorités rendent leur ver-
dict. Après tout, on n'a pas la main sur le reste.

Sur le papier, j'étais le candidat parfait. Je venais d'une famille
de militaires où presque tous les adultes disposaient d'une habilitation et pour ma part, j'avais essayé d'entrer dans l'armée afin de
me battre pour mon pays jusqu'à ce que je me retrouve immobilisé
suite à un malencontreux accident. Je n'avais pas de casier judiciaire, je ne me droguais pas. Et je n'avais pas de dettes, à part
l'emprunt que j'avais souscrit pour payer les cours me permettant
de décrocher la certification agréée par Microsoft, que je rembour-
sais tous les mois sans manquer un versement.

Malgré tout, je me rongeais les sangs.

Je faisais l'aller-retour au centre universitaire pendant que le service officiel chargé de vérifier mes antécédents, le National Background Investigations, explorait les moindres recoins de ma vie
et interrogeait pratiquement tous ceux que je connaissais : mes
parents, oncles, tantes, cousins et cousines, mes camarades de classe
et mes amis. Ils ont épluché mes livrets scolaires et, j'en suis sûr,
se sont entretenus avec deux ou trois profs. J'ai même l'impression qu'ils sont allés voir Mae et Max, ainsi que le mec avec qui
j'avais tenu un stand de glaces dans un parc à thème du New Jersey, le Six Flags America. Le but de cette enquête n'était pas seulement de relever les conneries que j'avais pu accumuler, mais aussi
de savoir si l'on pouvait me corrompre ou me faire chanter. Pour
les services de renseignement, l'essentiel n'est pas que vous n'ayez
absolument rien à vous reprocher, car dans ce cas ils n'arriveraient
à recruter personne. Ce qui compte avant tout, c'est que vous ne
cachiez rien de compromettant qui puisse être utilisé contre vous et,
du même coup, contre vos employeurs par une puissance étrangère.

Cela m'a évidemment donné à réfléchir quand, bloqué dans
les embouteillages, il me revenait à l'esprit tout ce qu'il pouvait y
avoir de regrettable dans mon parcours. Je ne voyais rien qui puisse
choquer des enquêteurs habitués à découvrir que tel analyste dans
la force de l'âge aimait bien porter des couches et se faire fesser

par des grands-mères vêtues de cuir. Il n'empêche que ça me rendait parano car il n'y avait pas besoin de cacher qu'on est un fétichiste pour avoir fait des choses embarrassantes et craindre qu'on se méprenne sur votre compte si jamais elles sont dévoilées. Après tout, j'avais grandi avec Internet, nom d'un chien ! Si vous n'avez jamais tapé quelque chose de moralement répréhensible ou de carrément dégueulasse dans le moteur de recherche, c'est que vous n'avez pas passé beaucoup de temps sur Internet, même si en l'occurrence ce n'était pas la pornographie qui me donnait du souci. Tout le monde en regarde, du porno, et s'il y en a parmi vous qui prétendent le contraire, rassurez-vous, je ne dirai rien à personne. C'était pour des raisons personnelles, ou du moins que je considérais comme telles, que je m'inquiétais, quand je songeais par exemple à toutes les conneries que le petit chauvin que j'étais avait répandues, et à la misanthropie dont je m'étais fait le héraut et que j'avais depuis lors rejetée. C'était plus précisément ce que j'avais posté dans les forums de discussion qui me mettait mal à l'aise, et les commentaires complètement débiles que j'avais multipliés sur les sites de jeux vidéo et de hackers. Abrité derrière un pseudonyme, j'écrivais ce que je voulais mais sans toujours bien réfléchir. Et comme un aspect majeur de la culture des débuts d'Internet consistait à tenir des propos toujours plus incendiaires, je n'avais jamais hésité à conseiller vivement, par exemple, que l'on bombarde un pays qui taxait les jeux vidéo, ou que l'on envoie en camp de rééducation ceux qui n'aimaient pas les films d'animation. Sur ces sites, personne ne prenait ça au sérieux, pas même moi.

J'ai accusé le coup quand je suis retourné lire ce que j'avais posté. À l'époque, je ne pensais pas la moitié de ce que je disais, je voulais juste faire l'intéressant. Mais bon, je n'avais pas spécialement envie d'expliquer ça à un type grisonnant à lunettes d'écaille en train de scruter un énorme classeur étiqueté « DOSSIER PERMANENT ». Quant au reste, ce que j'avais déclaré de bonne foi était encore pire, car à ce moment-là je n'étais plus un gamin – j'avais grandi. Ce n'était pas simplement que je ne me reconnaissais plus dans cette voix ; je n'étais plus en accord avec ces propos exaltés dictés par les hormones. Bref, j'avais grandi, et j'étais contre cette part d'imbécilité, de puérilité et de cruauté qui avait été la mienne et qui désormais n'existait plus. Je ne pouvais pas supporter que cet ancien « moi » me poursuive mais je ne voyais pas comment exprimer mes remords et prendre mes distances avec, ni même si je devais m'y efforcer. C'était abominable de me retrouver, par le biais de l'informatique, lié à un passé dont je n'étais pas fier et dont je me souvenais à peine.

C'est sans doute un problème récurrent pour la plupart des gens de ma génération, les premiers à grandir avec Internet. Nous avions la possibilité de découvrir et d'explorer notre identité sans quasiment faire l'objet d'aucune surveillance, et nous étions loin de nous douter que nos propos irréfléchis et nos plaisanteries vulgaires seraient conservés indéfiniment, et que nous devrions peut-être un jour en rendre compte. Je suis sûr que tous ceux qui ont eu Internet avant d'entrer dans la vie active comprennent ça ; ils doivent certainement tous avoir raconté un jour des trucs gênants sur un forum de discussion, ou envoyé un texto ou un e-mail sujet à caution qui pourrait leur faire perdre leur boulot.

Ma situation était cependant quelque peu différente dans la mesure où à l'époque, la plupart des forums donnaient la possibilité d'effacer ses anciens commentaires. Je n'avais qu'à concevoir un petit script, même pas un programme, et tout ce que j'avais posté aurait disparu dans l'heure. Ça aurait été simple comme bonjour. Croyez-moi, j'y ai réfléchi.

Mais en fin de compte, je n'ai pas pu m'y résoudre. Quelque chose m'a retenu. Ça ne me disait rien qui vaille. Ce n'était pas illégal de supprimer l'ensemble de ses commentaires, et si l'on avait découvert le pot aux roses, ça ne m'aurait pas rayé de la liste de ceux qui pouvaient recevoir une habilitation de sécurité. Mais ça n'aurait fait que rendre encore plus destructeurs certains préceptes qui gouvernent la vie sur Internet, à savoir que personne n'a le droit de commettre une erreur et que si jamais cela arrive, il en sera tenu responsable jusqu'à la fin de ses jours. Or, je n'avais pas envie de vivre dans un monde où tous devraient faire semblant d'être parfaits, car ce serait un endroit où ni mes amis ni moi n'aurions notre place. Effacer ces commentaires revenait à effacer ce que j'étais, d'où je venais et jusqu'où j'étais allé. Renier ce que j'avais été autrefois m'aurait conduit à ôter toute valeur à ce que j'étais devenu.

J'ai donc décidé de ne pas toucher à ce que j'avais écrit et j'ai trouvé au contraire le moyen de m'en accommoder. J'en ai même conclu que pour rester fidèle à cette position de principe, je devais continuer à m'exprimer sur Internet. Plus tard, je penserai autrement mais je ne pouvais pas me voiler la face devant ce qui m'avait motivé, ne serait-ce que parce que cela avait contribué à me faire grandir. Sur Internet, on ne peut pas tirer un trait sur ce qui nous fait honte. On peut seulement contrôler nos réactions, que l'on reste prisonnier du passé ou qu'on en tire les leçons qui s'imposent pour aller de l'avant.

Croyez-le ou non, les seules traces en ligne que ça ne m'a jamais dérangé de voir remonter à la surface étaient mes profils sur les sites de rencontres. Cela tient sans doute au fait que j'attachais alors de l'importance à ce que j'écrivais, puisque cela devait me permettre de rencontrer quelqu'un qui s'intéresserait à moi.

Je me suis inscrit sur HotOrNot.com, le site le plus utilisé au début des années 2000, juste avant RateMyFace et AmIHot (Mark Zuckerberg, alors très jeune, a combiné leurs points forts dans Face-Mash, qui allait devenir Facebook).

Ça marchait en gros de la façon suivante : les utilisateurs donnaient leur avis sur les photos – sexy ou pas. Pour les membres, une fonction autorisait la mise en relation si l'un et l'autre s'étaient évalués comme « sexy », et avaient cliqué sur « Me rencontrer ». C'est par ce biais que j'ai fait la connaissance de Lindsay Mills, ma compagne et l'amour de ma vie.

Quand je regarde aujourd'hui les clichés en question, je vois une jeune fille gauche et d'une timidité touchante. Mais à l'époque, je trouvais que c'était une blonde ensorcelante et volcanique. Et les photos elles-mêmes étaient superbes ; elles avaient de réelles qualités artistiques et ressemblaient davantage à des portraits qu'à des selfies. Elles vous scotchaient, littéralement, et comportaient de subtils jeux d'ombre et de lumière. Par ailleurs, elles avaient un côté « méta » assez amusant, puisque l'une d'entre elles avait été prise dans le labo où elle travaillait, et que sur une autre, elle ne regardait même pas l'appareil.

Je l'ai tout de suite trouvée canon, j'ai cliqué sur « sexy » et je lui ai mis 10. À ma grande surprise, le courant est passé entre nous (elle m'a donné un 8, la petite chérie), et nous avons rapidement commencé à discuter. Lindsay suivait une formation en photographie d'art et elle avait déjà son site web sur lequel elle tenait son journal et postait d'autres prises de vues : forêts, fleurs, usines abandonnées, et des photos d'elle (mes préférées).

J'ai cherché sur Internet ce qui pouvait m'aider à mieux la connaître. C'est ainsi que j'ai appris qu'elle était née à Laurel, dans le Maryland, et qu'elle prenait des cours au Maryland Institute College of Art. J'ai fini par admettre m'être livré ensuite à ce qui s'apparente à du cyberharcèlement. Il n'y avait pas de quoi être fier et je le lui ai dit, mais elle m'a alors avoué ne pas être en reste et s'être elle aussi renseignée sur mon compte.

J'ai trouvé ça touchant et pourtant, j'hésitais encore à la rencontrer. Nous nous sommes donné rendez-vous et tandis que la date approchait, ma nervosité grandissait. Ce n'est pas évident de voir en chair et en os quelqu'un qui jusqu'à présent n'existait que sur Internet, et ça continuerait à être flippant même dans un monde sans meurtriers et sans personnes malhonnêtes. L'expérience m'avait appris que plus on discute avec un inconnu en ligne, plus on est déçu quand on rencontre cette personne pour de bon. On a soudain du mal à dire ce qui nous venait naturellement quand on n'avait qu'un écran devant nous. La distance favorise l'intimité, et l'on ne parle jamais aussi librement que lorsque, seul dans une pièce, on s'adresse à quelqu'un qui se trouve dans la même situation. Il suffit toutefois de rencontrer cette personne pour que ça change. On parle alors de choses banales et insignifiantes qui ne portent pas à conséquence.

Sur Internet, Lindsay et moi étions devenus des confidents et j'avais peur de perdre ce lien et qu'elle m'envoie promener.

Mes craintes étaient infondées.

Lindsay, qui avait insisté pour conduire, m'a dit qu'elle passerait me chercher chez ma mère. À l'heure dite, j'étais sorti l'attendre dans le froid tandis que la nuit tombait. Depuis mon portable, je l'ai aidée à trouver son chemin dans les rues du lotissement qui se ressemblaient toutes et portaient des noms similaires. J'essayais de repérer une Chevrolet Cavalier modèle 1998 quand Lindsay m'a fait des appels de phare depuis le trottoir d'en face.

« Attache ta ceinture. » Voilà ce qu'elle m'a dit en guise d'entrée en matière, avant d'ajouter : « Quel est le programme ? »

C'est seulement à ce moment-là que je me suis rendu compte que si j'avais beaucoup pensé à elle, je ne m'étais pas demandé où nous pourrions aller.

En pareil cas, avec une autre femme, j'aurais improvisé, histoire de ne pas avoir l'air idiot. Mais avec Lindsay, ce n'était pas la peine. Elle a emprunté une route qu'elle affectionnait tout particulièrement jusqu'à Guilford Street, avant de se garer dans le parking du centre commercial Laurel. Nous avons alors discuté, assis dans la voiture.

Il se trouve que les parents de Lindsay étaient eux aussi divorcés. Ils habitaient à vingt minutes l'un de l'autre, et dans son enfance Lindsay avait été ballottée entre les deux maisons. Elle était alors toujours prête à boucler son sac. Elle passait le lundi, le mercredi et le vendredi soir chez sa mère, le mardi, le vendredi et le samedi chez son père. Le dimanche, ça se compliquait, et il lui fallait choisir.

Elle ne s'est pas gênée pour me dire que j'étais vêtu comme un as de pique. Il faut dire que j'avais enfilé une chemise ornée de flammes métalliques par-dessus un débardeur et un jean. (Je suis désolé.) Lindsay m'a parlé des deux autres types qu'elle avait rencontrés avant moi, et auxquels elle avait déjà fait allusion sur le site de rencontres. Je ne me suis pas privé de les critiquer (je ne suis pas désolé). Je me suis montré par ailleurs très franc avec elle, et lui ai expliqué que je ne pouvais pas lui parler de mon travail

car je n'étais toujours pas en poste. C'était ridiculement préten-
tieux, ce qu'elle m'a fait comprendre en hochant la tête gravement.

Je lui ai ensuite annoncé qu'on allait me passer au détecteur de
mensonges et que ça ne me rassurait pas du tout. Elle m'a alors
proposé de m'aider à m'y préparer – ce qui constituait des préli-
minaires assez particuliers… Elle s'était fixé à ce propos une ligne
de conduite bien précise : dire ce qu'on veut, dire qui l'on est, sans
jamais avoir honte. S'ils ne veulent pas de toi, m'expliqua-t-elle,
c'est leur problème. Je ne m'étais jamais senti aussi à l'aise avec
quelqu'un, ni aussi disposé à dresser la liste de mes défauts. Je l'ai
même laissée me prendre en photo.

Je repensais à notre conversation quand je me suis rendu à
l'entretien final au quartier général de la NSA, bizarrement nommé
« annexe de l'amitié » afin d'obtenir mon habilitation de sécurité.
On m'a fait entrer dans une pièce sans fenêtres où je me suis
retrouvé ligoté comme un otage à une chaise de bureau, avec autour
du ventre et de la poitrine des tubes reliés à un pneumographe permettant de mesurer ma respiration, et à chaque doigt un tensio-
mètre digital qui enregistrait l'activité électrodermale, tandis qu'un
brassard évaluait mon rythme cardiaque et qu'un autre capteur fixé
à la chaise détectait le moindre de mes mouvements. Ces dispositifs étaient tous reliés à un grand polygraphe noir posé sur une
table face à moi.

Assise devant le détecteur de mensonges se trouvait la techni-
cienne qui le faisait fonctionner. Elle m'a rappelé une prof que
j'avais eue et j'ai passé le reste du temps à essayer de me souvenir
de son nom ou, au contraire, à tout faire pour qu'il ne me revienne
pas à l'esprit. L'employée m'a alors posé des questions. Au départ,
il n'y avait rien de plus simple : est-ce que je m'appelais Edward
Snowden ? Étais-je bien né le 21 juin 1983 ? Puis on est entré dans
le vif du sujet : avais-je déjà commis un délit grave ? Avais-je la
passion du jeu ? Étais-je porté sur l'alcool ou la drogue ? Avais-je
travaillé pour une puissance étrangère ? Avais-je incité mes concitoyens à renverser le gouvernement américain ? À chaque fois, on
ne pouvait répondre que par oui ou par non. J'ai souvent répondu

non, et attendu qu'on me pose les questions que je redoutais : avez-vous déjà remis en cause sur Internet la compétence de l'équipe médicale de la base de Fort Benning ? Que cherchiez-vous donc sur le site du laboratoire nucléaire de Los Alamos ? Fort heureusement, on ne m'a rien demandé de tel et l'examen s'est terminé rapidement.

Je l'ai réussi brillamment.

En vertu du règlement, il m'a fallu répondre trois fois à ce petit questionnaire, et à chaque fois je m'en suis sorti haut la main. Non seulement on allait me délivrer l'habilitation de sécurité top secrète, mais j'avais franchi l'obstacle le plus difficile, celui du « polygraphe à large spectre ».

Je m'étais trouvé une copine que j'aimais et j'étais aux anges. J'avais 22 ans.

DEUXIÈME PARTIE

11

Le système

Je vais maintenant faire une petite pause pour vous expliquer quelles étaient mes opinions politiques à l'âge de 22 ans : c'est bien simple, je n'en avais pas. Comme la plupart des jeunes, j'avais de solides convictions, mais il n'était pas question d'admettre qu'il s'agissait d'un ensemble de principes contradictoires que l'on m'avait transmis et que je ne pouvais donc pas revendiquer comme étant vraiment les miens. En moi se mêlaient confusément les valeurs que l'on m'avait inculquées dans mon éducation et les idéaux que j'avais découverts sur Internet. Ce n'est qu'un peu avant d'atteindre l'âge de 30 ans que j'ai fini par comprendre que ce que je croyais, ou pensais croire, n'étaient que des imprégnations juvéniles. On apprend à parler en imitant les adultes de notre entourage et on en vient à singer leurs prises de position jusqu'à s'imaginer que ce sont les nôtres.

S'ils ne méprisaient pas la politique en général, mes parents n'éprouvaient guère de respect pour les hommes et les femmes qui en avaient fait leur métier. Leur attitude n'avait certes pas grand-chose à voir avec la désaffection des abstentionnistes ou le dédain partisan. Il s'agissait plutôt d'une espèce d'indifférence mâtinée de perplexité propre à tous ceux qui travaillent dans le secteur public, lequel passe souvent de nos jours pour un gouvernement parallèle. Ces fonctionnaires, qui n'ont pas été élus ou désignés (et qui représentent d'ailleurs peut-être la dernière classe moyenne des États-Unis), sont au service de l'État, aussi bien dans les agences indépendantes telles que la CIA, la NSA, l'IRS[1] ou le FCC[2] que dans les divers ministères.

C'étaient donc eux mes parents, et tous ceux dont je peux me réclamer : près de trois millions d'employés de l'État dont la vocation est d'aider les amateurs choisis par les électeurs et nommés par les élus à remplir leurs devoirs politiques – ou, selon les termes du serment, à s'acquitter fidèlement de leur charge. Ces fonctionnaires, qui restent en poste quelles que soient les fluctuations gouvernementales, font preuve d'autant de zèle sous les républicains que sous les démocrates, car c'est en définitive pour l'État lui-même qu'ils travaillent, en assurant sa continuité et sa stabilité.

Ce sont eux aussi qui ont répondu présents lorsque leur pays est entré en guerre. Comme moi après le 11 Septembre, et je me suis aperçu que l'amour de la patrie hérité de mes parents s'est vite transformé en ferveur nationaliste. Pendant un certain temps, surtout juste avant de m'engager dans l'armée, j'ai envisagé le monde sous l'angle de la dualité, comme dans les jeux vidéo les moins sophistiqués où il y a d'un côté le bien et de l'autre le mal.

Cependant, une fois revenu à la vie civile et plongé à nouveau dans l'informatique, j'ai regretté d'avoir nourri de tels fantasmes guerriers. Plus mes compétences se développaient, plus j'agissais de façon réfléchie et me rendais compte que les technologies de la communication avaient des chances de réussir là où les technologies de la violence avaient échoué. Si la démocratie ne pouvait pas être instaurée par les armes, peut-être que la silicone et la fibre aideraient à sa propagation. Au début des années 2000, Internet sortait tout juste de sa période de formation et, à mes yeux du moins,

1. Internal Revenue Service, agence gouvernementale chargée de collecter l'impôt sur le revenu et diverses autres taxes. (NdT.)
2. Federal Communications Commission, agence chargée de réguler les télécommunications. (NdT.)

il incarnait les idéaux dont se réclament les Américains de façon plus authentique et achevée que leur pays lui-même. Un endroit où tous les êtres humains étaient égaux ? Oui. Un endroit où l'on respectait la vie, où l'on défendait la liberté et où l'on encourageait la quête du bonheur ? Oui, oui, oui. Le fait que la plupart des documents fondateurs de la culture Internet renvoyaient implicitement à l'histoire des États-Unis a aidé : voici la nouvelle frontière qui appartenait à ceux qui avaient le courage de s'y installer, et qui n'allait pas tarder à être colonisée par les États et les intérêts privés qui cherchaient à la réguler pour accroître leur pouvoir et leurs profits. Les grandes entreprises qui pratiquaient des tarifs élevés – pour le matériel, les logiciels, les appels téléphoniques longue distance qu'il fallait à l'époque passer pour se connecter à Internet, ou tout simplement pour le savoir lui-même, qui constitue le patrimoine commun de l'humanité et qui aurait par conséquent dû être gratuit – n'étaient au fond que les avatars contemporains des Britanniques, dont les impôts écrasants poussèrent les colons américains à réclamer leur indépendance.

Cette révolution n'était pas consignée dans les livres d'histoire : elle se déroulait sous nos yeux et chacun pouvait y participer en fonction de ses compétences. C'était exaltant de contribuer à l'émergence d'une nouvelle société qui ne se fondait pas sur notre lieu de naissance, notre éducation ou notre popularité à l'école, mais sur nos compétences informatiques. Au cours de ma scolarité, on m'avait fait apprendre par cœur le préambule de la Constitution américaine. Désormais, elle voisinait dans ma mémoire à côté de *La Déclaration d'indépendance du cyberespace* de John Barlow : « Nous sommes en train de créer un monde où tous peuvent entrer sans privilège et sans préjugé dicté par la race, le pouvoir économique, la force militaire ou la naissance. Nous sommes en train de créer un monde où n'importe qui, n'importe où, peut exprimer ses croyances, aussi singulières soient-elles, sans craindre d'être réduit au silence ou à la conformité. »

Cette méritocratie technologique était sans nul doute émancipatrice mais elle pouvait aussi inciter à la modestie, comme je m'en suis rendu compte quand j'ai commencé à travailler pour les services de renseignement. La décentralisation d'Internet n'a fait que souligner celle de l'expertise informatique. Si j'étais le plus calé en informatique dans ma famille ou mon quartier, travailler pour la CIA et la NSA m'a amené à me mesurer à tous les autres, aux États-Unis et dans le monde. Internet m'a montré qu'il existait une multitude de talents dans ce domaine, et m'a du même coup fait comprendre qu'il était indispensable que je me spécialise pour m'y épanouir.

Les choix qui s'offraient à moi étaient en l'occurrence limités. J'aurais ainsi pu devenir développeur ou, si vous préférez, programmeur et, par conséquent, écrire le code qui fait fonctionner les ordinateurs. J'aurais également pu devenir spécialiste *hardware* ou ingénieur réseau et me consacrer à installer les serveurs et connecter les fils, à mettre en place l'immense structure qui permet de connecter chaque ordinateur, chaque périphérique et chaque fichier. Les ordinateurs et la programmation m'intéressaient, tout comme les réseaux qui les relient. Mais ce qui m'intriguait le plus, c'était leur fonctionnement d'ensemble considéré à un niveau d'abstraction plus élevé, non pas sous l'angle des composantes individuelles mais comme système global.

J'ai beaucoup réfléchi à tout cela au cours de mes trajets en voiture, quand j'allais chez Lindsay ou que j'en revenais, ou encore quand je faisais la navette entre le centre universitaire et la maison de ma mère. Travailler comme programmeur de logiciels revenait à gérer les aires de repos et à vérifier que les fast-foods et les stations essence travaillaient main dans la main et répondaient aux besoins des automobilistes ; travailler comme spécialiste *hardware* revenait à mettre en place l'infrastructure, c'est-à-dire à niveler et à paver les routes elles-mêmes ; enfin, le spécialiste réseau se chargeait pour sa part de réguler la circulation, de veiller à ce que les panneaux et les feux rouges permettent à tous ces gens pressés de parvenir à destination. En revanche, pour s'occuper des systèmes, il fallait être urbaniste, rassembler toutes les composantes disponibles et faire en sorte que leur interaction donne le meilleur résultat. Il s'agissait purement et simplement d'être payé pour imiter Dieu, ou du moins un dictateur de pacotille.

Il y a deux façons d'être ingénieur système. Ou bien on s'occupe d'un système d'exploitation qui existe déjà – on l'entretient, on le rend progressivement plus efficace et on le répare quand il tombe en panne – et dans ce cas on est un administrateur système. Ou alors on s'efforce de résoudre un problème, comme stocker des données ou effectuer des recherches dans des bases de données. Alors on élabore une solution en combinant les composantes existantes ou en en inventant de nouvelles. Telle est la fonction de l'ingénieur système. Finalement, j'ai exercé ces deux derniers métiers en commençant par être administrateur système puis ingénieur système, sans me rendre compte combien le fait de m'investir dans les niveaux les plus élevés d'intégration en matière d'informatique exerçait une influence considérable sur mes convictions politiques.

J'aimerais vous faire comprendre ce qu'est un système sans trop verser dans l'abstraction. Peu importe la nature du système : il peut aussi bien s'agir d'un système informatique que d'un système juridique ou d'un système de gouvernement. Ne perdez pas de vue qu'un système désigne une série d'éléments qui fonctionnent ensemble, ce dont la plupart des gens ne s'aperçoivent en général que lorsque l'un d'eux est défectueux. Ce qui est déconcertant, c'est que lorsqu'un système ne fonctionne pas correctement, l'élément défectueux n'est pratiquement jamais celui qui ne fonctionne pas bien. Pour connaître la cause de ce dysfonctionnement, il faut partir de l'endroit où l'on a détecté le problème puis procéder par élimination afin de voir à quelle composante l'imputer. Comme c'est à l'ingénieur système ou à l'administrateur système de remédier à cet état de fait, il doit s'y connaître autant en matière de logiciel que de *hardware* et de réseau. S'il s'avère que le problème vient du logiciel, il lui faut alors faire défiler des lignes de code écrites en une multitude de langages de programmation. Si le problème est lié au *hardware*, il devra peut-être inspecter un circuit imprimé un fer à souder à la main et une lampe électrique coincée dans la bouche, pour vérifier chaque connexion. Si, enfin, le problème a à voir avec le réseau, il risque alors de devoir examiner les câbles plus ou moins entortillés qui courent sous le plancher et au-dessus du plafond et qui connectent les *data centers* hébergeant les serveurs à un bureau rempli d'ordinateurs portables.

Parce qu'un système obéit à des instructions, ou règles, une telle analyse requiert en fin de compte de savoir quelles règles n'ont pas rempli correctement leur rôle, comment et pour quelles raisons. Le système aurait-il planté à cause d'un défaut de communication ? Serait-ce parce que quelqu'un l'a mal utilisé, en accédant à une ressource qui en principe lui était interdite, ou bien en accédant à une ressource autorisée dont il a fait un usage abusif ? Une composante aurait-elle été bloquée ou entravée par une autre ? Un programme, un ordinateur ou des individus auraient-ils envahi le système ?

Au cours de ma carrière, il m'est peu à peu devenu de plus en plus difficile de me poser ce genre de questions sur l'informatique, dont j'étais responsable, sans m'interroger en même temps sur mon pays. Et il s'est révélé très frustrant pour moi d'être capable de remédier aux défauts de la première sans pouvoir en faire autant pour le second. Lorsque j'ai cessé de travailler dans le milieu du renseignement, je ne doutais pas une seconde que le « système d'exploitation » de mon pays – autrement dit son gouvernement – avait décidé qu'il fonctionnait d'autant mieux qu'il était défectueux.

12

Homo contractus

J'avais espéré servir mon pays mais à la place je me suis mis à travailler pour lui. La distinction n'est pas anodine. L'espèce de stabilité honorable dont avait bénéficié mon père et mon grand-père était difficilement accessible aux gens de ma génération. Eux avaient passé leur vie professionnelle à servir leur pays, du premier au dernier jour. C'est ainsi que je connaissais l'administration américaine, depuis ma tendre enfance où elle avait contribué à me nourrir, à m'habiller et à me loger, jusqu'au moment où elle m'avait délivré une habilitation me permettant d'intégrer le monde du renseignement. Quand vous étiez fonctionnaire ou militaire, vous aviez en quelque sorte passé contrat : on subvenait à vos besoins et à ceux de vos proches en échange de votre intégrité et de votre jeunesse.

L'ennui, c'est que j'ai intégré ce monde à une autre époque.

Quand j'y ai débarqué, l'honneur du service public s'était effacée devant la cupidité du secteur privé, et le pacte sacré du soldat, de l'officier ou du fonctionnaire avait cédé la place au marché malsain de l'*Homo contractus*, une espèce que l'on retrouvait à tous les étages de l'État 2.0. Cette créature, loin d'être un fonctionnaire assermenté, était un travailleur temporaire dont le sentiment patriotique était motivé par le salaire, et pour qui le gouvernement fédéral représentait moins l'autorité suprême que le plus gros client.

Si, pendant la révolution américaine, le recrutement par le Congrès de corsaires et de mercenaires pour assurer la protection d'une république encore fragile faisait sens, il m'a en revanche paru bizarre et vaguement sinistre que l'hyperpuissance du troisième millénaire s'adresse à des sociétés militaires privées pour effectuer des tâches relevant de la défense nationale. En effet, quand on parle du recours à des contractuels, on pense tout de suite à des échecs majeurs, comme celui de la société BlackWater (devenue Xe Services après que ses hommes ont été reconnus coupables d'avoir tué quatorze civils irakiens, et qui se fait désormais appeler Academi depuis qu'elle a changé d'actionnaires) qui possédait une véritable petite armée, ou ceux de CACI et Titan, spécialistes de la torture (toutes deux ont fourni à la prison d'Abou Ghraib du personnel qui terrorisait les prisonniers).

Ces affaires qui ont défrayé la chronique ont amené les gens à penser que c'est pour se couvrir et être en mesure d'apporter un démenti à ceux qui les accusent que les autorités font appel à des contractuels, et qu'en se déchargeant du sale boulot, légal ou non, elles gardaient les mains propres et se donnaient bonne conscience. Mais ce n'est pas tout à fait exact, du moins dans le monde du renseignement où l'on cherche moins à s'inscrire en faux contre les accusations dont on fait l'objet qu'à éviter d'être pris la main dans le sac. On vise ici un objectif beaucoup plus prosaïque puisqu'il s'agit de trouver une échappatoire, un palliatif, un moyen de contourner les limites en matière de recrutement auxquelles sont assujetties les agences de renseignement. En vertu de dispositions légales, celles-ci voient en effet leur personnel limité en nombre. En revanche les contractuels, qui ne sont pas des fonctionnaires, ne sont pas concernés. Les agences peuvent en recruter autant qu'elles ont les moyens d'en payer, et elles peuvent en payer autant qu'elles le souhaitent : il leur suffit pour cela de déclarer sous serment devant quelques sous-commissions du Congrès triées sur le volet que les terroristes vont s'en prendre à nos enfants, que les Russes lisent nos e-mails ou que les Chinois se sont infiltrés dans le réseau national de distribution d'électricité. Le Congrès ne reste jamais sourd à de telles requêtes, qui sont en fait des menaces voilées, et il s'empresse de les satisfaire.

Entre autres documents que j'ai remis aux journalistes figurait le « budget noir » de 2013. Il s'agit d'un budget secret dont 68 % du montant, soit 52,6 milliards de dollars, étaient affectés aux services de renseignement et notamment au règlement des salaires versés à ses 107 035 employés qui, pour 20 % d'entre eux (21 400 personnes), étaient des contractuels engagés à plein temps. Et encore, ce chiffre ne prend pas en compte les dizaines de milliers de personnes supplémentaires employées par des sociétés privées ayant signé des contrats de sous-traitance portant sur des tâches ou des projets bien précis. Ces contractuels ne sont jamais comptabilisés par l'État, pas même dans le « budget noir », car ça reviendrait à reconnaître de manière très claire une réalité gênante : aux États-Unis, le travail de renseignement incombe aussi fréquemment à des employés du privé qu'à des fonctionnaires.

Bien entendu, beaucoup, même au sein de l'exécutif, soutiennent que ce système fondé sur la théorie du ruissellement présente des avantages. Grâce aux contractuels et par le biais des appels d'offres, les autorités peuvent éviter une surenchère des prix et elles ne sont pas tenues de leur verser de retraites ni d'avantages sociaux. En réalité, ce sont surtout les hauts fonctionnaires qui tirent parti du conflit d'intérêts inhérent à cette conception même du budget. Les patrons des services de renseignement demandent au Congrès de leur donner les moyens d'engager des travailleurs du privé, les membres de Congrès donnent leur aval, puis, à la fin de leurs mandats, les uns et les autres sont récompensés par des fonctions haut placées et bien payées ou des postes de consultants dans les entreprises mêmes qu'ils ont enrichies. Du point de vue du conseil d'administration des grosses sociétés, faire appel à des contractuels, ce n'est ni plus ni moins que verser dans la corruption organisée avec le concours de l'État. C'est la façon la plus légale et pratique de transférer de l'argent public sur des comptes privés.

Mais quel que soit le nombre de postes occupés par les travailleurs du privé dans les services de renseignement, il n'en demeure pas moins que seules les autorités fédérales sont autorisées à délivrer une habilitation permettant d'avoir accès à des informations confidentielles. Et comme ceux qui aspirent à obtenir ce précieux sésame doivent être parrainés pour pouvoir en faire la demande – ce qui signifie qu'il faut qu'on leur ait fait une offre d'emploi qu'il n'est pas possible d'exercer sans ce document –, les contractuels commencent en général par travailler dans le secteur public. Après tout, d'un point de vue financier, ce n'est le plus souvent pas très intéressant pour une entreprise privée de financer votre demande d'habilitation de sécurité, et de vous payer pendant un an à attendre que le gouvernement vous donne le feu vert. Il vaut bien mieux engager un fonctionnaire qui dispose déjà de ce parchemin. On se retrouve dans une situation où c'est à l'État que revient la tâche de se renseigner sur vos antécédents alors qu'il n'en retire guère de bénéfices par la suite. C'est lui qui se charge de tout le boulot et qui met la main à la poche pour qu'on vous délivre cette autorisation mais dès l'instant où on vous la donne, vous vous dépêchez de troquer votre badge bleu de fonctionnaire contre un badge vert de contractuel. Or, ne dit-on pas que le dollar, c'est « l'argent vert » ?

Le boulot de fonctionnaire qui a financé ma candidature n'était pas idéal, mais enfin on trouve ce qu'on peut. J'étais officiellement employé par l'État du Maryland, dans son université de Park College. L'université aidait la NSA à créer un nouvel institut, le Center for Advanced Study in Language (CASL).

Officiellement, la mission du CASL était l'étude de l'apprentissage des langues étrangères et la mise au point d'un didacticiel permettant de progresser plus vite. Ce qu'on ne disait pas, c'est que derrière tout ça, la NSA cherchait aussi à améliorer la compréhension des langues par les ordinateurs. Si, dans d'autres services, on avait du mal à trouver des gens qui parlaient arabe (ou farsi, dari, pachtoune et kurde) et qui, lorsque c'était le cas, passaient des contrôles de sécurité ridicules pour pouvoir traduire sur le terrain – je connais à ce propos trop d'Américains dont on n'a pas voulu parce qu'ils avaient un cousin pas très clair qu'ils n'avaient jamais vu de leur vie –, la NSA avait quant à elle des difficultés à s'assurer de la capacité des ordinateurs à comprendre et à analyser le flot continu d'informations interceptées dans des langues étrangères.

Je n'ai pas la moindre idée de ce que voulait faire le CASL pour la bonne et simple raison que lorsque je me suis pointé avec ma belle habilitation toute neuve, il n'était pas encore en place. En réalité, l'immeuble était toujours en construction. Jusqu'à ce qu'il soit terminé, j'y ai travaillé la nuit comme vigile. Je patrouillais dans les couloirs que les ouvriers du bâtiment – encore des contractuels – venaient de quitter, en veillant à ce que personne n'y mette le feu, ne s'y introduise par effraction ou n'y pose des micros. Je passais donc des heures à faire des rondes dans cette carcasse inachevée et je suivais l'avancement des travaux : j'essayais les chaises que l'on venait d'installer dans l'auditorium dernier cri, je balançais des cailloux sur le toit que l'on avait depuis peu recouvert de gravier, j'admirais une nouvelle cloison et je regardais la peinture sécher…

Telle est la vie d'un gardien de nuit dans un immeuble ultrasecret, et honnêtement je ne trouvais rien à y redire. Au fond, j'étais payé à déambuler dans le noir en cogitant, et j'avais tout le loisir de me servir du seul ordinateur en état de marche et de me chercher un autre boulot. Pendant la journée, je dormais ou je partais en expédition photo avec Lindsay qui avait fini par larguer ses autres copains.

À l'époque, j'avais encore la naïveté de penser que ce poste de veilleur de nuit déboucherait sur un emploi à temps plein dans un organisme d'État. Mais plus je me renseignais, plus je m'apercevais que je n'aurais guère l'occasion de travailler directement pour mon pays, du moins en occupant un poste digne de ce nom dans l'informatique. J'avais plus de chances d'être employé comme contractuel par une entreprise privée qui faisait des bénéfices en se mettant au service du pays ; et encore plus de chances de travailler comme contractuel pour une boîte privée qui était sous-traitante auprès d'une autre entreprise privée qui faisait des bénéfices en se mettant au service de l'État… Tout ça me donnait le vertige.

Je trouvais quand même bizarre que la plupart des emplois d'administrateur système et d'ingénieur système soient dans le privé car ceux qui les occupaient avaient un accès quasiment illimité à la vie numérique de leur employeur. On n'imagine pas une grande banque ou un média social recruter des gens de l'extérieur pour travailler sur ce qui se rapporte à leur système. Pourtant, au sein du gouvernement, restructurer les services de renseignement afin que les systèmes les plus sensibles soient gérés par quelqu'un qui ne faisait pas partie de la maison passait pour une innovation.

Les services de renseignement s'adressaient à des sociétés d'informatique pour recruter des petits jeunes à qui elles remettaient ensuite les clés du royaume car, comme elles l'ont expliqué aux journalistes et aux membres du Congrès, elles n'avaient pas le choix. Ils étaient les seuls à savoir comment les clés, ou le royaume, fonctionnaient. J'ai essayé de rationaliser tout ça pour y puiser une raison d'être optimiste. J'ai ravalé mon incrédulité, rédigé un CV et me suis rendu à des salons pour l'emploi : c'est là que les contractuels avaient le plus de chances de trouver du travail et où il était aussi très facile de débaucher des fonctionnaires.

Ces forums se tenaient alors tous les mois au Ritz-Carlton de Tysons Corner, en Virginie, non loin du quartier général de la CIA, ou dans l'un des hôtels sordides du style Marriott situés non loin de la NSA, à Fort Meade. Ils ressemblaient à tous les autres salons pour l'emploi, à ceci près que l'on y croisait toujours davantage de recruteurs que de candidats, ce qui vous donne une idée de la boulimie qui animait les professionnels du secteur. Les recruteurs déboursaient une somme considérable pour participer à ces salons car il n'y avait qu'ici que ceux qui passaient la porte avec un badge à leur nom avaient, en principe, été au préalable triés sur le volet par les services de renseignement, et disposaient par conséquent d'une habilitation de sécurité et probablement les compétences requises.

Une fois que l'on quittait le hall de l'hôtel pour gagner la salle de bal où l'on parlait uniquement affaires, on entrait dans l'univers des sous-traitants. Ils étaient tous là. L'université du Maryland avait cédé place à Lockheed Martin, BAE Systems, Booz Allen Hamilton, DynCorp, Titan, CACI, SAC, COMSO, ainsi qu'à une centaine d'autres acronymes dont je n'avais jamais entendu parler. Certains exposants se contentaient d'une table, mais les plus importants disposaient de stands richement aménagés et équipés où l'on vous offrait des rafraîchissements.

Après avoir remis votre CV à un éventuel employeur et échangé avec lui quelques banalités, en guise d'entretien d'embauche, il ouvrait un classeur qui renfermait la liste des emplois disponibles dans le secteur public. Mais comme il s'agissait en l'occurrence d'effectuer un travail qui revêtait une dimension clandestine, au lieu de vous préciser l'intitulé du poste et de vous expliquer en quoi il consistait, on vous parlait dans un jargon délibérément obscur et codé qui variait souvent d'une entreprise à l'autre. C'est ainsi qu'être un programmeur expérimenté de niveau 3 revenait, ou non, à faire la même chose qu'un analyste principal de niveau 2, suivant que l'on se référait à une entreprise ou à une autre. Il n'était pas rare que seuls le nombre d'années d'ancienneté requises, le genre de certification indispensable et le type d'habilitation de sécurité exigée permettent de distinguer ces emplois.

Après que j'ai révélé en 2013 l'existence du « budget noir », le pouvoir a cherché à me discréditer en me taxant de « simple contractuel » ou « d'ancien employé chez Dell », et en laissant entendre que je ne disposais pas de la même habilitation qu'un fonctionnaire au badge bleu. On m'a aussi reproché d'être un employé insatisfait passant d'un emploi à un autre, ne s'entendant pas avec ses supérieurs ou animé par une ambition dévorante. Ce sont là des mensonges bien commodes. Le milieu du renseignement sait très bien qu'un contractuel est amené à changer souvent de boulot puisque ce sont les services secrets eux-mêmes qui ont mis en place cette mobilité et qui en tirent profit.

Quand on est contractuel pour la sécurité nationale, et tout particulièrement dans le domaine de l'informatique, on se retrouve souvent en poste dans les locaux d'un service de renseignement tandis que sur le papier, on bosse pour Dell, Lockheed Martin ou l'une de ces petites boîtes qui sont souvent rachetées par les mêmes que je viens de citer. Il va sans dire que lorsqu'une grande société prend le contrôle d'une entreprise de taille plus modeste, elle rachète également les contrats souscrits par cette dernière. On se retrouve donc du jour au lendemain avec un nouvel employeur et un nouveau titre sur sa carte de visite. Ceci étant, vous continuez à faire la même chose tous les jours, ça ne change pas. Pendant ce temps, il se peut que vos collègues, ceux avec qui vous travaillez sur le même projet, soient techniquement employés par une dizaine d'entreprises différentes séparées par quelques degrés des grandes entreprises avec lesquelles le service secret a passé de gros contrats.

Je regrette de ne pas me souvenir exactement des dates qui ont jalonné mes états de service. Ce fichier, Edward_Snowden_Resume. doc, est archivé dans le dossier « Documents » de l'un des vieux ordinateurs que j'avais chez moi et qui a été saisi par le FBI. Je me rappelle cependant que c'est en qualité de sous-traitant que j'ai eu mon premier boulot important : la CIA avait fait appel aux services de BAE Systems, qui s'était alors adressée à COMSO, qui à son tour m'avait embauché.

Division de British Aerospace, BAE Systems est une entreprise américaine de taille moyenne spécialement créée dans le but de décrocher des contrats auprès des services de renseignement américains. En gros, COMSO faisait office de recruteur – quelques personnes qui sillonnaient le périphérique dans l'espoir de dénicher les futurs contractuels (« les imbéciles ») et de les engager (« installer les imbéciles sur des chaises »). Parmi tous les dirigeants d'entreprise avec qui je me suis entretenu dans ces salons pour l'emploi, ce sont ceux de COMSO qui se sont montrés les plus ambitieux, peut-être parce que leur boîte était l'une des plus petites du lot. Si j'étais officiellement employé par COMSO, je n'ai jamais travaillé dans ses locaux ni dans ceux de BAE Systems, et peu de contractuels y ont un jour mis les pieds. J'ai uniquement travaillé au quartier général de la CIA.

En fait, je ne suis, en réalité, allé que deux ou trois fois au siège social de COMSO situé à Greenberg, dans le Maryland, notamment pour négocier mon salaire et signer des papiers. Au CASL, je gagnais 30 000 dollars par an, mais ce boulot n'avait rien à voir avec l'informatique, de sorte que je n'ai pas hésité à demander un salaire annuel de 50 000 dollars à COMSO. Quand j'ai avancé ce chiffre au type qui m'a reçu, il m'a répondu : « Et pourquoi pas 60 000 ? »

À l'époque je n'avais pas d'expérience, je n'ai donc pas compris pourquoi il voulait que je touche une rémunération anormalement élevée. Je me doutais bien qu'en définitive, ce ne serait pas COMSO qui me paierait sur ses fonds propres, mais ce n'est que par la suite que j'ai compris que les contrats que COMSO et BAE Systems vous proposaient étaient, comme on dit, « à prix coûtant majoré », ce qui signifie qu'il était prévu que les intermédiaires perçoivent une petite commission annuelle de 3 à 5 % qui viendrait s'ajouter au total. Tout le monde avait donc intérêt à tirer les salaires vers le haut – à l'exception des contribuables, cela va de soi.

En fin de compte, le type m'a proposé de toucher 62 000 dollars par an, puisqu'une fois de plus j'étais d'accord pour travailler de nuit. J'ai accepté l'offre et tandis que nous échangions une poignée de main, il s'est présenté comme étant mon « manager », ajoutant aussitôt que c'était uniquement pour la forme qu'on lui avait attribué ce titre puisque je serais désormais sous la tutelle de la CIA. « Si tout se passe bien, a-t-il conclu, nous ne nous reverrons pas. »

Dans un film d'espionnage ou une série télé, quand on vous dit un truc pareil, ça signifie en général qu'on vous a confié une mission dangereuse et que vous risquez d'y laisser votre peau. Mais en réalité, dans la vie que mènent vraiment les espions, cela veut tout simplement dire : « Félicitations pour votre nouveau poste ! » Je suis sûr que dès l'instant où j'ai quitté son bureau, ce type avait déjà complètement oublié à quoi je ressemblais.

Cet entretien m'avait mis d'excellente humeur mais sur le chemin du retour, la réalité s'est rappelée à moi quand je me suis rendu compte qu'il me faudrait désormais effectuer ce même trajet deux fois par jour. Si je continuais à habiter à Ellicott City, une petite ville du Maryland située près de chez Lindsay, et que j'allais travailler au siège de la CIA qui se trouve à Langley, en Virginie, je mettrais à chaque fois plus d'une heure et demie pour parvenir à destination compte tenu de la circulation et des embouteillages sur le périphérique, et je ne tiendrais pas le coup très longtemps. Il n'existait pas assez de livres audio dans l'univers pour cela.

Je ne pouvais pas demander à Lindsay de venir s'installer avec moi en Virginie car elle n'était qu'en deuxième année au Maryland Institute College of Art, et elle avait cours trois jours par semaine. Par mesure de discrétion, nous en avons discuté en faisant comme si j'allais vraiment bosser pour COMSO (« Pourquoi COMSO est si loin ? »), et j'ai décidé de louer un petit appart qui me permettrait de dormir sur place pendant la journée lorsque je serais de service de nuit, et de revenir dans le Maryland tous les week-ends, à moins que Lindsay ne vienne me voir.

Je me suis donc lancé à la recherche d'un endroit pas trop cher mais suffisamment sympa pour que ça plaise à Lindsay. Ce n'était pas évident car vu le nombre de gens qui travaillent pour la CIA et étant donné que le quartier général de cet immense service secret se trouve à Langley, dans une zone semi-rurale, les loyers se sont avérés prohibitifs. Le code postal de ce secteur est d'ailleurs l'un des plus chers des États-Unis.

J'ai quand même fini par me dégoter sur Craigslist une chambre qui, surprise, était dans mes moyens, dans une maison située à moins de cinq minutes du quartier général de la CIA. Je suis allé voir à quoi elle ressemblait, m'attendant à découvrir la baraque dégueulasse d'un célibataire. Mais c'est devant une grande villa parfaitement entretenue que je me suis garé, et lorsque je m'en suis approché, j'ai reconnu l'odeur caractéristique de ce mélange d'épices qui sert à parfumer la tarte à la citrouille.

Un dénommé Guy m'a ouvert. Il était plus vieux que je le pensais au vu du « Cher Edward » dont il m'avait gratifié par mail et je ne m'attendais pas à ce qu'il soit aussi bien habillé. Très grand, les cheveux gris coupés à ras, il portait un costume cravate pardessus lequel il avait enfilé un tablier. Il m'a demandé gentiment d'attendre quelques instants, le temps d'ajouter des clous de girofle, de la noix de muscade, de la cannelle et du sucre aux pommes qu'il s'apprêtait à mettre au four.

Quand il a eu fini, il m'a montré la chambre, située au sous-sol, et m'a dit que je pouvais m'y installer tout de suite si j'en avais envie. Je ne me suis pas fait prier et je lui ai aussitôt réglé la caution et le loyer du mois.

Ensuite, il m'a donné les règles de la maison :

Pas de bordel.

Pas d'animaux.

Pas d'invités la nuit.

Je dois avouer que j'ai violé la première règle presque aussitôt, et que je n'ai jamais eu envie de violer la seconde. Gary a fait une exception à la troisième pour Lindsay.

13

Endoctrinement

Je suis sûr que vous connaissez ce plan qu'on voit dans pratiquement tous les films d'espionnage et les séries télé, et qui s'accompagne de la légende suivante : « Quartier général de la CIA, Langley, Virginie ». La caméra parcourt ensuite le hall d'entrée en marbre et son « mur de la mémoire » couvert d'étoiles, puis le sol orné du sceau de la CIA. Langley est le site historique de la CIA et l'agence aime bien qu'Hollywood continue à s'y référer, alors qu'en réalité le quartier général est désormais situé à McLean, une autre petite bourgade de Virginie. Seuls les gens importants ou les touristes en voyage organisé franchissent ce hall.

Il s'agit en fait des anciens locaux, dit OHB pour *Old Headquarters Building*. Le NHB (*New Headquarters Building*), l'immeuble dans lequel vont travailler la plupart des employés de la CIA, est beaucoup plus discret. Quand j'y ai pris mes fonctions, ce fut l'une des rares fois où j'ai travaillé à la lumière du jour, puisque je passais habituellement le plus clair de mon temps au sous-sol dans une pièce crasseuse aux murs en parpaing aussi avenante qu'un abri antiatomique, et qui en plus sentait l'eau de Javel.

« Nous voilà dans les entrailles de l'État profond[1] », a dit un type pour plaisanter, ce qui a fait rire tout le monde. Il devait s'attendre à voir débarquer une bande de Blancs aisés fraîchement diplômés de l'Ivy League scandant des slogans, la tête enfoncée sous une capuche, tandis que de mon côté je pensais tomber sur des fonctionnaires hyper-normaux ressemblant à mes parents en plus jeunes. Au lieu de ça, il n'y avait là que des informaticiens – presque que des mecs – qui, pour la première fois de leur vie, se la jouaient « cadres décontractés ». Certains étaient tatoués et piercés, quand ils n'avaient pas à l'évidence enlevé leurs piercings pour le grand jour, et l'un d'entre eux avait conservé ses mèches blondes décolorées. Tous portaient le badge des contractuels, aussi vert et impeccable qu'un billet de 100 dollars flambant neuf. Nous ne ressemblions décidément pas à une mystérieuse petite coterie assoiffée de pouvoir qui contrôlait l'action des représentants élus depuis des cabines souterraines plongées dans la pénombre.

Cette séance était la première étape de notre transformation. Intitulée « Endoctrinement », elle visait à nous faire comprendre que nous étions l'élite, des gens pas comme les autres, et que l'on nous avait choisis pour être informés de secrets d'État et de vérités que le reste du pays, y compris parfois le Congrès et les tribunaux, était incapable de gérer.

Je n'ai pu m'empêcher de me dire que les intervenants prêchaient des convertis. Il n'y avait en effet pas lieu d'expliquer à des petits génies de l'informatique qu'ils possédaient des compétences et des connaissances supérieures leur permettant d'agir de façon indépendante et de prendre des décisions au nom de leurs concitoyens sans avoir à en référer à qui que ce soit. Rien ne rend aussi arro-

---

1. « L'État profond est un concept politique, apparu en Turquie durant les années 1990, en lien avec l'affaire de Susurluk. Sa définition varie mais il désigne le plus souvent la réunion d'un groupe de personnes au sein d'une entité informelle qui détient secrètement le pouvoir décisionnel de l'État, au-delà du pouvoir légal. Il est constitué soit par le noyau de la classe dominante, soit par des représentants d'intérêts au sein d'un État bureaucratique. C'est la composante la plus restreinte, la plus agissante et la plus secrète de l'*establishment* ». (NdT.)

gant que le fait de passer sa vie à superviser des machines dépourvues de sens critique.

C'était à mon avis ce qui faisait le lien entre la communauté du renseignement et l'industrie des hautes technologies : dans les deux cas, on avait affaire à un pouvoir non élu et fermement enraciné qui se flattait de maintenir un secret absolu sur ce qu'il fabriquait. Dans les deux cas, on était persuadé de pouvoir résoudre tous les problèmes qui se posaient et on n'hésitait pas à imposer de façon unilatérale les solutions idoines. Et, surtout, on était persuadé que ces solutions étaient intrinsèquement apolitiques car reposant sur des données plus importantes que les caprices du citoyen lambda.

Tout comme devenir un spécialiste en informatique, se faire embrigader dans le milieu du renseignement a des répercussions psychologiques importantes. Du jour au lendemain, on entre dans le secret des dieux, on découvre les dessous d'affaires bien connues, ou que l'on s'imaginait bien connaître. Ça peut monter à la tête, du moins pour un abstinent comme moi. Sans compter que l'on n'a pas seulement le loisir mais bel et bien l'obligation de mentir, de cacher et de dissimuler. On finit par s'en remettre à sa tribu plutôt qu'à la loi.

Je n'ai évidemment pensé à rien de tout cela au cours de la séance, mais je me suis efforcé de rester éveillé pendant que les intervenants nous énuméraient les diverses mesures de sécurité à observer, que dans le métier on appelait les « techniques d'espions ». Ça tombait tellement sous le sens que ça confinait à la bêtise : ne jamais dire pour qui l'on travaille ; ne jamais laisser traîner de documents sensibles ; ne pas apporter son portable si vulnérable dans ces locaux hautement sécurisés et ne jamais s'en servir pour y parler boulot ; enfin, ne jamais se vanter devant tout le monde qu'on bosse pour la CIA.

Après nous avoir égrené cette liste, ils ont éteint la lumière et ont lancé un Powerpoint. Des têtes sont apparues sur l'écran mural. Chacun de nous s'est redressé sur son siège. Il s'agissait d'anciens agents ou contractuels qui n'avaient pas joué le jeu ; ils étaient méchants, cupides, incompétents ou avaient fait preuve de négligence, et n'avaient pas suivi les règles. À force de se croire au-dessus de ces choses bassement matérielles, ils s'étaient retrouvés en prison. Tous ces gens se trouvaient désormais dans des caves bien pires que celle où nous nous trouvions, et certains d'entre eux y resteraient jusqu'à leur mort.

Tout compte fait, on nous avait mis dans le bain.

Il paraît que depuis que j'ai mis fin à ma carrière, cette galerie d'affreux – les incompétents, les taupes, les transfuges et les traîtres – s'est agrandie et comprend désormais une nouvelle catégorie, celle des lanceurs d'alerte, des gens qui font fuiter des infos en pensant à l'intérêt général. Espérons seulement que les jeunes qui ont aujourd'hui entre 20 et 30 ans sont choqués de voir le gouvernement vendre des secrets à l'ennemi et les révéler à la presse quand surgit à l'écran une nouvelle tête – la mienne, par exemple.

Quand j'ai commencé à bosser pour la CIA, tout le monde là-bas avait le moral à zéro. Tirant la leçon de l'échec des services de renseignement devenu patent après les attentats du 11 Septembre, l'exécutif et le Congrès avaient procédé à une réorganisation en profondeur de l'agence. Le directeur de la CIA a ainsi dû renoncer à chapeauter l'ensemble des services secrets américains, une prérogative dont il avait toujours bénéficié depuis qu'avait été créée l'agence après la Seconde Guerre mondiale. Lorsque George Tenet a été poussé à présenter sa démission en 2004, la CIA a cessé d'occuper la position prédominante parmi toutes les agences de renseignement qui était la sienne depuis cinquante ans.

Pour le personnel de la CIA, le départ de George Tenet et la rétrogradation du nouveau directeur montraient clairement que l'agence avait été trahie par la classe politique qu'elle avait pour mission de servir. Le sentiment d'avoir été manipulée par l'administration Bush, qui lui avait ensuite reproché d'avoir commis des excès regrettables, a débouché sur un processus de victimisation et de retranchement. La nomination à la tête de la CIA de Porter Goss, un ancien cadre de la maison sans relief qui était devenu membre républicain de la Chambre des représentants pour la Floride, a encore aggravé les choses. L'arrivée d'un homme politique aux commandes a été vécue comme une punition et un début d'instrumentalisation de la CIA, qui s'est alors trouvée dirigée par quelqu'un se réclamant d'une ligne partisane. Le nouveau patron a tout de suite renvoyé, mis à pied ou poussé à la démission quantité de responsables, au point que la CIA s'est retrouvée en sous-effectif et a dû plus que jamais s'en remettre à la sous-traitance. Pendant ce temps, l'agence s'est trouvée discréditée par l'opinion publique qui en connaissait désormais les rouages, grâce aux fuites et aux révélations sur les transferts extrajudiciaires et les prisons secrètes, dites « sites noirs ».

À la même époque, la CIA a été divisée en cinq services différents. La Direction des opérations, tout d'abord, était en charge de l'espionnage au sens propre ; la Direction du renseignement s'occupait de synthétiser et d'analyser les informations recueillies ; la Direction de la science et de la technologie procurait quant à elle les ordinateurs, les outils de communication et les armes mises à la disposition des espions, et leur apprenait à s'en servir ; la Direction de l'administration regroupait les avocats, les ressources humaines, ainsi que d'une manière générale tous ceux qui coordonnaient au jour le jour l'activité de l'agence et faisaient le lien avec l'exécutif ; la Direction du soutien logistique, enfin, était un peu spéciale et se trouvait être alors le service le plus important. Dans ses rangs, on recensait aussi bien les informaticiens et les médecins que le personnel de la cafétéria et des salles de gym ou les agents de sécurité. Elle avait pour mission principale de gérer l'infrastructure des communications à travers le monde, c'était donc la plateforme qui veillait à ce que les comptes-rendus établis par les espions parviennent bien aux analystes, et que ceux-ci les transmettent ensuite aux administrateurs. On y trouvait ceux qui assuraient le soutien logistique, entretenaient les serveurs et en garantissaient l'inviolabilité, bref les gens chargés de construire et de protéger le réseau de la CIA, puis de le connecter à celui des autres services secrets tout en contrôlant leur accès.

Autrement dit, on y assurait l'interconnexion des uns et des autres par le biais de l'informatique. Dans ces conditions, on ne s'étonnera pas que cette tâche ait en priorité été dévolue à des jeunes qui, de surcroît, étaient pour la plupart des contractuels.

Mon équipe relevait de la Direction du soutien logistique et notre mission consistait à gérer l'architecture serveur de la métropole de Washington, autrement dit l'immense majorité des serveurs de la CIA existant aux États-Unis. La CIA avait eu beau installer des serveurs-relais un peu partout dans le pays, les plus importants se trouvaient sur place, en Virginie, pour moitié dans les anciens locaux, et pour moitié dans les nouveaux. Par mesure de précaution, on les avait répartis dans des ailes opposées des deux bâtiments afin de ne pas perdre trop d'appareils si l'une d'elles venait à être détruite par une explosion.

Mon habilitation de sécurité top secrète m'avait permis d'avoir accès à plusieurs sortes d'informations « cloisonnées ». Cela concernait entre autres le renseignement d'origine électromagnétique, dit SIGINT (*Signal Intelligence*), c'est-à-dire les communications interceptées, et le renseignement d'origine humaine, dit HUMINT (*Human Intelligence*), qui désigne le travail effectué par les agents et les analystes. J'avais également accès à des informations en matière de sécurité des communications (COMSEC, pour *Communication Security*), ce qui signifiait que je connaissais les clés de chiffrage, ou si l'on veut les codes que l'on a toujours considérés comme étant les secrets les plus importants, puisque ce sont eux qui protègent tous les autres. Or ces clés de chiffrage étaient conservées dans les serveurs qu'il m'appartenait de gérer. Il n'y avait guère que mon équipe et quelques autres qui y avaient accès, et la mienne était la seule à pouvoir se connecter à pratiquement tous ceux qui existaient.

À la CIA, les bureaux sécurisés sont des « chambres fortes » et celui de mon équipe se trouvait un peu plus loin que le service de la hotline. Pendant la journée, s'activaient là-bas des gens qui avaient à peu près le même âge que mes parents et qui débarquaient en costume ou en jupe-chemisier. À l'époque, c'était l'un des rares endroits dans cet univers dédié au renseignement et à l'informatique où travaillait un nombre important de femmes. Certaines portaient un badge bleu les identifiant comme fonctionnaires ou, comme les appelaient les contractuels, « gouv » (*govvies*). Elles passaient leur temps à répondre au téléphone pour aider ceux qui les contactaient, depuis la base ou sur le terrain, à résoudre leurs problèmes informatiques. Ça s'apparentait plus ou moins au travail que l'on effectue dans un centre d'appels, à la différence qu'on se trouvait dans le milieu du renseignement : réinitialiser les mots de passe, déverrouiller les comptes, passer machinalement en revue les listes de dépannage : « Pouvez-vous vous déconnecter puis vous reconnecter ? », « Le câble réseau est-il branché ? » Si ces fonctionnaires, qui ne connaissaient pas grand-chose à l'informatique, étaient incapables d'apporter une solution à un problème particulier, ils transféraient le cas à des équipes plus spécialisées, surtout si le problème avait lieu à l'étranger, dans des agences de la CIA à Kaboul, Bagdad, Bogota ou Paris par exemple.

J'éprouve toujours quelques scrupules à reconnaître que la première fois, j'ai été très fier de passer devant ces gens plutôt lugubres. Songez un peu, je m'apprêtais à pénétrer dans une chambre forte dont l'accès leur était et leur serait pour toujours interdit, alors que j'avais vingt ou trente ans de moins qu'eux ! Il ne m'était pas encore venu à l'esprit que si je bénéficiais d'une habilitation qui m'ouvrait de nombreuses portes, c'est que le gouvernement avait tout bonnement cessé de promouvoir ses employés de valeur, puisque ce n'était plus la peine dès lors qu'il faisait appel à des contractuels. Plus que tout autre souvenir, ce trajet qui m'amenait à passer devant le service d'assistance de la CIA a fini par symboliser pour moi les changements intervenus dans le milieu du renseignement auquel j'appartenais – ce moment au cours duquel les employés BCBG d'autrefois, qui essayaient désespérément de suivre le rythme des progrès technologiques qu'ils ne se donnaient par ailleurs pas la peine de comprendre, s'effaçaient devant de jeunes hackers qui allaient mettre au point des systèmes informatiques hors pair de contrôle étatique.

Avec le temps, j'ai fini par trouver les fonctionnaires du service assistance charmants ; ils étaient gentils et généreux avec moi, et appréciaient ma promptitude à leur donner un coup de main même quand ça n'entrait pas dans le cadre de mon travail. En retour, j'ai beaucoup appris grâce à eux, notamment sur la façon dont la CIA opérait en dehors de la région, au-delà du périphérique. Certains d'entre eux avaient été en poste à l'étranger, comme ceux qu'ils dépannaient par téléphone. Ils avaient fini par rentrer aux États-Unis, brisant parfois leur famille au passage, et s'étaient retrouvés relégués au service assistance jusqu'à leur départ à la retraite, n'ayant pas les compétences requises pour rivaliser au sein d'une agence qui visait par-dessus tout à développer ses capacités en matière informatique.

J'avais réussi à gagner leur respect, j'en étais fier, et je ne me suis jamais senti mal à l'aise vis-à-vis des membres de mon équipe qui les plaignaient de manière condescendante et se moquaient d'eux. Car enfin, ces gens brillants et motivés avaient consacré des années à la CIA pour un salaire médiocre et pas la moindre gloire, et n'avaient pas hésité à s'expatrier dans des pays souvent inhospitaliers, voire carrément dangereux, pour se retrouver à la fin, en guise de récompense, à jouer les standardistes dans un hall d'accueil…

Après une semaine à me familiariser avec le travail de jour, j'ai commencé à faire les nuits, de 18 heures à 6 heures du matin, pendant que les employés de la hotline roupillaient discrètement et que les locaux de la CIA étaient quasiment déserts.

La nuit, surtout entre 22 heures et 4 heures du matin, c'était le calme plat, comme si l'immense bâtiment dépeuplé et hanté de la CIA venait de survivre à l'apocalypse. Seuls la moitié des escalators fonctionnaient et lorsqu'ils s'ébranlaient, leur bruit métallique, à peine audible pendant l'agitation de la journée, devenait assourdissant. Depuis leurs cadres, les anciens patrons de la CIA vous fusillaient du regard, et les aigles d'Amérique ressemblaient moins à des statues qu'à des prédateurs en chair et en os qui attendaient patiemment de fondre sur leur proie. Les drapeaux américains ondulaient comme des spectres rouges, blancs et bleus. La CIA venait de souscrire à une nouvelle politique d'économie d'énergie et avait fait installer un éclairage sensible au mouvement, de sorte qu'au fur et à mesure que l'on traversait les couloirs plongés dans l'obscurité, les lumières s'allumaient, ce qui donnait l'impression d'être suivi, d'autant plus que l'on entendait le bruit de ses pas.

Je passais donc douze heures dans le bureau sécurisé qui se trouvait juste après le service assistance, pendant trois nuits d'affilée, puis j'avais droit à deux jours de repos. Le bureau était équipé d'une vingtaine de meubles de travail sur lesquels se trouvaient deux ou trois ordinateurs réservés aux administrateurs système qui assuraient la maintenance du réseau mondial de la CIA. En dépit des apparences, j'effectuais un boulot assez banal qui revenait grosso modo à attendre que survienne une catastrophe. En général, je n'étais pas confronté à des problèmes trop ardus. Quand un incident survenait, je devais me connecter pour essayer de le résoudre à distance. Si ça ne marchait pas, il me fallait descendre au centre de traitement des données situé un étage plus bas, ou alors longer pendant 800 mètres le sinistre tunnel qui le reliait à son homologue de l'immeuble moderne pour y faire du bricolage.

Je bossais avec un type que j'appellerai Frank et qui était le seul avec moi à assurer le bon fonctionnement nocturne de toute l'architecture du serveur de la CIA. Dans l'équipe, c'était un cas unique à la personnalité hors du commun. Non seulement il était politisé (en bon libertarien, il collectionnait les Krugerrands[2]), mais il s'intéressait à des tas de choses en dehors de l'informatique (il lisait de vieux polars et des thrillers en livre de poche). Âgé d'une cinquantaine d'années, il avait été opérateur radio dans la marine et, après avoir roulé sa bosse, il avait pu quitter le centre d'appels grâce à son statut de contractuel.

J'avoue que la première fois que je l'ai vu, je me suis dit : « Imagine que ta vie entière ressemble aux nuits que tu passes au CASL. »

---

2. Monnaie d'or de la République d'Afrique du Sud dont la valeur est directement liée au cours de l'or. (NdT.)

Parce que, disons-le franchement, il ne fichait pas grand-chose. Du moins, c'était l'impression qu'il aimait renvoyer. Il prenait plaisir à m'expliquer, comme à d'autres, qu'il ne connaissait pas grand-chose à l'informatique et ne comprenait donc pas pourquoi on l'avait affecté dans une équipe investie d'un rôle aussi important. Il avait l'habitude de dire qu'« engager des contractuels était la pire arnaque à Washington », après l'impôt sur le revenu et le Congrès. Il nous avait assuré que lorsqu'il avait été question de lui faire intégrer l'équipe qui s'occupait du serveur, il avait prévenu son chef qu'il ne servirait quasiment à rien, ce qui ne les avait pas empêchés de l'y envoyer quand même. À l'entendre, depuis une dizaine d'années, il avait surtout glandé et lu des bouquins, même s'il lui arrivait aussi de jouer au solitaire – avec des cartes et non sur ordinateur, bien entendu – et de se remémorer ses ex-épouses (« c'était une perle rare ») et ex-copines (« elle a embarqué ma voiture, mais ça valait le coup »). Il lui arrivait aussi de faire les cent pas toute la nuit et de charger les pages du *Drudge Report*.

Quand on l'appelait pour lui signaler qu'il y avait quelque chose qui clochait et que redémarrer un serveur ne suffisait pas pour y remédier, il se contentait d'avertir l'équipe de jour. Sa philosophie en la matière (si l'on peut dire) était la suivante : les équipes de nuit doivent s'arrêter à un moment et les équipes de jour sont plus nombreuses. Apparemment, les intéressés ont fini par en avoir marre de le trouver tous les matins les pieds sur le bureau, à assister à l'équivalent digital d'un feu de poubelles, si bien qu'on m'a embauché.

Pour une raison ou une autre, on a jugé préférable de me recruter que de virer ce mec. Après quelques semaines à bosser avec lui, j'étais persuadé que pour être encore en poste, il devait connaître du monde. Afin d'en avoir le cœur net, je lui ai demandé avec quels hauts responsables de la CIA il s'était trouvé jadis dans la marine. En guise de réponse, j'ai eu droit à une tirade sur le fait qu'il n'y avait quasiment pas de vétérans de la marine parmi les cadres de l'agence, mais que ces gens avaient été officiers, ce qui expliquait les résultats calamiteux enregistrés par la CIA. Il a continué sur ce sujet

encore et encore quand, tout à coup pris de panique, il a sursauté :
« Il faut que je change la bande ! »

Je n'avais pas la moindre idée de ce dont il parlait. Il s'est dirigé
vers la porte grise située au fond de la chambre forte qui donnait
sur une cage d'escalier miteuse permettant d'accéder directement
au centre de traitement des données. Ce local glacial et obscur dans
lequel on percevait un léger bourdonnement se trouvait juste en
dessous de nous.

Descendre dans une pièce où sont hébergés les serveurs peut être
déroutant, surtout lorsqu'il s'agit de ceux de la CIA. On pénètre
dans un endroit sombre où clignotent des LEDs rouges et vertes
tout droit sorties d'un Noël maléfique, et où vrombissent les ven-
tilateurs qui rafraîchissent les précieux dispositifs glissés dans leurs
racks et les empêchent de fondre. Ça m'a toujours donné le vertige de me trouver là, même en compagnie d'un type plus âgé que
moi et un peu frappé qui traversait les lieux au pas de course en
jurant comme un charretier.

Frank s'est arrêté devant un coin où l'on avait rangé dans un
box de fortune du matériel de récupération appartenant à la Direction des opérations. Sur le pauvre bureau bancal se trouvait un
ordinateur. À y regarder de plus près, il devait dater du début
des années 1990, voire de la fin des années 1980, et il était donc
plus vieux que tout ce que mon père avait pu avoir dans son labo
des gardes-côtes. Il était si ancien, cet ordi, qu'il méritait à peine
qu'on lui donne ce nom. C'était plutôt une *machine*, qui utilisait
une petite cassette dont je n'ai pas reconnu le format mais je suis
sûr qu'il aurait été pris au musée Smithsonian.

Juste à côté se trouvait un énorme coffre-fort que Frank a ouvert.

Il a tripoté la bande magnétique qui se trouvait dans l'appareil,
l'a sortie et déposée dans le coffre, puis il en a sorti une autre qu'il a
glissée dans l'antique ordinateur et enroulée avec le doigt. Il a méti-
culeusement tapé sur le vieux clavier – espace, espace, tabulation,
tabulation – sans voir ce que ça donnait puisque l'écran ne fonctionnait plus, puis il a appuyé sur la touche entrée avec assurance.

Je ne comprenais pas ce qui se passait. La petite bande s'est mise à faire tic-tac, puis elle s'est enroulée. Frank a souri, satisfait.

« – C'est la machine la plus importante de l'immeuble, a-t-il déclaré. L'agence n'a pas confiance dans ces saloperies d'appareils numériques, pas plus d'ailleurs que dans leurs propres serveurs. Ils sont toujours nazes, tu es bien placé pour le savoir. Seulement, quand les serveurs plantent, on risque de perdre ce qu'ils ont en mémoire. Pour l'éviter, on l'enregistre le soir sur bande magnétique.

– Tu en fais donc une copie de sauvegarde ?

– Oui, sur bande magnétique. Comme autrefois. C'est extrêmement fiable. Ça ne déconne presque jamais, les bandes magnétiques.

– Et qu'est-ce qu'il y a dessus ? Des données personnelles ou bien les infos que l'on vient de recueillir ?

Frank s'est pris le menton et a fait semblant de réfléchir sérieusement à la question.

– Écoute, Ed, je ne voulais pas avoir à te le dire. Mais on a là des rapports concernant ta copine et plein de rapports d'agents. Ce sont des informations sensibles, très sensibles. »

Il est remonté en rigolant, me laissant sans voix alors que je rougissais dans la pénombre.

Il a fallu que j'assiste à l'opération plusieurs nuits d'affilée pour comprendre pourquoi il était resté en poste. Ce n'était pas uniquement parce qu'il avait le sens de l'humour. Il était aussi le seul à accepter d'assurer le service de nuit, et en plus il était suffisamment âgé pour savoir se servir de cet engin. Les autres informaticiens qui avaient grandi en cette époque reculée où les bandes magnétiques connaissaient leur heure de gloire avaient maintenant une femme et des enfants avec qui ils préféraient passer la nuit. Frank, en revanche, était célibataire et il se souvenait de ce qu'était le monde au XXe siècle…

Après avoir trouvé le moyen d'automatiser en grande partie mon travail, qui consistait essentiellement à écrire des scripts pour mettre à jour les serveurs et rétablir les connexions réseau quand elles étaient perdues, j'ai commencé à avoir autant de temps libre que Frank. Ce qui signifie que je pouvais faire pratiquement ce que je voulais de mes nuits. Je passais de longues heures à discuter avec Frank, surtout des sujets politiques abordés dans les livres qu'il lisait : par exemple, est-ce que notre pays devait revenir à l'étalon-or, ou bien en quoi consistait exactement l'impôt à taux fixe. Ceci étant, il y avait toujours des moments pendant lesquels il ne donnait plus signe de vie, ou bien se plongeait dans la lecture d'un polar, ou encore allait se balader dans les couloirs, s'arrêtant à la cafétéria pour avaler une tranche de pizza mal réchauffée, à moins qu'il n'aille faire de la muscu dans la salle de gym. Bien entendu, j'avais mes propres façons de m'occuper quand j'étais seul. J'allais sur Internet.

À la CIA, quand on se connecte à Internet, il faut cocher une case pour accepter d'être surveillé. En clair, tout ce que l'on fait est enregistré et on n'a plus aucune vie privée. On la coche si souvent, cette case, que ça devient un réflexe. On ne se rend même plus compte que l'on donne son accord car on vous le demande sans cesse, et on est toujours en train de cliquer à l'endroit prévu avant de revenir à ses moutons. Voilà à mon avis pourquoi la plupart de ceux qui bossent dans les services de renseignement sont beaucoup moins sensibles au fait de se faire espionner en ligne que les gens ordinaires : pour eux, ça fait partie du métier.

De toute façon, la CIA n'a pas grand-chose à apprendre sur Internet qu'elle ne sache déjà, car elle dispose de son propre Internet et de son propre Web, même si la plupart des gens ne le savent pas. De même, elle a son propre Facebook, qui permet aux agents de dialoguer, ainsi que son propre Wikipedia, où ces derniers peuvent se renseigner sur les diverses équipes, leurs projets et leurs missions. Enfin, elle possède une version particulière de Google mise au point par le moteur de recherche lui-même, destinée aux agents soucieux d'explorer ce réseau classé secret. Chaque composante de la CIA a d'ailleurs un site web qui traite de ce qu'elle fait et où sont publiés les comptes rendus des réunions. C'est donc là-dessus que, nuit après nuit, j'ai parfait mon éducation.

Si l'on en croit Frank, les premières choses que les gens recherchent sur les réseaux internes de la CIA se rapportent aux extraterrestres et aux attentats du 11 Septembre, ce qui explique, toujours selon Frank, que les résultats ne soient jamais pertinents. J'ai quand même décidé d'aller voir à mon tour. Je n'ai rien trouvé non plus sur Google, mais la réponse se trouvait peut-être sur un autre lecteur réseau. Je vous signale tout de même qu'à ma connaissance les extraterrestres n'ont jamais contacté la terre, ou du moins qu'ils n'ont jamais pris contact avec les services secrets américains. En revanche, Al-Qaïda entretenait toujours des liens étroits avec nos alliés saoudiens, chose que George Bush Jr. et la Maison Blanche ont tout fait pour ne pas ébruiter lorsque nous sommes entrés en guerre contre deux autres pays.

Or l'informaticien est au courant de tout ou, plutôt, est en mesure de tout savoir. C'est quelque chose que la CIA, alors en pleine désorganisation, a eu du mal à comprendre et qui a également échappé aux grands patrons, en dehors de ceux de la Silicon Valley. Plus l'employé occupe une place importante et plus il bénéficie d'accès privilégiés accordés par le système, plus il est à même de connaître en détail la vie numérique de son employeur. Tout le monde ne cherche pas à en profiter, cela va de soi, de même que tout le monde n'est pas animé d'une curiosité sincère. Mon exploration des systèmes informatiques de la CIA était la suite logique du désir que j'avais, enfant, de comprendre comment les choses fonctionnaient, comment les diverses composantes d'un mécanisme s'intégraient au tout. Maintenant que j'étais officiellement administrateur système, que je bénéficiais de tous les privilèges qui allaient avec et que mes compétences me permettaient d'exploiter au maximum mon habilitation de sécurité, je pouvais combler toutes mes lacunes, et même plus. Au cas où vous en douteriez, je vous le confirme : l'homme a bien marché sur la Lune, le changement climatique est réel et il n'y a pas lieu de s'inquiéter des *chemtrails*, ces traces laissées dans le ciel par les avions.

Sur les sites d'information internes de la CIA, j'ai pris connaissance de dépêches ultrasecrètes concernant des négociations commerciales ou des coups d'État en cours. On y apprenait souvent la même chose que ce qui finissait par sortir sur CNN ou Fox News, la principale différence venant de l'identification des sources et de la précision des comptes rendus. Là où un journal ou un magazine relatant un soulèvement à l'étranger expliquait tenir ces renseignements d'un « haut responsable désirant conserver l'anonymat », la version de la CIA faisait explicitement référence à sa source : « ZBQMAKTALK/1, un employé au ministère de l'Intérieur auquel nous faisons régulièrement appel et qui s'est toujours montré fiable, affirme avoir été prévenu par un tiers. » Pour connaître la véritable identité de cet individu, qu'on appelait un « dossier », il suffisait ensuite de deux ou trois clics.

Il arrivait aussi que les médias ne se fassent pas l'écho de ce que nous avions appris sur les réseaux internes de la CIA. Je mesurais alors toute l'importance de notre travail tout en ayant l'impression de passer à côté de l'essentiel, cantonné que j'étais à mon bureau. Vous allez peut-être me trouver naïf, mais l'envergure internationale proprement dite de la CIA m'a sidéré – et je parle de son personnel, pas des opérations. Le nombre de langues que j'entendais parler à la cafétéria était incroyable. Par contraste, j'avais l'impression d'être un provincial mal dégrossi. Si c'était génial de bosser au quartier général de la CIA, je me trouvais toujours à quelques heures du lieu où j'avais passé mon enfance, dans un environnement somme toute très similaire. J'avais alors une vingtaine d'années, et hormis deux ou trois séjours en Caroline du Nord, quelques voyages quand j'étais petit pour aller voir mon grand-père à la base des gardes-côtes et le bref séjour que j'avais passé dans l'armée à Fort Benning, je n'avais jamais vraiment quitté le périphérique.

Tandis que je m'informais sur ce qui se passait à Ouagadougou, à Kinshasa et dans d'autres villes exotiques que j'aurais été bien incapable de placer sur une carte, j'ai pris conscience que je devais mettre à profit ma jeunesse pour servir mon pays en faisant quelque chose d'utile à l'étranger. Sinon j'allais terminer comme Frank : je me retrouverais assis devant des bureaux toujours plus imposants, mon salaire augmenterait régulièrement et en définitive, je tomberais moi aussi en désuétude ; je ne serais plus qu'un vieux crocodile qui se contenterait de mettre en route un magnétophone tout déglingué.

C'est là que j'ai commis l'impensable. Je me suis dit « va pour le gouvernement ».

Je crois que certains de mes supérieurs étaient perplexes, mais ils étaient flattés aussi, parce qu'habituellement on fait l'inverse. Quelqu'un qui travaille pour le service public rejoint le privé pour se faire de l'argent à la fin de sa mission. Un jeune informaticien qui débute n'accepte pas de réduire son salaire. Moi je pensais que rejoindre le gouvernement était logique, et je serais payé pour voyager.

J'ai eu de la chance et un poste s'est libéré. Après neuf mois comme administrateur système, j'ai postulé à la CIA pour travailler à l'étranger et j'ai vite été pris.

Mon dernier jour au quartier général de la CIA était une formalité. J'avais déjà rempli tous les papiers et troqué mon badge vert contre un bleu. Il ne me restait plus qu'à terminer un nouveau stage, qui, maintenant que j'étais un *govvy*, un type du gouvernement, se tenait dans une salle de conférence élégante près d'un Donkin Donut's. C'est là-bas que j'ai suivi le rituel sacré qui est réservé aux permanents. J'ai levé la main droite, et j'ai juré loyauté non pas au gouvernement ni à l'agence qui m'employait, mais à la Constitution des États-Unis. J'ai juré solennellement de soutenir et de défendre la Constitution des États-Unis contre l'ennemi, étranger ou américain.

Le jour suivant, j'ai conduit ma vieille et fidèle Honda Civic dans la campagne de Virginie. Pour aller à l'étranger comme j'en rêvais, je devais terminer une formation pour la première fois de ma vie.

14

Le comte de la Colline

L e nouveau fonctionnaire que j'étais a d'abord reçu l'ordre de se rendre au Comfort Inn de Warrenton, en Virginie, un motel tristounet et délabré où descendaient surtout des employés du département d'État, autrement dit, de la CIA. C'était le pire dans un coin où ils étaient tous nuls, ce qui explique sans doute pourquoi la CIA l'avait choisi. Moins il était fréquenté, moins on risquait de s'apercevoir qu'il servait de dortoir pour le centre de formation de Warrenton, encore appelé « la Colline ».

Quand je m'y suis présenté, le réceptionniste m'a dit de ne pas emprunter l'escalier barré par un cordon de police. Ma chambre, au premier étage du bâtiment principal, donnait sur les annexes et le parking. La piaule était mal éclairée, la salle de bains envahie par la moisissure, la moquette constellée de brûlures de cigarette malgré le panneau « Interdiction de fumer » et le matelas minable maculé de taches violettes dont j'espérais qu'il s'agissait d'alcool. Il n'empêche que ça me plaisait bien, j'avais encore l'âge de m'émouvoir dans un cadre aussi miteux, et la première nuit je n'ai pas fermé l'œil ; depuis mon lit j'ai regardé les insectes grouiller dans le lustre bombé et j'ai compté les heures qui restaient avant d'avoir droit au petit-déjeuner continental gratuit que l'on m'avait promis.

155

Le lendemain matin, j'ai constaté que sur le continent de War-renton, le petit-déjeuner se réduisait à une portion individuelle de céréales arrosée de lait fermenté... Bienvenue dans la fonction publique.

J'allais passer six mois dans ce motel. Il était vivement décon-seillé à mes camarades et moi-même de raconter à nos proches où nous logions et ce que nous faisions. Je me pliais volontiers au règlement, je ne retournais pas souvent dans le Maryland et il était rare que je téléphone à Lindsay. De toute façon, nous n'avions pas le droit de venir en cours avec notre portable puisque ce que l'on nous y apprenait était frappé du sceau du secret. Et puis les cours s'enchaînaient et nous avions bien trop à faire pour rester seuls un instant.

« La Ferme », qui se trouve dans le voisinage de Camp Peary, est le centre de formation de la CIA le plus connu parce que c'est le seul que les responsables des relations publiques de l'agence ont le droit de mentionner lorsqu'ils s'adressent à Hollywood. En revanche, la Colline est à n'en point douter le plus mysté-rieux de tous. Reliée par fibres optiques et ondes électromagné-tiques à l'antenne-relais satellite de Brandy Station, qui fait partie d'un ensemble de sites analogues, la Colline occupe une posi-tion centrale dans le réseau de communication de la CIA, et on a pris soin de l'installer suffisamment loin de Washington pour qu'elle ne soit pas détruite si d'aventure la capitale américaine fai-sait l'objet d'une attaque nucléaire. Les vieux informaticiens qui avaient bossé ici aimaient dire qu'en cas de guerre, la CIA survi-vrait à la destruction de son quartier général mais qu'elle ne pour-rait pas se permettre de perdre Warrenton. Maintenant que deux énormes centres de traitement des données sont hébergés en haut de la Colline – j'ai contribué à en mettre un sur pied –, j'aurais tendance à être d'accord.

La Colline tire son nom de sa situation géographique car elle se trouve en haut d'une butte escarpée. Quand je suis arrivé, on ne pouvait y accéder que par une route. On franchissait un gril-lage ne comportant aucune inscription puis on remontait une côte si raide que lorsqu'il y avait du verglas, les roues patinaient et les véhicules reculaient.

Juste derrière le poste de contrôle se dresse un centre de formation délabré dédié aux communications diplomatiques, dont l'emplacement bien en vue permet de renforcer son rôle de couverture : faire croire que c'est là que le Département d'État forme ses ingénieurs informatiques. Plus loin, on distingue les constructions basses où j'ai suivi des cours, puis le stand de tir destiné aux pistoleros de la CIA. On entendait tirer toute la journée, et je ne m'y habituais pas : *pan-pan, pan* ; *pan-pan, pan*. Deux détonations consécutives pour neutraliser l'adversaire, suivies d'une troisième pour l'achever.

Je suivais une formation en télécommunications de base. Rien de plus banal en apparence, mais en réalité on y apprenait des choses classées secret-défense qui sortaient de l'ordinaire. Il s'agissait de former les responsables techniques des systèmes d'information de la CIA, en d'autres termes, des gens polyvalents capables de remplir à eux seuls diverses fonctions : chiffreur, opérateur radio, électricien, mécanicien, conseiller en sécurité numérique, technicien en informatique... Ces agents secrets ont pour tâche principale de gérer l'aspect technique des opérations menées par la CIA et ils travaillent la plupart du temps à l'étranger au sein des missions, des consulats et des ambassades américaines, ce qui explique leur proximité avec le département d'État. L'idée est que si l'on se trouve dans une ambassade, autrement dit loin de son pays et entouré d'étrangers dont il faut se méfier – alliés ou ennemis, pour la CIA il s'agit toujours d'étrangers à qui on ne peut pas faire confiance –, on doit être capable de résoudre en interne tous les problèmes d'ordre technique. Si vous demandez à un technicien du coin de venir réparer quelque chose qui ne marche pas dans votre repaire d'espions, il le fera, peut-être même pour pas cher, mais il en profitera aussi pour installer à la demande d'une puissance étrangère des micros difficilement détectables.

Les responsables techniques des systèmes d'information doivent par conséquent être capables de réparer l'ensemble des dispositifs qui se trouvent sur place, des ordinateurs individuels aux réseaux informatiques en passant par les systèmes de surveillance en circuit fermé (CCTV pour *Closed-Circuit TeleVision*), la climatisation, le chauffage, la ventilation, les panneaux solaires, les radiateurs, les réfrigérateurs, les groupes électrogènes de secours, les systèmes militaires de cryptage, les alarmes, les serrures, etc. La règle, c'est que si un appareil se branche ou que quelque chose se branche sur lui, alors ça relève des responsables techniques des systèmes d'information.

Ces derniers doivent également être capables d'élaborer tout seuls des systèmes, de même qu'ils doivent être en mesure de les détruire – par exemple, lorsqu'une ambassade est assiégée et que l'ensemble des diplomates et la plupart de leurs collègues de la CIA ont été évacués. Dans ce cas, le responsable technique est celui qui part en dernier. Il lui revient d'envoyer l'ultime message au quartier général indiquant que tout contact est désormais interrompu, une fois qu'a été détruit, brûlé, effacé, démagnétisé et désintégré tout ce qui porte le cachet de la CIA, depuis les documents opérationnels jusqu'aux disques sur lesquels sont archivées des informations chiffrées, afin que rien d'important ne tombe aux mains de l'ennemi.

Pourquoi la responsabilité en incombe-t-elle à la CIA et non au département d'État, auquel appartient pourtant cette ambassade ? Cela relève moins de différences en termes de compétences et de responsabilités que de se ménager la possibilité de nier. Nul n'ignore que de nos jours, une ambassade sert avant tout de plateforme pour l'espionnage. À l'époque des avions à réaction et des communications électroniques, il n'y a plus lieu pour un pays de conserver une quelconque présence physique à l'étranger. La diplomatie qui compte aujourd'hui se pratique entre les ministres concernés. Il arrive certes aux ambassades d'entreprendre des démarches et de venir en aide à leurs ressortissants qui ont des ennuis à l'étranger, sans parler des consulats qui délivrent des visas et renouvellent les passeports. Mais il n'est pas rare que ceux-ci se trouvent dans des immeubles différents et rien ne justifie que l'on consacre autant d'argent à entretenir de telles infrastructures, si ce n'est qu'elles permettent à ces services diplomatiques de servir de couverture à des activités d'espionnage.

Les responsables techniques des systèmes d'information travaillent sous couverture diplomatique, ce qui leur permet de bénéficier d'accréditations au sein des services étrangers, et sont souvent assimilés à des « attachés ». Suivant la taille de l'ambassade, on en dénombre d'un à cinq sur place. Ceux qui se retrouvent seuls sont appelés « célibataires », et je me souviens avoir entendu que parmi tous les postes de la CIA, c'est chez eux que l'on observe le taux de divorce le plus élevé. Être célibataire, c'est être l'officier solitaire, loin de chez soi, qui évolue dans un monde où tout est toujours cassé.

À Warrenton, ma promotion comptait huit personnes et une seule a fait défection avant la remise des diplômes, ce qui, paraît-il, n'arrivait pas souvent. Nous formions une bande hétéroclite. Les râleurs ayant choisi un métier qui les amènerait vraisemblablement à exercer une activité clandestine à l'étranger étaient particulièrement représentés. Depuis que je travaillais dans le renseignement, c'était la première fois que je n'étais pas le plus jeune du groupe. À 24 ans, j'étais dans la moyenne d'âge, même si le fait d'avoir déjà travaillé sur les systèmes au quartier général de la CIA me rendait familier des opérations de l'agence. Les autres étaient pour la plupart des petits jeunes mordus d'informatique qui sortaient de l'université ou directement de la rue, et avaient candidaté sur Internet.

En guise de clin d'œil aux aspirations paramilitaires des agents de la CIA en poste à l'étranger, nous nous sommes donné des sobriquets inspirés de nos excentricités et nous ne nous appelions pas souvent par nos prénoms. Issu d'une banlieue pavillonnaire, Taco Bell était un costaud sympathique au regard inexpressif. À 20 ans, il n'avait jusqu'alors travaillé que dans un fast-food éponyme de Pennsylvanie, où il dirigeait l'équipe de nuit. À bientôt 30 ans, Rainman (« faiseur de pluie ») alternait moments de passivité et phases d'excitation, comme l'autiste frappé de catatonie qu'il était. Il était très fier qu'on le surnomme ainsi et disait que chez les Indiens, c'était un titre honorifique. Les états de service de Flûte dans les Marines nous intéressaient bien moins que le fait qu'il ait appris à jouer de la flûte de Pan au conservatoire. Du haut de ses 35 ans, Spo était l'un des plus âgés du lot. Ancien agent de police spécial (*Special police officer*) au quartier général de la CIA, ça l'avait tellement ennuyé de monter la garde à l'entrée du site de McLean qu'il avait tout fait pour partir à l'étranger, même si sa petite famille et lui avaient été alors obligés de s'entasser dans la chambre d'un motel (ce fut le cas jusqu'à ce que l'on découvre dans le tiroir de la commode un serpent apprivoisé par ses gamins). Le doyen n'était autre que « le Colonel », un ancien sergent des forces spéciales qui, après avoir servi à maintes reprises au Moyen-Orient, était en phase de reconversion. On l'appelait le Colonel même s'il n'avait jamais été officier, car il ressemblait à ce mec sympa du Kentucky dont le poulet grillé nous plaisait davantage que ce que l'on nous proposait à la cafétéria de Warrenton.

Quant à moi, on m'avait surnommé le Comte. Non pas que j'avais un maintien aristocratique ou l'élégance d'un dandy, mais parce que j'avais l'habitude de lever le doigt en cours pour demander des précisions, comme la marionnette vampire « le comte », dans *Sesame Street* : « Un, deux, trois, ha, ha, ha, trois choses que vous avez oubliées[1] ! »

Tels étaient les personnes avec qui j'allais suivre une vingtaine de cours différents portant chacun sur un domaine particulier, mais qui visaient à faire en sorte que l'informatique puisse, dans n'importe quelle circonstance, être utilisée par le gouvernement américain, dans l'enceinte d'une ambassade ou ailleurs.

L'un des exercices consistait à transporter une valise de 40 kilos remplie de matériel sur le toit d'un immeuble, puis de repérer dans le vaste ciel étoilé, à l'aide d'une boussole et d'une feuille plastifiée sur laquelle étaient indiquées des coordonnées, l'un des satellites furtifs de la CIA qui permettait d'entrer en relation avec le

---

1. Une des répliques du Comte de Sésame Street. (NdT.)

centre de communication de crise de McLean – dont l'indicatif était « Central » – puis d'établir à l'aide d'appareils datant de l'époque de la Guerre froide un échange radio crypté. Cet exercice nous rappelait que si le responsable technique des systèmes de communication est toujours le premier à débarquer dans un pays et le dernier à en partir, cela tient au fait qu'il ne suffit pas de dérober le secret le mieux gardé au monde, encore faut-il le transmettre à la maison mère.

Une nuit, je suis resté à la base après la tombée de la nuit et j'ai pris la voiture pour aller tout en haut de la Colline. Je me suis garé à côté de la grange aménagée où nous passions en revue les divers dispositifs électriques destinés à empêcher nos adversaires de surveiller nos activités. Il nous arrivait d'apprendre des techniques qui semblaient relever de la magie, comme celle qui permettait de reproduire ce qui s'affichait sur un écran d'ordinateur à partir des minuscules émissions électromagnétiques induites par les courants oscillatoires de ses composantes internes, que l'on captait à l'aide d'une antenne conçue à cet effet – une méthode appelée « piratage de Van Eck ». Si vous avez du mal à comprendre, rassurez-vous, il en allait de même pour nous. Le prof lui-même avouait ne pas tout saisir et donc ne pas savoir comment procéder concrètement. Il n'en demeurait pas moins que la menace était bien réelle, car si la CIA était capable d'agir ainsi, rien n'empêchait à d'autres d'en faire autant.

Assis sur le toit de ma vieille Civic blanche, j'ai embrassé du regard toute l'étendue de la Virginie et j'ai appelé Lindsay. Ça faisait plusieurs semaines, voire un mois, que je ne l'avais pas contactée. La température avait baissé et ma respiration se condensait en petit nuage. Nous avons discuté jusqu'à ce que je tombe en panne de batterie. Je mourais d'envie de lui montrer le panorama, les champs plongés dans le noir, le paysage vallonné, les étoiles qui scintillaient dans le ciel, mais j'ai dû me contenter de les lui décrire. Déjà que j'avais contrevenu au règlement en l'appelant, j'aurais carrément commis un délit si j'avais pris une photo.

À Warrenton, l'un des sujets majeurs d'étude était l'entretien des terminaux et des câbles, c'est-à-dire des composantes élémentaires de l'infrastructure de communication de toute antenne de la CIA. Dans ce contexte, un « terminal » est un ordinateur servant à envoyer et à recevoir des messages par le biais d'un réseau sécurisé. À la CIA, le mot « câble » est employé pour se référer aux messages eux-mêmes mais les techniciens n'ignorent pas que les câbles sont également beaucoup plus tangibles : il s'agit de fils qui, depuis quelque cinquante ans, relient les terminaux de l'agence – spécifiquement ses anciens terminaux de communication – du monde entier, logés dans des tunnels qui courent sous les frontières ou enfouis au fond des océans.

Nous étions les derniers à qui l'on demanderait de connaître sur le bout des doigts tout ce qui pouvait se rapporter aux terminaux *hardware*, aux multiples logiciels et, bien sûr, aux câbles. Certains de mes camarades trouvaient un peu dingue que nous soyons obligés de nous occuper d'isolation et de gainage alors que nous étions en principe entrés dans l'ère du sans-fil et du wifi. Mais quand ils exprimaient des doutes concernant l'intérêt d'étudier des techniques de toute évidence dépassées, les instructeurs nous rappelaient que nous étions les premiers, depuis que la Colline existait, qui n'étaient pas tenus d'apprendre le Morse...

Alors que la remise des diplômes approchait à grands pas, on nous avait demandé de remplir ce qu'on appelait des « fiches de vœux ». La CIA nous avait fourni la liste de ses antennes dans le monde qui avaient besoin d'étoffer leurs rangs, et nous devions les classer par ordre de préférence. Ces fiches étaient ensuite transmises à la division des besoins opérationnels, qui s'empressait de les mettre à la poubelle – c'est du moins ce que disait la rumeur.

En haut de ma liste se trouvait la SRD, la division des besoins opérationnels spéciaux (*Special Requirements Division*). J'aurais alors été affecté non pas dans une ambassade mais ici, en Virginie, d'où j'aurais été envoyé de temps à autre dans les endroits les plus horribles – des petites antennes isolées en Afghanistan, en Iraq et dans les zones frontalières du Pakistan, par exemple – où l'agence estimait qu'une affectation permanente était trop difficile et dangereuse. En choisissant la SRD, j'optais pour le challenge et la diversité plutôt que de rester coincé dans la même ville pour une période censée durer trois ans. Les instructeurs ne doutaient pas qu'en haut lieu, on s'empresserait de me donner satisfaction, et de mon côté je ne doutais pas de mes nouvelles compétences. Mais les choses ne se sont pas exactement passées comme prévu.

Comme le laissait deviner l'état de notre motel, le centre de formation avait rogné sur les coûts. Certains de mes camarades commençaient à se demander, croyez-le ou non, si l'administration respectait bien la législation du travail. Comme je vivais en reclus et sacrifiais tout à mon travail, au départ ça ne m'avait pas dérangé, de même que ça laissait indifférents ceux de mon âge. Nous étions tellement habitués à être exploités que ça nous paraissait normal. Mais nos aînés n'appréciaient pas de faire des heures supplémentaires non payées, de ne pas avoir le droit de quitter la base et de ne pas toucher d'allocations familiales. Le Colonel avait une pension alimentaire à payer et Spo devait subvenir aux besoins de sa femme et de ses enfants. Le moindre dollar comptait, chaque minute avait de l'importance.

Les plaintes ont monté d'un cran quand l'escalier délabré du Comfort Inn a fini par s'effondrer. Heureusement, personne n'a été blessé, mais ça nous a foutu la trouille. Mes camarades ont commencé à dire que si le bâtiment avait été financé par un autre organisme que la CIA, il aurait été condamné depuis longtemps pour non-respect des consignes anti-incendie. Le mécontentement s'est généralisé, et c'est tout juste si l'on n'a pas vu se constituer une section syndicale dans cette école où, en gros, on fabriquait des saboteurs. La direction n'a rien voulu savoir et a préféré nous faire lanterner, puisqu'en définitive il nous faudrait tous décrocher notre diplôme ou prendre la porte.

Plusieurs camarades de classe sont venus me voir. Ils avaient remarqué que les instructeurs m'aimaient bien parce que j'étais le meilleur stagiaire. Ils n'ignoraient pas non plus que je savais comment m'y prendre avec l'administration puisque j'avais travaillé au quartier général de la CIA. Sans compter que j'écrivais bien, enfin, à leurs yeux d'informaticiens. Ils voulaient par conséquent qu'à titre de représentant ou de martyr de la classe, je fasse parvenir leurs doléances au directeur de l'école.

J'aimerais pouvoir dire que c'était uniquement pour corriger ces injustices que je me suis montré solidaire. Si cela a évidemment pesé dans ma décision, il est indéniable que le jeune homme qui réussissait pratiquement tout ce qu'il entreprenait a trouvé amusant de s'en prendre aux dirigeants corrompus du centre de formation. Il ne m'a pas fallu une heure pour invoquer un ensemble de règles à respecter et avant la fin de la journée, mon e-mail était envoyé.

Le lendemain matin, le directeur m'a reçu dans son bureau. Il a reconnu que l'établissement avait déconné et que la résolution du problème n'était pas de son ressort. « Tu n'as plus que trois mois à passer ici. Alors fais-moi le plaisir de dire aux autres de s'écraser. Vous allez bientôt connaître votre affectation et à ce moment-là vous aurez d'autres soucis en tête. La seule chose que vous retiendrez de ce stage, c'est celui qui a eu droit à la meilleure évaluation. »

Le ton qu'il a employé pouvait être interprété comme une menace ou comme une tentative pour me soudoyer. Dans un cas comme dans l'autre, ça m'a énervé. Et quand je suis sorti de son bureau, je n'avais plus envie de rigoler mais d'obtenir justice.

J'ai retrouvé mes camarades qui ne s'attendaient pas à un résultat positif. Je faisais la gueule, et je revois encore Spo me dire : « C'est pas grave, mec. Au moins t'as essayé. »

De tous mes camarades, c'était lui qui avait le plus d'expérience au sein de la CIA. Il savait comment ça marchait et il trouvait ridicule de penser que la direction allait réparer ses propres erreurs. Par comparaison, j'étais un bureaucrate naïf ; ça me perturbait d'avoir perdu et de constater avec quelle facilité les autres l'acceptaient. Je ne supportais pas de me dire qu'il avait suffi d'agiter le spectre d'un procès pour qu'ils n'osent plus faire valoir leurs droits. Ce n'était pas tant que mes camarades trouvaient que ça ne valait pas le coup de se battre, seulement ils ne pouvaient pas se le permettre : avec un système pareil, on risquait davantage d'y laisser des plumes que de décrocher la timbale. Il n'empêche qu'à 24 ans, je me moquais éperdument de ce que ça pouvait nous coûter ou au contraire nous rapporter, seul comptait à mes yeux l'état du système. Je n'avais pas dit mon dernier mot.

J'ai donc rédigé une nouvelle mouture de mon e-mail pour l'envoyer cette fois au supérieur du directeur du centre de formation, qui avait un grade équivalent à plusieurs individus à qui j'avais déjà eu affaire au quartier général. J'ai ensuite adressé une copie de cet e-mail à celui qui était au-dessus de lui dans la hiérarchie, un rang auquel, pour le coup, je n'avais jamais eu affaire.

Quelques jours plus tard, on était en classe en train de travailler sur une fausse soustraction comme forme de cryptage, lorsqu'une secrétaire du directeur est venue en cours nous annoncer la fin de l'ancien régime. Nous ne serions plus obligés de faire gracieusement des heures supplémentaires et d'ici quinze jours nous serions relogés dans un hôtel beaucoup plus confortable. « Un Hampton Inn ! », a-t-elle annoncé fièrement.

Je n'ai savouré mon succès que pendant vingt-quatre heures environ puisque notre cours a été interrompu de nouveau. C'était pour le coup le directeur du centre qui débarquait. Il m'a convoqué dans son bureau. Spo a sauté de sa chaise, m'a serré dans ses bras, a fait mine d'écraser une larme et a déclaré qu'il ne m'oublierait jamais. Le directeur a levé les yeux au ciel.

Dans son bureau nous attendait son supérieur direct, le chef de quasiment tous ceux qui se lançaient dans une carrière d'administrateur système, celui à qui j'avais envoyé un e-mail. Il s'est montré extrêmement cordial et à la différence du directeur de l'école, il n'avait pas l'air d'être à cran. Ça m'a décontenancé.

J'ai essayé de rester calme même si je n'en menais pas large. Le directeur a pris la parole pour expliquer une fois de plus que l'on était en train d'apporter une solution aux problèmes signalés par mes camarades. Son supérieur l'a interrompu : « Nous ne sommes pas ici pour parler de ça, mais d'insubordination et de chaîne de commandement. »

Je n'aurais pas été plus choqué s'il m'avait mis une claque.

Je ne voyais pas ce qu'il entendait par « insubordination » mais il ne m'a pas laissé le temps de le lui demander. La CIA ne fonctionnait absolument pas comme les autres agences civiles, a-t-il enchaîné, même si en théorie c'était le cas. Et dans un service qui accomplissait un travail d'une telle importance, il fallait toujours en passer par les voies hiérarchiques.

J'ai levé le doigt machinalement mais poliment, et fait remarquer qu'avant de le contacter, j'avais bien *essayé* de respecter la chaîne de commandement, mais que ça n'avait rien donné. C'était la dernière chose à dire à celui qui incarnait la chaîne de commandement et qui était assis en uniforme devant moi.

Les yeux baissés, le directeur du centre regardait ses pieds et jetais parfois un regard à travers la fenêtre. « Écoutez Ed, a dit son chef, je ne suis pas ici pour enregistrer la plainte d'un stagiaire qui se sent blessé. Relax. Je reconnais que vous avez du talent, nous sommes allés voir vos instructeurs qui nous ont tous confirmé que vous êtes doué et intelligent. Vous avez même proposé d'être envoyé en zone de guerre. Nous y sommes sensibles. Nous voulons vous avoir avec nous mais nous devons aussi pouvoir compter sur vous. Vous devez comprendre qu'il existe un protocole, et que nous devons tous accepter des choses qui ne nous plaisent pas car la mission compte avant tout, et nous ne pouvons pas l'accomplir correctement si chaque membre de l'équipe a des critiques à formuler. » Il s'est interrompu, a dégluti, et repris : « Ça n'est jamais aussi vrai que dans le désert. Il s'y passe plein de choses et je ne suis pas certain qu'au stade où nous en sommes, je peux vous faire confiance pour les gérer correctement. »

Voilà comment ils se sont vengés et m'ont renvoyé dans les cordes. Ça avait beau être notoirement contre-productif, le directeur du centre contemplait désormais le parking sourire aux lèvres. J'avais été le seul, je dis bien le seul, à souhaiter travailler de préférence pour la SRD ou pour n'importe quel service qui m'expédierait dans une zone en guerre. Les autres avaient tous souhaité être affectés en Europe, c'est très chic, dans l'un de ces patelins transformés en lieux de villégiature remplis de vélos et d'éoliennes, mais où l'on entend rarement des explosions.

De façon presque perverse, c'est à ça que j'ai eu droit. On m'a envoyé à Genève. La punition a consisté à m'affecter là où justement je ne voulais pas aller, alors que tous les autres ne rêvaient que de ça.

« Il ne s'agit pas de vous punir, Ed, mais de vous donner une chance, je ne plaisante pas », a déclaré le grand patron – à croire qu'il lisait dans mes pensées. « Quelqu'un d'aussi compétent que vous serait sous-employé dans une zone de guerre. Pour que vous ne restiez pas les bras croisés et que vous développiez vos talents, il vous faut une antenne plus importante qui pilote les projets les plus récents. »

Parmi mes camarades, ceux qui m'avaient félicité allaient plus tard me jalouser et penser qu'on m'avait acheté en m'offrant un poste en or. Sur le coup, j'ai eu exactement la réaction inverse : je me suis dit que le directeur de l'école avait eu un informateur dans la classe qui lui avait expliqué quel genre d'endroit j'espérais éviter.

Le grand patron s'est levé, tout sourire, et a mis un terme à l'entretien. « Bon, désormais on sait où on va. Mais avant de partir, j'aimerais que ce soit bien clair : vous n'allez plus faire des vôtres Edward Snowden, c'est compris ? »

15

Genève

Frankenstein, écrit en 1818 par Mary Shelley, se passe en grande partie à Genève, la jolie ville suisse dynamique et réglée comme du papier à musique où je venais d'élire domicile. Comme beaucoup d'Américains, j'avais vu plusieurs adaptations cinématographiques du roman, ainsi que des dessins animés qui s'en inspiraient, mais je n'avais jamais ouvert le bouquin. Peu avant mon départ des États-Unis, j'avais voulu lire quelque chose sur Genève, et dans presque toutes les bibliographies disponibles sur Internet, *Frankenstein* occupait une place de choix au milieu des guides touristiques et des ouvrages retraçant l'histoire de la cité. Il me semble d'ailleurs que les seuls fichiers PDF que j'aie téléchargés en vue de mon voyage en avion n'étaient autres que *Frankenstein* et les conventions de Genève ; il n'y a que le premier que j'ai lu jusqu'au bout... J'ai bouquiné pendant les longs mois où je me suis retrouvé seul avant que Lindsay me rejoigne. L'ambassade me louait quai du Seujet, dans le quartier des falaises de Saint-Jean, un immense appartement de luxe quasiment vide – c'en était comique. Je m'allongeais sur un matelas dans le salon et j'admirais le Rhône depuis une fenêtre, le Jura depuis une autre.

Inutile de dire que le livre ne correspondait pas à ce que j'avais imaginé. *Frankenstein* est un roman épistolaire qui ressemble un peu à une série d'e-mails écrits dans un style ampoulé. Les scènes de folie et les crimes de sang fonctionnent comme un avertissement face au progrès technique qui s'affranchit des contraintes morales, éthiques et légales. Cela débouche sur la création d'un monstre incontrôlable.

Dans la communauté du renseignement, on évoque souvent l'« effet Frankenstein », même si les militaires préfèrent parler de « retour de bâton », quand des décisions politiques censées défendre les intérêts américains vont en réalité à leur encontre. L'Afghanistan en est un bon exemple, cité après-coup par des civils, des membres du gouvernement, des militaires et même par des analyses émanant du monde du renseignement lui-même : les États-Unis ont aidé les moudjahidines à combattre les Soviétiques, ce qui a entraîné la radicalisation d'Oussama ben Laden et la création d'Al-Qaïda. Même chose en Irak, où la débaasification de l'armée iraquienne de Saddam Hussein a favorisé l'essor de l'État islamique. La meilleure illustration est toutefois fournie par les Américains lorsqu'ils se sont secrètement donné pour objectif de restructurer les communications du monde entier. C'est à Genève, là où se déchaînait le monstre imaginé par Mary Shelley, que les Américains ont mis en place un réseau qui ne tarderait pas à voler de ses propres ailes et à se retourner contre ses créateurs, moi le premier.

L'antenne de la CIA au sein de l'ambassade américaine à Genève a été en Europe l'un des principaux laboratoires de cette expérience pendant plus d'une vingtaine d'années. Cette ville raffinée, capitale du vieux monde et des grandes familles de la finance, héritière d'une tradition immémoriale en matière de secret bancaire, se trouve également au carrefour de l'Union européenne et des réseaux internationaux à fibre optique, et elle est par ailleurs survolée par des satellites de communications de premier plan.

La CIA est le principal service de renseignement américain consacré au renseignement d'origine humaine, ou HUMINT (*Humain Intelligence*), autrement dit le recueil clandestin d'informations par le biais de contacts humains – en tête à tête, sans la médiation d'un écran. Les agents traitants dont c'était la spécialité étaient d'incurables cyniques et d'adorables menteurs qui fumaient, pico-laient et n'appréciaient pas du tout que se développe le renseigne-ment d'origine électromagnétique, ou SIGINT (*Signals Intelligence*), autrement dit le renseignement furtif par le biais de l'interception de communications qui, au fil des ans, leur volait la vedette. Les agents traitants avaient beau se méfier du numérique comme jadis Frank, avec qui je bossais au quartier général, ils savaient néan-moins très bien que ça pouvait leur rendre de grands services, ce qui entraînait une camaraderie productive et une rivalité saine. Si malin et charismatique soit-il, un officier traitant finit toujours par tomber, au cours de sa carrière, sur des idéalistes zélés impossibles à corrompre. C'est à ce moment-là qu'il s'adresse à des responsables opérationnels comme moi – avec des questions, des compliments et des invitations à des fêtes.

Dans ces conditions, être responsable technique des systèmes d'information revient à être ambassadeur culturel autant que conseiller expert. Il se pouvait très bien que le lundi, un officier traitant me demande comment mettre en place un canal de com-munication secret sur Internet avec un traître potentiel à qui il ne voulait pas flanquer la trouille. Le lendemain, l'un de ses collè-gues me présentait un « spécialiste » venu directement de Washing-ton, même s'il s'agissait en réalité du type que j'avais rencontré la veille et qui testait son déguisement – ça me gêne toujours de ne pas l'avoir reconnu, même si j'imagine que c'était le but. Le mercredi, on me demandait comment détruire après transmission (la version technologique du « lire et détruire ») un disque renfer-mant des informations sur des clients étrangers qu'un officier trai-tant se serait procuré auprès d'un employé corrompu de la banque Swisscom. Le jeudi, je devais rédiger un rapport de violation de sécurité concernant les officiers traitants, pour signaler quelques infractions mineures comme le fait d'aller aux toilettes sans fermer au préalable à clé le bureau sécurisé dans lequel on travaillait – je me montrais d'autant plus indulgent à cet égard que j'avais été obligé de reconnaître avoir déjà commis la même erreur. Le vendredi, enfin, le chef des opérations me faisait venir dans son bureau pour me demander si « en théorie », le quartier général pouvait envoyer une clé USB infectée qui permettrait à « quelqu'un » de pirater les ordinateurs des délégués aux Nations unies, dont l'immeuble se trouvait tout près, sans risquer de se faire pincer.

Pour moi, il n'y avait pas lieu de s'inquiéter et la suite m'a donné raison.

Bref, pendant le temps où je me suis trouvé sur le terrain, celui-ci évoluait constamment. La CIA tenait à ce que les officiers traitants suivent le mouvement et entrent pour de bon dans le XXIe siècle, et les responsables techniques comme moi avaient pour tâche de les y aider, en plus de nos autres responsabilités. On était leur support en ligne et eux nous supportaient tout court.

Genève était au cœur de cette transition en raison des cibles de choix qui se trouvaient dans la ville : l'Office des Nations unies par exemple, ainsi que de nombreuses agences spécialisées de l'ONU et une multitude d'organisations non gouvernementales. Citons notamment l'Agence internationale de l'énergie atomique, chargée de promouvoir le nucléaire et de définir les normes de sécurité en la matière, armes nucléaires comprises ; l'Union internationale des télécommunications qui, de par son influence sur les normes techniques, depuis les fréquences radio jusqu'aux orbites des satellites, détermine ce qui peut être communiqué et comment ; et l'Organisation mondiale du commerce, qui définit les règles du commerce international des marchandises, des services et de la propriété intellectuelle. Genève jouait enfin un rôle capital dans le domaine de la finance privée. S'y constituaient de grandes fortunes dont les pouvoirs publics ne cherchaient pas vraiment à savoir si elles avaient été bien ou mal acquises.

L'espionnage traditionnel, qui procède lentement et avec méticulosité, a manipulé ces systèmes avec succès dans l'intérêt des États-Unis, mais ce n'était pas assez pour satisfaire l'appétit toujours plus grand des responsables politiques américains, d'autant plus que le secteur bancaire était, en Suisse comme ailleurs, passé au numérique. Maintenant que les secrets les mieux gardés étaient archivés sur des ordinateurs très souvent connectés à Internet, il était logique que les services secrets américains veuillent en profiter.

Avant l'ère d'Internet, pour avoir accès à l'ordinateur d'une cible, toute agence devait recruter quelqu'un sur place y ayant physiquement accès. Cela comportait des dangers, l'espion en question risquait d'être surpris en train de télécharger un fichier confidentiel ou d'installer sur l'ordinateur un dispositif qui transmettrait ensuite par radio les informations désirées. La diffusion du numérique à l'échelle mondiale a considérablement simplifié les choses. Ce nouveau monde du « renseignement numérique » ou des « opérations basées sur les réseaux informatiques » permettait de ne plus avoir besoin de se rendre sur les lieux, ce qui réduisait d'autant les risques encourus par les individus concernés et définissait un nouvel équilibre entre le HUMINT et le SIGINT. Un agent pouvait désormais se contenter d'envoyer un message ciblé, par exemple un e-mail, dont les pièces jointes et les liens déclenchaient un programme malveillant grâce auquel la CIA pouvait surveiller l'individu ciblé mais également son réseau entier. Le HUMINT identifierait les cibles potentielles tandis que le SIGINT se chargerait du reste. Plutôt que de voir un officier traitant s'assurer les services de quelqu'un – en le soudoyant ou en usant de coercition et de chantage si ça ne suffisait pas –, quelques piratages informatiques bien sentis permettaient d'obtenir le même résultat. En outre, la cible ne s'apercevait de rien, ce qui rendait le procédé plus propre.

Du moins l'espérions-nous. Mais à mesure que se développait le « cyber-renseignement » (terme utilisé pour le distinguer des anciennes formes du SIGINT *offline*, qui recourait jadis au fax et au téléphone), les vieilles préoccupations devaient aussi s'adapter au nouveau médium Internet.

Le problème se posait typiquement quand un officier traitant cherchait à retrouver par exemple le nom d'un Iranien ou d'un Chinois dans les bases de données de la CIA et faisait chou blanc. Pour des recherches occasionnelles de ce genre, « Aucun résultat » était une réponse assez commune : les bases de données de la CIA étaient surtout remplies de gens auxquels s'intéressait déjà la CIA, ou d'individus vivant dans des pays amis et dont il était facile de retrouver les dossiers. En pareille situation, un officier traitant faisait alors la même chose que vous lorsque vous cherchez quelqu'un : il se connectait à l'Internet public. Ce n'était pas sans risque.

Quand vous êtes *online*, votre requête pour tout site web voyage plus ou moins directement depuis votre ordinateur jusqu'au serveur qui héberge votre destination, c'est-à-dire le site web en question. Néanmoins, à chaque étape du voyage, votre requête annonce précisément d'où elle est partie et où elle se rend grâce à des identifiants appelés « en-tête source » et « en-tête destination », que vous pouvez vous représenter comme l'adresse qui se trouve sur une carte postale. Avec ces deux en-têtes, les webmasters, les administrateurs réseau et les services secrets étrangers peuvent facilement savoir que c'est vous qui naviguez sur Internet.

C'est difficile à croire mais à l'époque, l'agence ne savait pas exactement quoi répondre à un officier traitant confronté à ce problème, à part lui conseiller de demander à ses collègues du quartier général d'entreprendre eux-mêmes la recherche. C'était ridicule : à McLean, quelqu'un se connectait à Internet depuis un terminal spécifique et utilisait ce qu'on appelait un « système de recherche non attribuable » afin de maquiller l'origine de la requête avant de la lancer sur Google. Si d'aventure quelqu'un voulait savoir qui il y avait derrière cette démarche, il tombait par exemple sur une petite entreprise située quelque part aux États-Unis, l'une de ces milliers de boîtes bidon censées recruter du personnel qui servaient de couverture à la CIA.

On ne m'a pas vraiment expliqué pour quelle raison au juste la CIA se dissimulait derrière des entreprises de chasseurs de têtes mais j'imagine qu'elles étaient les seules dans leur genre à avoir envie de recruter un beau jour un ingénieur nucléaire au Pakistan et le lendemain un général polonais à la retraite. En revanche, je peux vous certifier que c'était inefficace, laborieux et que ça coûtait cher. Pour créer l'une de ces couvertures, la CIA devait imaginer une entreprise et son objet, lui trouver une adresse physique crédible quelque part aux États-Unis, lui créer un URL et un site web tout aussi crédibles, et enfin louer des serveurs en son nom. Il fallait en outre que les communications soient toutes cryptées et par conséquent indéchiffrables. Le hic, c'est qu'après avoir déployé autant d'efforts et d'argent pour pouvoir simplement rechercher incognito un nom sur Google, la société bidon servant de couverture à la CIA serait démasquée – concrètement, ses liens avec la CIA seraient révélés à nos adversaires – dès l'instant où un analyste interrompait ses recherches pour se connecter à son compte Facebook à partir du même ordinateur. Comme il n'y avait pas grand-monde au quartier général dont l'identité était secrète, ce compte Facebook déclarerait ouvertement « Je travaille à la CIA » ou, de manière tout aussi révélatrice, « je travaille au département d'État, à McLean ».

Vous pouvez rire, il n'empêche qu'à l'époque ça arrivait tout le temps.

Pendant mon séjour à Genève, lorsqu'un officier traitant me demandait s'il existait une manière plus rapide et plus sûre d'arriver au même résultat, je lui parlais de TOR.

Le projet Tor avait été mis au point par l'État et était devenu l'une des protections les plus efficaces contre la surveillance étatique. Il s'agit d'un logiciel *open source* gratuit qui, lorsqu'il est utilisé avec précaution, permet aux utilisateurs de naviguer sur Internet de façon parfaitement anonyme. Ses protocoles ont été développés par le laboratoire de recherche de la marine américaine au milieu des années 1990 et il a été mis à la disposition du grand public en 2003 ; tout le monde peut donc y avoir accès partout et c'est sur ce principe que repose son fonctionnement. Tor obéit en effet à un modèle coopératif communautaire fondé sur le savoir-faire de bénévoles utilisant depuis leur cave, leur garage ou leur grenier, leurs propres serveurs Tor. En acheminant le trafic Internet de ses utilisateurs par ces serveurs, Tor protège l'origine de ce trafic de la même façon que le « système de recherche non attribuable » de la CIA, à ceci près que Tor fonctionne mieux, ou du moins est plus efficace. Si j'en étais déjà convaincu, ce n'était pas évident de le faire comprendre à un officier traitant bourru.

Avec le protocole Tor, votre trafic est distribué puis rebondit d'un serveur à un autre sur des routes générées de façon aléatoire, l'objectif étant de remplacer l'identité de celui qui est à la source de la communication par celle du dernier serveur dans la chaîne évolutive. Sur Tor, aucun serveur, ou « couche », ne connaît l'identité ou tout autre information concernant l'origine du trafic. Et, coup de génie, le seul serveur Tor qui connaisse *vraiment* l'origine du trafic – le premier de la chaîne – ne sait pas vers où ce trafic se dirige. Pour dire les choses simplement, le premier serveur Tor qui vous connecte au réseau Tor, et que l'on appelle un « portail », sait que vous avez émis une requête, mais comme il n'est pas autorisé à la lire, il ignore si vous voulez voir des mèmes d'animaux ou vous renseigner sur une manif. Et si le denier serveur qui reçoit votre requête, et que l'on appelle une « sortie », sait très bien ce qu'on lui a demandé, il ignore en revanche qui le lui demande.

On appelle ce système juxtaposé le « routage en oignon », Tor n'étant autre chose que l'acronyme de *The Onion Router*, le routeur oignon. Dans le milieu, une blague consistait à dire qu'essayer de surveiller le réseau Tor donnait aux espions envie de pleurer. Voilà l'ironie du projet : il s'agit d'une technologie mise au point par les militaires américains qui facilite et complique en même temps la tâche des spécialistes du cyber-renseignement, dans la mesure où il s'appuie sur le savoir-faire des hackers pour protéger l'anonymat des membres des services secrets, la seule condition que leurs adversaires restent eux aussi anonymes, de même que tous ceux qui utilisent ce réseau dans le monde. En ce sens, Tor était plus neutre encore que la Suisse. Quant à moi, Tor a changé ma vie et m'a ramené à l'Internet de mon enfance en me donnant la liberté de ne pas être épié.

Le recours massif de la CIA au cyber-renseignement, ou SIGINT, sur Internet, ne signifie pas qu'elle avait renoncé au HUMINT, qui a toujours été l'un de ses modes opératoires privilégiés depuis l'apparition des services secrets modernes après la Seconde Guerre mondiale. J'y ai moi-même participé, même si l'opération dont je me souviens le mieux s'est soldée par un échec. C'est à Genève que j'ai pour la première et la dernière fois rencontré personnellement une cible – la seule fois où j'ai regardé un homme directement dans les yeux plutôt que de recueillir des renseignements sur lui à distance. Je dois avouer que j'ai trouvé l'expérience très triste.

Psychologiquement, il était bien plus commode de se pencher sur le piratage d'un site anonyme des Nations unies. L'engagement direct, qui peut être difficile et épuisant émotionnellement, a peu cours quand on s'occupe de l'aspect technique du renseignement ; et en informatique, il est carrément absent. La dépersonnalisation de l'expérience est entretenue par la distance qu'implique l'écran. Observer ainsi la vie par la fenêtre conduit à s'abstraire de nos actes et à empêcher toute confrontation sérieuse avec leurs conséquences.

J'ai fait la connaissance de cet homme au cours d'une réception à l'ambassade. Cette dernière en organisait beaucoup et les officiers traitants y assistaient systématiquement, autant pour repérer ceux qu'ils pourraient éventuellement recruter que pour profiter du bar gratuit et fumer des cigares.

Il leur arrivait de m'y inviter. J'imagine que je leur avais déjà assez parlé de ma spécialité pour qu'ils aient envie de me présenter la leur et de m'entraîner à repérer avec eux les bonnes poires dans tout ce cirque. Mon côté *geek* faisait que les jeunes chercheurs du (Conseil européen pour la recherche nucléaire CERN) se confiaient facilement et m'expliquaient, tout excités, en quoi consistait leur travail ; ils se montraient beaucoup moins volubiles avec les officiers traitants titulaires d'un master de gestion ou de sciences politiques.

Pour un informaticien comme moi, c'était un jeu d'enfant de donner le change. Dès qu'un homme venu d'un quelconque pays étranger et coulé dans un superbe costume taillé sur mesure me demandait ce que je faisais dans la vie, je lui répondais, dans mon français en cours de perfectionnement, « je travaille dans l'informatique », et son intérêt pour ma personne cessait aussitôt. Il ne mettait pas un terme à la conversation, loin de là, mais me parlait de lui. Quand vous êtes un jeune cadre qui discute de quelque chose qui n'entre pas dans votre domaine de compétence, il n'est pas surprenant que vous posiez des tas de questions à votre interlocuteur. D'après mon expérience, celui-ci saute alors sur l'occasion pour vous expliquer à quel point il en sait plus que vous sur un sujet qui l'intéresse au plus haut point.

La soirée en question se déroulait à la terrasse d'un café branché de l'une de ces petites rues qui bordent le lac Léman. Chez les officiers traitants, certains n'hésitaient pas à me laisser en carafe pour aller s'asseoir auprès de n'importe quelle femme suffisamment séduisante et jeune pour satisfaire les espions qu'ils étaient, mais je ne m'en plaignais pas. Repérer des cibles était pour moi un hobby qui allait de pair avec un dîner gratuit.

Je me suis installé avec mon assiette auprès d'un homme bien habillé, visiblement issu d'un pays du Moyen-Orient, et qui portait une chemise rose à boutons de manchette sur laquelle était imprimé le drapeau suisse. Il avait l'air seul et déprimé par le fait que personne ne semblait faire attention à lui. Je lui ai donc demandé de me parler un peu de lui. C'est la technique habituelle, on fait mine de s'intéresser à l'autre et on l'écoute. En l'occurrence, dès qu'il a été lancé, je n'ai pas pu en placer une. Il m'a tout raconté : saoudien, il adorait Genève ainsi que l'arabe et le français, deux langues merveilleuses. Il a ensuite évoqué cette jeune et ravissante Suissesse avec qui, tenez-vous bien, il disputait souvent des parties de pistolet laser. Puis il m'a fait savoir sur le ton de la confidence qu'il s'occupait de la gestion de fortunes privées. Il n'a pas tardé à m'expliquer en détail ce qui distinguait les banques privées des autres, et le défi que constituait le fait d'investir sans pour autant déséquilibrer les marchés lorsqu'on avait des clients dont les avoirs atteignaient la dimension de fonds souverains.

« – Vos clients ? ai-je demandé.

– Je travaille essentiellement avec des comptes saoudiens. »

Quelques minutes après, je me suis excusé et me suis rendu aux toilettes. J'en ai profité pour rancarder l'officier traitant spécialisé en finances sur ce que j'avais appris. Après un intervalle nécessairement trop long passé à me « repeigner » ou à envoyer des textos à Lindsay devant le miroir des toilettes, je suis retourné sur la terrasse et ai constaté que l'officier traitant m'avait piqué ma place. J'ai salué de la main mon nouvel ami saoudien puis je suis allé m'installer à côté de la petite jeune aux yeux charbonneux délaissée par l'agent. Loin de me culpabiliser, je pensais au contraire avoir bien mérité les pavés de Genève qui nous étaient servis en dessert. J'avais fait ma part de boulot.

Le lendemain, l'officier traitant, appelons-le « Cal », m'a couvert d'éloges et s'est confondu en remerciements. Suivant qu'ils arrivent ou non à recruter des contacts disposant d'informations suffisamment importantes pour être transmises au quartier général, les gens comme lui bénéficient ou non d'un avancement. Or, comme l'Arabie saoudite était suspectée de financer le terrorisme, Cal se devait de cultiver des relations avec des sources de qualité. Je ne doutais pas que la CIA lui verserait très vite un deuxième salaire...

Ce n'est pourtant pas ce qui s'est passé. Cal a eu beau l'inviter régulièrement dans des bars et des clubs de strip-tease, le banquier saoudien restait sur sa réserve, il n'était pas possible de lui parler ouvertement et Cal commençait à s'impatienter.

Au bout d'un mois d'échecs, il en a eu tellement marre qu'il l'a emmené picoler et a réussi à le soûler. Cal a ensuite convaincu le Saoudien de rentrer chez lui en voiture plutôt que de prendre un taxi. À peine avait-il quitté le bar que déjà Cal avait déjà prévenu la police, en donnant le numéro d'immatriculation et la marque de la voiture du banquier, qui s'est fait arrêter un quart d'heure plus tard pour conduite en état d'ivresse. Notre homme en a été quitte pour une amende colossale, puisqu'en Suisse celles-ci ne sont pas les mêmes pour tout le monde mais sont calculées en fonction des revenus de chacun, et son permis lui a été retiré pour trois mois. En « véritable ami » qui s'en voulait soi-disant de l'avoir laissé boire, Cal en a profité pour lui servir tous les jours de chauffeur entre son boulot et chez lui afin d'éviter, disait-il, de mettre ses collègues au courant. Quand le Saoudien a dû payer l'amende, il s'est trouvé en manque d'argent liquide et Cal était tout disposé à lui en prêter. Un officier traitant ne pouvait pas rêver mieux : le banquier était en train de tomber sous sa coupe.

Seul ennui, lorsque Cal a fini par lui faire sa proposition, le Saoudien l'a envoyé promener. Il était furieux car il comprenait qu'il s'agissait d'un délit planifié et d'une arrestation organisée. Il s'est senti trahi – sa prétendue générosité n'étant que du flanc – et a rompu tout contact. Cal a bien essayé d'insister, histoire de limiter les dégâts, mais c'était trop tard. Le banquier qui aimait tant la Suisse avait perdu son boulot et il retournait – ou était renvoyé – en Arabie saoudite. Cal a lui-même été rappelé aux États-Unis.

On avait misé trop gros et gagné trop peu. C'était du gâchis, j'en étais moi-même directement responsable, et ensuite je n'avais rien pu y faire. Dès lors, j'ai eu recours de préférence au SIGINT plutôt qu'au HUMINT.

Au cours de l'été 2008, la ville célébrait comme tous les ans les Fêtes de Genève, un carnaval qui se conclut en feu d'artifice. Je me rappelle y avoir assisté depuis la rive gauche du lac Léman en compagnie de collègues du *Special Collection Service*, un service secret géré conjointement par la CIA et la NSA, spécialisé dans la collecte de renseignements d'origine électromagnétique permettant à l'ambassade américaine d'espionner des signaux étrangers. Ces types travaillaient à l'ambassade dans un local situé non loin de mon bureau sécurisé mais ils étaient plus âgés que moi, ils occupaient des postes plus élevés que le mien et ils avaient des compétences très supérieures aux miennes, ne serait-ce que parce qu'ils utilisaient des appareils fournis par la NSA dont j'ignorais jusqu'alors l'existence. Ça ne nous empêchait pas d'être amis : je les admirais et ils faisaient attention à moi.

Pendant le feu d'artifice, j'ai évoqué l'affaire du banquier qui s'était soldée par un échec lamentable. L'un d'eux s'est alors tourné vers moi et m'a dit : « La prochaine fois que tu lies connaissance avec quelqu'un, Ed, ce n'est pas la peine d'aller voir un officier traitant. Donne-nous son e-mail et on s'occupe du reste. »

J'ai hoché gravement la tête, même si sur le coup je n'ai pas vraiment mesuré la portée de ses propos.

Jusqu'à la fin de l'année, je me suis tenu éloigné des soirées et autres réceptions, préférant aller au café ou faire un tour dans les parcs des falaises de Saint-Jean avec Lindsay. Nous sommes aussi partis occasionnellement en vacances en Italie, en France et en Espagne. Malgré tout, j'étais de mauvais poil, et pas seulement à cause du fiasco du banquier saoudien. Réflexion faite, c'était peut-être le système bancaire lui-même qui me tapait sur les nerfs. Genève est une ville chère où s'étale le luxe mais, à la fin de l'année 2008, cette élégance avait sombré dans la démesure avec l'afflux de super-riches issus pour la plupart des pays du Golfe et très souvent d'Arabie Saoudite, qui profitaient indûment de la flambée des prix du pétrole tandis qu'on s'acheminait vers une crise financière mondiale. Ces membres de familles royales occupaient des étages entiers dans les hôtels cinq étoiles et faisaient des razzias dans les boutiques de luxe situées de l'autre côté du pont. Ils organisaient de somptueux banquets dans les restaurants étoilés et fonçaient à toute allure dans les rues pavées au volant de leurs Lamborghini chromées. Il est certes difficile de fermer les yeux sur la consommation à outrance qui s'affiche à tout moment à Genève, mais cette débauche de dépenses avait quelque chose d'exaspérant à la veille de la pire catastrophe économique depuis la crise de 1929, aux dires des médias américains, et depuis l'entre-deux-guerres et la signature du traité de Versailles à en croire les médias européens.

Non pas que Lindsay et moi souffrions particulièrement. Après tout, c'était l'oncle Sam qui payait notre loyer. En revanche, chaque fois que nous parlions avec des membres de notre famille aux États-Unis, ils nous brossaient un tableau un peu plus sombre de la situation. Les parents de Lindsay comme les miens connaissaient par exemple des gens qui avaient travaillé toute leur vie, pour certains dans la fonction publique, et qui avaient vu un jour la banque saisir leur maison parce qu'ils étaient tombés malades et n'avaient pas pu rembourser quelques traites de leur emprunt.

Vivre à Genève revenait à évoluer dans une réalité alternative, voire opposée. Tandis que le reste du monde s'appauvrissait,
Genève prospérait, et si les banques suisses ne se sont pas lancées
dans des opérations financières hasardeuses comme celles qui ont
provoqué le krach, elles n'ont pas hésité à planquer l'argent de ceux
qui avaient profité de cette situation calamiteuse et n'ont jamais eu
de comptes à rendre à ce sujet. La crise de 2008, qui annonçait à
bien des égards la montée du populisme en Europe et aux États-
Unis, m'a permis de comprendre que ce qui a des conséquences
tragiques pour la population peut servir les intérêts des élites, et
c'est souvent le cas. Le gouvernement américain allait m'en donner à maintes reprises la confirmation dans les années suivantes.

16

Tokyo

Internet est fondamentalement américain mais il m'a fallu quitter les États-Unis pour comprendre vraiment ce que ça signifiait. Si le World Wide Web a été inventé à Genève, dans les laboratoires de recherche du CERN, en 1989, les divers modes d'accès à Internet sont aussi américains que le base-ball, ce qui confère un avantage déterminant aux services de renseignement des États-Unis. Qu'il s'agisse des câbles, des satellites, des serveurs ou des tours, l'infrastructure d'Internet est à ce point contrôlée par les Américains que 90 % du trafic mondial s'effectue grâce à un ensemble de technologies développées, possédées et/ou mises en œuvre par les autorités et les grandes entreprises américaines, pour la plupart situées aux États-Unis. Les pays qui s'inquiètent traditionnellement de tels avantages, comme la Chine et la Russie, ont essayé d'installer des systèmes alternatifs tels que le Grand Firewall de Chine, les moteurs de recherche censurés d'État ou encore la constellation de satellites qui fournissent un positionnement géographique sélectif. Il reste que les États-Unis conservent l'hégémonie en la matière et qu'ils contrôlent l'interrupteur à même de connecter ou de déconnecter pratiquement le monde entier à volonté.

Il n'y a pas que l'infrastructure d'Internet qui soit essentiellement américaine, il y a aussi les logiciels (Microsoft, Google, Oracle), le *hardware* (Hewlett Packard, Appel, Dell) et tout le reste, depuis les puces (Intel, Qualcomm), les routeurs et les modems (Cisco, Juniper) jusqu'aux services et aux plateformes web qui permettent d'échanger des e-mails, d'aller sur les réseaux sociaux et de stocker des données en ligne (Google, Facebook et Amazon, le dernier étant structurellement le plus important, même si ça ne se voit pas, car il fournit des services de *cloud* au gouvernement américain et à la moitié d'Internet). Ces entreprises font peut-être dans certains cas fabriquer leur matériel en Chine, par exemple, elles n'en demeurent pas moins américaines et sont donc assujetties à la législation en vigueur aux États-Unis. L'ennui, c'est qu'elles sont aussi tributaires de décisions politiques américaines secrètes qui détournent la loi et autorisent le pouvoir à surveiller pratiquement n'importe quel homme, femme ou enfant s'étant déjà servi d'un ordinateur ou d'un téléphone.

Étant donné le caractère américain de l'infrastructure des communications mondiales, il était prévisible que le gouvernement se livrerait à la surveillance de masse. Cela aurait dû me sauter aux yeux. Pourtant, ça n'a pas été le cas, principalement parce que les autorités américaines démentaient si catégoriquement se livrer à ce genre de choses, et avec une telle vigueur, dans les médias ou devant les tribunaux que les quelques sceptiques qui leur reprochaient de mentir étaient traités comme des junkies complotistes. Ces soupçons concernant des programmes secrets de la NSA ne semblaient guère différents des délires paranoïaques de ceux qui pensaient que les extraterrestres nous contactaient par radio. Nous – moi, vous, nous tous – étions trop naïfs. C'était d'autant plus pénible pour moi que la dernière fois que j'étais tombé dans le panneau, j'avais approuvé l'invasion de l'Irak avant de m'engager dans l'armée. Quand j'ai commencé à travailler dans le renseignement, j'étais certain de ne plus jamais me faire mener en bateau, d'autant plus que j'avais une habilitation top secrète à présent, ce qui n'est pas rien. Après tout, pourquoi les autorités dissimuleraient-elles des secrets à leurs propres gardiens du secret ? Tout cela pour dire que je n'arrivais pas à concevoir ce qui était pourtant manifeste, et il a fallu attendre 2009 et mon affectation au Japon dans un service de la NSA, l'agence américaine spécialisée dans le renseignement d'origine électromagnétique, pour que ça change.

C'était le poste idéal, non seulement parce que j'intégrais le service de renseignement le plus performant au monde, mais aussi parce qu'il était basé au Japon, un endroit qui nous avait toujours fascinés, Lindsay et moi. J'avais l'impression que ce pays venait du futur. Bien qu'ayant officiellement le statut de contractuel, les responsabilités qui seraient les miennes et la ville où je serais amené à vivre ont suffi à me convaincre. L'ironie veut que ce soit en retravaillant dans le privé que j'ai été en mesure de comprendre ce que faisaient les dirigeants de mon pays.

Sur le papier, j'étais en effet employé par Perot Systems, une entreprise créée par Ross Perot, ce Texan hyperactif et haut comme trois pommes qui avait fondé le Parti de la réforme et s'était présenté à deux reprises aux élections présidentielles. Mais peu après mon arrivée au Japon, Dell a racheté Perot Systems, de sorte qu'officiellement je suis devenu un employé de Dell. Comme jadis avec la CIA, ce n'était qu'une couverture et j'ai toujours travaillé dans les locaux de la NSA.

Le Centre technique du Pacifique (PTC) de la NSA occupait la moitié d'un immeuble à l'intérieur de l'énorme base aérienne de Yokota. Comme les quartiers généraux des forces américaines au Japon, la base était protégée par de hauts murs, des barrières d'acier, et des checkpoints. Yokota et le centre technique se trouvaient à quelques coups de pédales de Fussa, une banlieue à l'ouest de l'immense agglomération de Tokyo où Lindsay et moi avions trouvé un appartement.

Le Centre technique du Pacifique assurait la maintenance de l'infrastructure de la NSA dans la région et apportait son concours aux sites périphériques situés dans les pays voisins. La plupart d'entre eux géraient les relations secrètes qui avaient permis à la NSA d'installer des équipements d'écoute sur toute la zone Pacifique.

En contrepartie, l'agence avait promis de transmettre aux gouvernements locaux certains renseignements et d'opérer avec assez de discrétion pour ne pas attirer l'attention des citoyens. La mission consistait surtout à intercepter des communications. Le Centre technique du Pacifique récoltait des « échantillons » des signaux électromagnétiques interceptés et les envoyait à Hawaï, qui à son tour les transmettait au territoire continental américain.

On m'avait embauché comme analyste système et je devais entretenir les systèmes locaux de la NSA, même si au départ j'ai souvent fait office d'administrateur système et contribué à établir des passerelles entre l'architecture des systèmes de la NSA et celle de la CIA. Comme j'étais le seul, dans la région, à connaître l'architecture système de la CIA, je me suis aussi rendu dans diverses ambassades américaines, comme celle que j'avais quittée à Genève, pour tisser et entretenir les liens entre les deux services secrets afin qu'ils puissent échanger des renseignements en suivant des protocoles inédits. C'était la première fois de ma vie que je réalisais vraiment ce que signifiait le pouvoir d'être le seul dans une pièce à maîtriser non seulement le fonctionnement interne d'un système mais aussi son interaction avec quantité d'autres systèmes. Constatant que j'arrivais toujours à trouver une solution à leurs problèmes, les responsables du Centre technique m'ont laissé libre de leur soumettre des projets.

À la NSA, deux choses m'ont d'emblée choqué : le fait qu'elle recourait à des moyens infiniment plus sophistiqués que ceux de la CIA et à quel point elle négligeait la sécurité, depuis le cloisonnement des informations jusqu'au cryptage des données. À Genève, non seulement il nous fallait retirer tous les soirs les disques durs des ordinateurs pour les enfermer dans un coffre-fort mais en plus, les disques étaient cryptés. La NSA, en revanche, prenait à peine la précaution de crypter quoi que ce soit.

Il était assez déconcertant de voir que la NSA était à la fois très en avance en matière de cyber-renseignement et très en retard pour tout ce qui touchait à la cyber-sécurité, y compris dans l'adoption de mesures simples telles que la récupération des données après sinistre ou la sauvegarde. Chaque site périphérique de la NSA recueillait des renseignements puis les stockait sur ses serveurs locaux. En raison des restrictions imposées à la bande passante, c'est-à-dire au volume de données transportées à haut débit, il était rare d'en envoyer une copie aux principaux serveurs du siège de la NSA. Dès lors, si les données d'un site étaient détruites, la NSA risquait de perdre les renseignements qu'elle avait eus tant de mal à récolter.

Conscients des risques encourus par la NSA, les responsables du PTC m'ont demandé d'y apporter une solution technique et de la vendre aux décisionnaires du quartier général. Nous avons mis au point un système de sauvegarde et de stockage des informations qui permettait en quelque sorte de dupliquer celles de la NSA en fournissant une copie intégrale, automatisée et régulièrement mise à jour de tous les documents les plus importants. Si jamais Fort Meade était réduite en cendres, la NSA serait capable de redémarrer et de continuer à fonctionner, en conservant intactes toutes ses archives.

Tout le problème, lorsqu'on met au point un système de récupération des données après sinistre à l'échelle mondiale – ou tout autre système de sauvegarde mobilisant un nombre faramineux d'ordinateurs – réside dans la gestion des données dupliquées. En clair, il faut être capable de gérer des situations où, disons, un millier d'ordinateurs détiennent une copie du même fichier. Il faut alors veiller à ne pas sauvegarder mille fois ce même fichier car cela nécessiterait une capacité de stockage et une bande passante mille fois plus importantes. C'était notamment pour éviter de reproduire ainsi inutilement les mêmes dossiers que les antennes périphériques de la NSA ne les transmettaient pas quotidiennement à Fort Meade : la connexion aurait été encombrée par un millier de copies du même fichier contenant le même numéro de téléphone intercepté alors qu'un seul suffisait à Fort Meade.

Pour éviter cela, il faut recourir à la « déduplication », une méthode qui permet de juger de l'originalité des données. Le système que j'ai mis au point balayait constamment les fichiers de chaque antenne de la NSA puis étudiait chaque « bloc » de données en affinant son analyse jusqu'au moindre segment, pour savoir s'il était unique ou pas. Ces données seules étaient envoyées lorsque Fort Meade n'en avait aucun double, ce qui réduisait d'autant l'avalanche de données qui transitaient par fibre optique sous le Pacifique.

Grâce à la déduplication et aux progrès réalisés en matière de stockage, la NSA pouvait conserver des renseignements beaucoup plus longtemps qu'auparavant. Rien que pendant l'époque où j'ai travaillé pour elle, l'agence s'était donné pour objectif de conserver les données recueillies pendant des jours, puis des semaines, puis des mois d'affilée, et finalement jusqu'à plus de cinq ans. Au moment où ce livre sortira, elle sera peut-être en mesure de les conserver pendant plusieurs dizaines d'années. La NSA considérait que ça ne servait à rien de recueillir des renseignements si on ne pouvait pas les conserver en attendant de s'en servir, et il était impossible de prédire quand cela arriverait. Cette rationalisation répondait au vœu le plus cher du service secret : la permanence, c'est-à-dire stocker une fois pour toutes, pour toujours et à jamais, l'ensemble des fichiers afin de constituer une mémoire parfaite. L'archive permanente.

Au sein de la NSA, tout un protocole doit être observé pour donner un nom de code à un programme. Ça s'apparente *grosso modo* à une procédure aléatoire qui sélectionne au hasard des mots dans deux colonnes. Un site Web interne lance des dés imaginaires pour choisir un nom dans la colonne A, puis il répète l'opération dans la colonne B. Au final, on se retrouve avec des noms qui ne veulent rien dire, comme FOXACIDE (« aciderenard ») ou EGOTISTICALGIRAFFE (« girafeégoïste »). Tout l'intérêt d'un nom de code, c'est de ne pas se référer à la fonction du programme en question. (Comme la presse s'en est depuis fait écho, FOXACIDE était le nom de code des serveurs de la NSA qui hébergeaient des versions de divers sites web bien connus et infectés par des programmes malveillants ; EGOTISTICALGIRAFFE désignait un autre programme de la NSA qui profitait de la vulnérabilité de certains navigateurs web utilisant Tor, puisqu'il leur était impossible de démanteler Tor proprement dit.) Mais les agents de la NSA se sentaient tellement puissants et étaient tellement persuadés qu'il ne pouvait rien arriver à l'agence qu'ils respectaient rarement les règles de sécurité. Alors ils trichaient et relançaient les dés jusqu'à ce qu'ils tombent sur une combinaison qui leur plaise, du style TRAFFICTHIEF, the VPN Attack Orchestrator (« voleurdutrafic, l'orchestrateur qui attaque les réseaux VPN »).

Je vous jure que je n'ai jamais procédé ainsi lorsque j'ai voulu donner un nom à mon système de sauvegarde. Je me suis contenté de lancer les dés, et c'est ainsi que j'ai trouvé EPICSHELTER (« abriépique »).

Plus tard, lorsque la NSA a adopté ce système, elle en a changé le nom et l'a appelé Plan de modernisation du stockage ou Programme de modernisation du stockage. Et moins de deux ans après avoir mis au point EPICSHELTER, une variante avait été créée, qui était couramment utilisée sous un autre nom.

Les documents que j'ai fait parvenir aux journalistes en 2013 dénonçaient tant d'abus de la part de la NSA, liés à une telle diversité de moyens technologiques, qu'aucun agent n'aurait été en mesure de les identifier à lui seul dans l'exercice quotidien de ses fonctions, pas même un administrateur système. Pour découvrir un nombre même infime de ces malversations, il fallait chercher. Et pour chercher, il fallait savoir qu'elles existaient.

C'est une banale conférence qui m'a ouvert les yeux et a déclenché mes premiers soupçons sur l'étendue des agissements de la NSA.

Alors que je travaillais sur EPICSHELTER, le Centre technique du Pacifique a organisé un congrès sur la Chine parrainé par le Centre de formation interarmées du contre-espionnage (*Joint Counterintelligence Training Academy*, JCTA), au bénéfice de l'Agence du renseignement de la défense (*Defense Intelligence Agency*, DIA), un service dépendant du ministère de la Défense spécialisé dans l'espionnage de l'appareil militaire des pays étrangers et de tout ce qui gravite autour. Des experts de l'ensemble des services de renseignement – armée, CIA, NSA ou FBI –, expliquèrent qu'ils étaient la cible de leurs homologues chinois et qu'ils envisageaient des représailles. J'avais beau m'intéresser à la Chine, ce n'était pas le genre de sujet sur lequel je travaillais ; j'écoutais donc la conférence d'une oreille distraite, jusqu'à ce que l'on annonce que le seul spécialiste en informatique qui devait prendre la parole s'était désisté au dernier moment. J'ignore pour quelle raison il n'avait pas pu venir – peut-être était-ce la grippe, ou alors le destin – mais le président de séance a voulu savoir si quelqu'un, au Centre technique du Pacifique, pouvait le remplacer, puisqu'il était trop tard pour modifier le programme. L'un des responsables a mentionné mon nom, on m'a demandé si ça me disait de tenter l'expérience, et j'ai répondu que oui. J'aimais bien mon patron, je voulais lui rendre service. J'étais aussi curieux, et pas mécontent, pour une fois, de faire autre chose que de la déduplication de données.

Mon patron était ravi. Il a ajouté que je prendrais la parole le lendemain.

J'ai appelé Lindsay pour la prévenir que je ne rentrerais pas ce soir-là car j'allais passer la nuit à préparer mon intervention dans laquelle je tenterais d'expliquer comment une très ancienne discipline, le contre-espionnage, et une discipline très récente, le cyber-renseignement, pouvaient s'associer pour exploiter et déjouer les manœuvres des adversaires qui cherchaient à nous espionner via Internet. J'ai commencé par lire tous les rapports top secrets disponibles sur le réseau de la NSA (ainsi que sur celui de la CIA, auquel j'avais toujours accès) concernant les activités des Chinois sur Internet. Je me suis notamment penché sur les comptes rendus consacrés aux « tendances intrusives », qui rassemblaient des données sur certains types d'attaques, leurs outils et leurs cibles. Les analystes de la communauté du renseignement s'en servaient pour identifier le cyber-renseignement militaire spécifiquement chinois ou les groupes de hackers, comme les policiers quand ils tentent d'identifier l'auteur d'une série de cambriolages et cherchent un ensemble de caractéristiques communes ou un mode opératoire.

En fouillant dans ce matériel épars, il ne s'agissait pas seulement d'être capable de présenter les biais utilisés par les Chinois pour nous pirater mais surtout de récapituler les évaluations par nos services secrets des moyens des Chinois pour surveiller électroniquement les officiels et les espions américains opérant dans la région.

Tout le monde sait (ou croit savoir) que les Chinois ont adopté des mesures draconiennes pour museler Internet, et certains connaissent (ou croient connaître) le principal chef d'accusation que j'ai adressé à la presse en 2013 à propos du gouvernement de mon pays. Mais c'est une chose d'affirmer, tel un roman de science-fiction, que le pouvoir est théoriquement capable de voir et d'écouter tout ce que font ses citoyens ; c'en est une autre, pour les autorités, de réellement mettre en place un tel système. Ce qu'un écrivain de science-fiction est capable de décrire en une phrase peut nécessiter des millions de dollars d'investissement en matériel et la collaboration de milliers d'informaticiens. Prendre connaissance des détails techniques de la surveillance des communications privées par la Chine – c'est-à-dire des mécanismes et des appareils indispensables au recueil, au stockage et à l'analyse des milliards de conversations téléphoniques et d'e-mails échangés quotidiennement par plus d'un milliard d'individus – était proprement ahurissant. Dans un premier temps, j'ai été tellement impressionné par cet exploit et par l'insolence du système que sa dimension totalitaire ne m'a pas immédiatement horrifié.

Après tout, la Chine était un État à parti unique explicitement antidémocratique. Plus encore que la plupart des Américains, les agents de la NSA se disaient que le pays était une foutue dictature. Les libertés civiles des Chinois n'étaient pas de mon ressort, je n'avais aucune influence là-dessus. J'étais persuadé de bosser du côté du bien, et ça faisait de moi quelqu'un de bien.

J'étais néanmoins perturbé par certaines de mes lectures. Elles me rappelaient ce qui constitue peut-être le principe fondamental du progrès technologique : si quelque chose peut être fait, il le sera sans doute, et peut-être même l'a-t-il déjà été. Il était tout bonnement impossible pour les Américains d'en savoir autant sur les agissements des Chinois sans en avoir fait eux-mêmes l'expérience, et tandis que je me penchais sur toutes ces informations chinoises, j'avais la vague sensation de regarder dans un miroir et d'y voir le reflet de l'Amérique. Le comportement public du pouvoir chinois envers son peuple correspondait peut-être à l'attitude que les Américains avaient – ou pouvaient avoir – secrètement envers le reste du monde.

Vous allez sans doute me haïr mais je dois reconnaître qu'à ce moment-là, j'ai jeté un voile pudique sur mon malaise. J'ai tout fait pour le refouler. La différence était assez claire pour moi : le Grand Firewall chinois organisait la répression et la censure intérieure de manière effrayante et démonstrative tout en fermant la porte aux Américains, le système américain, lui, était invisible et avait une fonction purement défensive. J'envisageais à l'époque le système de surveillance américain comme un moyen pour chacun, quel que soit son pays de résidence, de se connecter à l'infrastructure Internet américaine et d'accéder sans filtre et sans blocage à ce qu'il voulait – à moins d'être bloqué et filtré par son propre pays d'origine ou par des entreprises américaines supposément non soumises au contrôle gouvernemental américain. Seules les personnes qui avaient par exemple visité des sites de djihadistes poseurs de bombes ou des pages où l'on pouvait se procurer des *malware* étaient surveillées.

Dans ces conditions, je ne trouvais rien à redire au modèle de surveillance américain. Je soutenais pleinement la surveillance défensive et ciblée, sorte de « pare-feu » qui n'interdisait à personne d'entrer mais s'attaquait aux coupables.

Il n'empêche que tout au long des journées bien remplies qui succédèrent à cette nuit blanche, j'ai continué à éprouver des doutes. Je ne pouvais pas m'empêcher de me livrer à ma petite enquête, et cela même bien longtemps après mon intervention à ce congrès.

En 2009, quand j'ai commencé à travailler pour la NSA, je ne connaissais pas mieux ses fonctionnements que le commun des mortels. J'avais appris dans la presse que juste après les attentats du 11 Septembre, le président George W. Bush avait autorisé la NSA à multiplier les opérations de surveillance. Celle qui a entraîné le plus de polémiques visait à enregistrer les conversations téléphoniques sans avoir besoin d'un mandat délivré par la justice. Elle figurait en bonne place dans le Programme de surveillance du président, PSP, ainsi que l'a révélé le *New York Times* en 2005 après avoir été contacté par de courageux lanceurs d'alerte de la NSA et du ministère de la Justice.

Officiellement, le PSP était un « décret présidentiel » constitué d'une série d'instructions données par le président faisant force de loi pour les membres du gouvernement, quand bien même elles auraient été gribouillées en catimini sur une serviette en papier. Le PSP autorisait la NSA à intercepter les conversations téléphoniques et les e-mails échangés entre les États-Unis et les pays étrangers sans mandat spécial de la Cour de surveillance du renseignement étranger. Cette juridiction avait été créée en 1978 – après que l'agence avait été surprise en flagrant délit d'espionnage intérieur à l'encontre des militants opposés à la guerre du Vietnam et des activistes des mouvements des droits civiques – dans le but de superviser les demandes de mandats de surveillance émises par les services secrets.

Les révélations du *New York Times* déclenchèrent un véritable tollé et l'Union américaine pour les libertés civiles avait saisi la justice et contesté devant les tribunaux la constitutionnalité de telles dispositions. L'administration Bush avait alors déclaré que ce programme prendrait fin en 2007 mais c'était une vaste blague. Le Congrès a passé en effet les deux dernières années du mandat de George W. Bush à voter des lois qui justifiaient rétroactivement le PSP et dédouanaient les entreprises des télécommunications et les fournisseurs d'accès à Internet impliqués. Cette législation – le Protect America Act de 2007 sur la protection de l'Amérique et le FISA Amendments Acts de 2008 – employait délibérément un langage équivoque pour faire croire aux Américains que leurs communications n'étaient pas visées, alors même que la loi élargissait le champ d'application du PSP. Non seulement la NSA interceptait les communications venant de l'étranger mais elle pouvait désormais intercepter les conversations téléphoniques et les e-mails émanant de l'intérieur du pays.

Telles sont du moins les conclusions que j'ai tirées de la lecture du résumé de la situation rendu public par le gouvernement en juillet 2009, l'été au cours duquel je me penchais sur les cyber-capacités chinoises. Ce document, sobrement intitulé « Rapport public sur le Programme de surveillance du président », avait été rédigé conjointement par les bureaux des inspecteurs généraux des cinq agences (ministère de la Défense, ministère de la Justice, CIA, NSA et Direction du renseignement national) puis soumis au public alors même que les agissements de la NSA pendant l'ère Bush auraient dû faire l'objet d'une enquête parlementaire. Le fait qu'Obama ait refusé de lancer une telle enquête une fois en poste signifiait, du moins pour moi, le signe que le nouveau président – que Lindsay et moi avions soutenu – avait décidé de fermer les yeux sur le passé. Voyant que son administration se contentait de redorer l'image du PSP, les espoirs que Lindsay et moi avions placés en lui semblaient s'éloigner.

Si ce rapport ne révélait rien de neuf, je l'ai toutefois trouvé instructif à plusieurs égards. Je me souviens avoir tout de suite été frappé par son ton curieux qui semblait s'insurger devant les protestations, et par le fait qu'il prenait quelques libertés avec le langage et obéissait à une logique pour le moins discutable. S'il développait toute une argumentation juridique pour justifier certains programmes développés par la NSA – cependant jamais nommés et encore moins décrits –, j'ai remarqué que pratiquement aucun des membres de l'exécutif qui les avaient autorisés n'avait accepté d'être interrogé par les inspecteurs généraux. Que ce soit le vice-président Dick Cheney, le ministre de la Justice John Ashcroft ou David Addington et John Yoo, tous deux avocats du ministère de la Justice, les principaux intéressés ont presque tous refusé de coopérer avec les bureaux compétents afin d'établir la responsabilité des services secrets, et les inspecteurs généraux ne purent que s'incliner puisqu'il ne s'agissait pas là d'une enquête officielle impliquant des dépositions. J'ai personnellement eu du mal à voir dans leur absence autre chose qu'un aveu tacite de leurs méfaits.

Une chose encore m'a interloqué dans ce rapport. On y multipliait en effet les références aux « Autres Opérations de Renseignement » (les majuscules figuraient dans le document officiel), qui ne reposaient sur d'autres « bases légales » ou « motifs juridiques » que l'invocation par George W. Bush de pouvoirs exécutifs élargis en temps de guerre – une guerre dont, pour l'instant, on ne voyait pas la fin. Il va de soi que ces références n'expliquaient pas en quoi consistaient ces « opérations », mais par déduction, j'ai compris qu'il s'agissait de se livrer à des activités de surveillance intérieure sans mandat, puisque c'était la seule activité de renseignement qui échappait au différents cadres légaux régis par le PSP.

J'ai poursuivi la lecture du rapport sans être bien sûr que ce qu'on y divulguait justifiait les manipulations juridiques auxquelles nous avions assisté, sans parler des réactions de James Comey, le procureur général adjoint, et de Robert Mueller, le directeur du FBI, qui menaçaient de démissionner si certaines mesures prévues par le PSP étaient reconduites. Je n'y ai rien trouvé non plus qui expliquait pourquoi tant de collègues de la NSA, des agents qui avaient bien plus d'ancienneté que moi et des dizaines d'années d'expérience, ainsi que des employés du ministère de la Justice, prenaient le risque de faire part aux journalistes des craintes que leur inspiraient certaines dispositions du PSP. S'ils mettaient leur carrière, leur famille et leur vie en jeu, ce devait être pour des raisons beaucoup plus graves que les écoutes téléphoniques qui avaient déjà fait les gros titres.

Voilà qui m'a amené à rechercher la version classifiée de ce rapport, et ne pas la trouver ne m'a pas rassuré. Je n'arrivais pas à comprendre. Si la version classifiée se contentait de dresser la liste des erreurs du passé, on aurait dû pouvoir mettre la main dessus facilement. Mais elle était introuvable. Peut-être que je n'avais pas cherché au bon endroit. Après avoir élargi mes recherches sans obtenir plus de résultats, j'ai fini par laisser tomber. La vie a repris son cours et j'avais du travail. Quand on vous demande conseil pour éviter que des agents des services secrets soient démasqués puis exécutés par le ministère chinois de la Sécurité d'État, on a parfois du mal à se souvenir de ce que l'on cherchait sur Google huit jours plus tôt.

Ce n'est que plus tard, alors que j'avais depuis longtemps oublié ce mystérieux rapport confidentiel, qu'il a atterri sur mon bureau, preuve s'il en est que la meilleure façon de trouver quelque chose, c'est de cesser de le chercher. J'ai alors compris pourquoi je n'avais pas réussi à le dénicher : il demeurait inaccessible aux dirigeants des services secrets eux-mêmes. On l'avait classé parmi les documents relevant des « informations soumises à un contrôle exceptionnel », ce qui signifie que même ceux qui avaient une habilitation de sécurité top secrète n'y avaient pas accès. En raison du poste que j'occupais, je connaissais la plupart des dossiers de la NSA renfermant des « informations soumises à un contrôle exceptionnel », mais pas celui-ci. La classification complète du rapport portait le nom « TOP SECRET//STLW//HCS/COMINT//ORCON/ NOFORN », ce qui signifie que seules quelques dizaines d'individus dans le monde étaient autorisées à en prendre connaissance.

Je ne faisais assurément pas partie du lot et c'est à la suite d'une erreur que j'en ai pris connaissance. Quelqu'un qui travaillait avec l'inspecteur général de la NSA avait laissé traîner la version préliminaire d'un système auquel j'avais accès par mon statut d'administrateur. Il s'est avéré que la notification « STLW », que je ne connaissais pas, était ce qu'on appelait un « gros mot » dans le système que j'avais conçu : un label apposé sur les documents qu'il ne fallait pas conserver sur les disques les moins sécurisés. On vérifiait constamment ces disques pour s'assurer qu'il n'était pas apparu de nouveaux « gros mots ». Quand c'était le cas, j'étais prévenu et je trouvais le meilleur moyen d'effacer ce document du système, mais avant, j'examinais moi-même le fichier incriminé pour vérifier que le « gros mot » n'avait pas accidentellement marqué autre chose. D'ordinaire, je me contentais d'y jeter un coup d'œil mais cette fois, il m'a suffi de l'ouvrir et de découvrir son titre pour savoir que je le lirais jusqu'au bout.

Il contenait tout ce qui manquait dans la version non classifiée, tout ce dont n'avaient pas parlé les journalistes, tout ce que la procédure judiciaire, que j'avais suivie, avait nié : un exposé détaillé des programmes de surveillance les plus secrets de la NSA, ainsi que la liste des directives qu'elle avait données et l'exposé de la ligne stratégique adoptée par le ministère de la Justice pour contourner la loi et violer la Constitution américaine. Quand j'ai pris connaissance de ce document, j'ai compris pourquoi aucun membre des services de renseignement ne l'avait fait fuiter dans la presse, et pourquoi aucun juge ne pouvait obliger le pouvoir à le présenter au cours d'une audience publique. Il était tellement confidentiel qu'à moins d'être un administrateur système, toute personne qui y aurait eu accès aurait été immédiatement identifiable. Et il décrivait des manœuvres si foncièrement criminelles qu'aucun gouvernement ne pouvait le rendre public sans l'expurger au préalable.

Quelque chose m'a immédiatement sauté aux yeux : il était évident que la version non classifiée que j'avais lue n'était pas une révision de la version classifiée, comme c'était le cas habituellement. C'était un texte complètement différent, un tissu de mensonges quand on le comparait au rapport classifié. La duplicité était proprement stupéfiante, et d'autant plus que je venais de consacrer deux mois à dédupliquer des fichiers. En général, quand on se trouve en présence de deux versions différentes du même document, elles ne divergent que sur des points de détail – quelques virgules, quelques mots. Mais ici, la seule chose qu'avaient en commun les deux documents était leur titre.

Là où la version non classifiée se bornait à laisser entendre qu'on avait ordonné à la NSA de redoubler d'efforts pour recueillir des renseignements après les attentats du 11 Septembre, la version classifiée révélait la nature et l'échelle de cette intensification. Au lieu d'évoquer l'interception et l'enregistrement ciblés des communications, le rapport évoquait une « collecte de grande ampleur », ce qui est un euphémisme utilisé par l'agence pour désigner la surveillance de masse. Et tandis que la version déclassifiée passait sous silence ce changement, agitant l'épouvantail du terrorisme pour mieux préconiser l'adoption de mesures de surveillance élargies, la version classifiée était très explicite à ce sujet et n'y voyait qu'une conséquence logique des progrès technologiques.

La partie du rapport confidentiel rédigée par les inspecteurs généraux de la NSA pointait les « lacunes en matière de recueil d'informations », soulignant que la législation qui encadrait les opérations de surveillance (notamment le *Foreign Intelligence Surveillance Act*, la loi sur la surveillance du renseignement étranger) datait de 1978, une époque à laquelle la plupart des signaux de communication transitaient par radio ou par le biais de lignes téléphoniques, et non par satellites ou fibre optique. En substance, la NSA affirmait que la législation américaine avait été dépassée par l'accroissement du volume et de la rapidité des échanges – aucun tribunal, même secret, ne pouvait suivre le rythme et délivrer en temps voulu assez de mandats –, et qu'à un monde globalisé devait répondre une agence de renseignements véritablement mondiale. Dans la logique de la NSA, tous ces éléments soulignaient la nécessité d'une collecte de grande ampleur des communications Internet.

Le nom de code de cette collecte de grande ampleur était indiqué par le « gros mot » qui apparaissait dans mon système : « STLW », l'abréviation de STELLARWIND (« vent solaire »). Il s'est avéré que c'était la seule mesure d'importance figurant dans le PSP qui avait continué à être appliquée et s'était même renforcée une fois que le reste du programme avait été rendu public dans la presse.

STELLARWIND était ce qu'il y avait de plus confidentiel dans ce rapport classifié. C'était en fait le secret le mieux gardé de la NSA, que le statut « sensible » du rapport visait à protéger. L'existence même de ce programme attestait que la mission de la NSA s'était transformée : l'informatique, destinée à l'origine à protéger les États-Unis, était désormais utilisée pour contrôler le pays, redéfinissant les communications Internet privées des citoyens comme du renseignement électromagnétique.

Si cette mauvaise foi transparaissait dans tout le rapport, elle n'était jamais aussi manifeste que dans le vocabulaire employé par le gouvernement. STELLARWIND collectait des renseignements

depuis l'entrée en vigueur du PSP en 2001 mais c'est en 2004
– lorsque les agents du ministère de la Justice rechignèrent à poursuivre l'initiative – que l'administration Bush tenta de la légitimer *a posteriori* en donnant un sens différent à quelques mots
simples tels qu'« acquérir » ou « obtenir ». À en croire ce rapport,
le gouvernement estimait que la NSA pouvait enregistrer autant de
communications qu'elle voulait sans mandat, car elle n'avait jamais
fait *qu'acquérir* ou *obtenir* ces informations, au sens légal, lorsqu'elle
les « recherchait » dans ses bases de données puis les « récupérait »…

Cette tartufferie lexicale m'agaçait d'autant plus que j'avais parfaitement conscience que la NSA désirait conserver le maximum
de données le plus longtemps possible, voire indéfiniment. Si les
enregistrements des communications ne pouvaient être considérés
comme « obtenus » qu'une fois qu'ils avaient été utilisés, ils pouvaient, dans le cas inverse, demeurer « non obtenus » tout en étant
stockés ou archivés à jamais, en attente d'une manipulation future.
En accordant un sens différent aux termes « acquérir » et « obtenir » – depuis l'instant où ces données intégraient une banque de
données jusqu'à celui où un individu (ou plus vraisemblablement
un algorithme) lançait une recherche dans la base et trouvait une
occurrence –, le gouvernement américain créait une agence éternelle
de maintien de l'ordre. Il pouvait à tout moment fouiller dans les
communications passées de tous (et les communications de chacun
d'entre nous contiennent des preuves de quelque chose). À tout
moment, et cela jusqu'à la fin des temps, une nouvelle administration ou un autre patron dévoyé de la NSA serait en mesure de
surveiller toute personne ayant un ordinateur ou un portable, de
connaître son identité, sa localisation géographique ainsi que son
activité, présente et passée.

Comme la plupart des gens, je préfère parler de « surveillance
de masse » que de « collecte de grande ampleur », l'expression utilisée par le gouvernement, car cette dernière brouille l'image du
travail de la NSA. « Collecte de grande ampleur » fait penser à un
bureau de poste débordant d'activité ou au ramassage des ordures

ménagères plutôt qu'à un effort historique visant à intercepter – et à enregistrer clandestinement – l'ensemble des communications numériques.

Il ne suffit pourtant pas de s'entendre sur la terminologie pour éviter de se fourvoyer. Même aujourd'hui, la plupart des gens envisagent la surveillance de masse en termes de contenu, c'est-à-dire qu'ils l'associent aux mots qu'ils emploient lorsqu'ils passent un appel ou écrivent un e-mail. Et lorsqu'ils constatent que les autorités ne s'intéressent pas au contenu, ils cessent de s'intéresser à la surveillance gouvernementale. Ce soulagement est d'une certaine manière compréhensible en raison de ce que chacun de nous considère comme la nature unique, pertinente et intime de nos communications : le son de notre voix, presque aussi caractéristique que l'empreinte de notre pouce ou l'expression inimitable de notre visage quand nous envoyons un selfie. Mais hélas, la teneur de nos communications en dit rarement autant sur nous que d'autres éléments qui restent tacites. Je veux parler des informations qui ne sont pas dites ni écrites mais qui permettent néanmoins de révéler un contexte plus large et des modèles de comportements.

La NSA appelle cela des « métadonnées », le préfixe « méta », traditionnellement traduit par « au-dessus » ou « au-delà », est ici utilisé dans le sens d'« à propos » : des données à propos d'autres données, des données issues elles-mêmes de données, un ensemble de marqueurs rendant ces données utiles. La façon la plus simple de se représenter les métadonnées est de les envisager comme des « données d'activité », c'est-à-dire l'enregistrement de toutes les choses que vous faites avec vos appareils et tout ce que ces derniers font d'eux-mêmes. Imaginons que vous téléphoniez à quelqu'un depuis votre portable. Les métadonnées peuvent alors inclure la date et l'heure de votre conversation, la durée de l'appel, le numéro de l'émetteur, celui du récepteur, et l'endroit où l'un et l'autre se trouvent. Les métadonnées d'un e-mail peuvent indiquer le genre d'ordinateur utilisé, le nom de son propriétaire, le lieu depuis lequel il a été envoyé, qui l'a reçu, quand il a été expédié et quand il a été reçu, qui l'a éventuellement lu en dehors de son auteur et de son destinataire, etc. Les métadonnées peuvent permettre à celui qui vous surveille de connaître l'endroit où vous avez passé la nuit et à quelle heure vous vous êtes réveillé ce matin-là. Elles permettent de retracer ce que fut votre parcours dans la journée, combien de temps vous avez passé dans chaque endroit visité et avec qui vous avez été en contact.

Tout cela vient contredire l'affirmation gouvernementale selon laquelle les métadonnées ne constitueraient pas un accès direct à nos communications. Vu le nombre vertigineux de messages numériques échangés dans le monde, il est tout bonnement impossible d'écouter tous les appels téléphoniques et de lire tous les e-mails. Et même si c'était faisable, ça ne servirait à rien car les métadonnées, en opérant un tri, rendent la tâche inutile. Voilà pourquoi il ne faut pas envisager les métadonnées comme des abstractions inoffensives mais comme l'essence même du contenu : elles sont précisément la première source d'information exigée par celui qui vous surveille.

Par ailleurs : le « contenu » est généralement défini comme quelque chose que vous produisez consciemment. Vous savez parfaitement ce que vous dites au téléphone ou ce que vous écrivez dans un e-mail. En revanche, vous ne contrôlez pas, ou à peine, les métadonnées que vous générez automatiquement. C'est une machine qui les fabrique sans vous demander votre participation ni votre autorisation, et c'est aussi une machine qui les recueille, les archive et les analyse. À la différence des êtres humains avec qui vous communiquez de votre plein gré, vos appareils ne cherchent pas à dissimuler les informations privées et n'utilisent pas de mots de passe par mesure de discrétion. Ils se contentent d'envoyer un ping à l'antenne-relais la plus proche à l'aide de signaux qui ne mentent jamais.

Comble de l'ironie, la législation, qui a toujours au moins une génération de retard sur les innovations technologiques, protège bien mieux la teneur d'un message que ses métadonnées – et cela même si les agences de renseignement s'intéressent beaucoup plus à ces dernières –, qui leur permettent d'avoir à la fois une vue d'ensemble en analysant les données à grande échelle, et une vue détaillée en réalisant les cartographies précises, les chronologies et les synthèses associatives de la vie d'un individu, à partir desquelles ils extrapolent des prédictions comportementales. En somme, les métadonnées peuvent appendre à celui qui vous surveille pratiquement tout ce qu'il a envie ou besoin de savoir sur vous, à l'exception de ce qui se passe dans votre tête.

Après la lecture de ce rapport, j'ai passé des semaines, voire des mois, dans un état second. J'étais triste et déprimé, j'essayais de nier ce que je ressentais et pensais. Telle était mon humeur alors que mon séjour au Japon tirait à sa fin.

Je me sentais loin de chez moi mais sous surveillance. Je me sentais plus adulte et responsable que jamais mais ça m'affligeait de me dire que nous avions tous été infantilisés et que nous devrions désormais passer notre vie entière soumis à une autorité omnisciente. J'avais l'impression d'être un imposteur qui se cherchait des excuses pour expliquer à Lindsay mon air maussade. Je me sentais con : j'étais prétendument compétent en informatique et j'avais participé à mettre en place un élément essentiel de ce système dont l'objectif m'échappait. Je me sentais utilisé, un membre de la communauté du renseignement qui se rendait compte seulement maintenant que depuis le début, il ne défendait pas son pays mais l'État. Plus que tout, je me sentais abusé. Et résider au Japon n'avait fait qu'accentuer ce sentiment de trahison.

Je m'explique.

J'avais appris suffisamment de japonais à la fac, en regardant des dessins animés ou en lisant des mangas pour me débrouiller dans la vie de tous les jours mais pour lire, c'était une autre histoire. En japonais, chaque mot peut être représenté par un *kanji*, c'est-à-dire un caractère ou une combinaison de caractères. Il en existe des dizaines de milliers et j'étais bien incapable de les apprendre tous par cœur. Je n'arrivais bien souvent à les interpréter que s'ils étaient accompagnés d'un *furigana*, leur marqueur phonétique généralement destiné aux jeunes lecteurs ou aux étrangers mais qui ne figurent pas sur les inscriptions publiques et les panneaux indicateurs. Du coup, j'étais un analphabète lâché dans la nature. Je passais mon temps à me perdre, je tournais à droite quand je voulais tourner à gauche, ou l'inverse. J'errais dans des rues qui n'étaient pas celles où je devais aller et au restaurant, je commandais n'importe quoi. J'étais un étranger, voilà tout, souvent perdu, à plus d'un titre. Il m'arrivait d'accompagner Lindsay dans ses expéditions photographiques à la campagne et de me figer brusquement, au milieu d'un bois ou d'un village, en m'apercevant que je ne connaissais absolument rien à mon environnement.

En revanche, on savait tout sur moi. Je prends conscience aujourd'hui que pour mon gouvernement, j'étais un homme transparent. Le portable qui me permettait de m'orienter et me corrigeait quand je me trompais de direction, qui me traduisait les panneaux indicateurs et me donnait les horaires des bus et des trains, veillait également à ce que mes patrons connaissent mes moindres faits et gestes. Mon téléphone leur indiquait quand je m'étais trouvé à tel ou tel endroit sans même que j'aie eu besoin de le toucher ou de le sortir de ma poche.

Je me souviens avoir ri jaune lorsque Lindsay et moi nous sommes égarés un jour de balade. Alors que je ne lui avais parlé de rien, elle m'a lancé : « Et si tu envoyais un texto à Fort Meade pour leur demander notre position géographique ? » Elle continuait à plaisanter, et j'essayais de trouver ça drôle, mais je n'y arrivais pas.

J'allais par la suite m'installer à Hawaï et habiter près de Pearl Harbor, le site où furent attaqués les États-Unis avant d'être entraînés dans ce qui aurait pu être leur dernière guerre juste. Ici, au Japon, j'étais beaucoup plus près d'Hiroshima et de Nagasaki, où ce conflit mondial s'était conclu de façon ignoble. Avec Lindsay, nous avions à plusieurs reprises eu l'intention de visiter ces deux villes mais c'était à chaque fois tombé à l'eau. À l'occasion d'un de mes premiers jours de repos, nous nous apprêtions à traverser l'île d'Honshu vers le sud, jusqu'à Hiroshima quand j'ai eu un coup de fil du boulot me demandant de faire demi-tour et de rejoindre la base aérienne de Misawa, dans le Nord glacé. Notre deuxième tentative s'est elle aussi soldée par un échec car nous sommes tous les deux tombés malades. Enfin, la veille du jour où nous devions aller à Nagasaki, nous avons été réveillés par notre premier tremblement de terre d'envergure. Nous avons sauté de notre futon et dévalé sept étages pour passer la nuit dehors, en compagnie des voisins, frissonnant dans nos pyjamas.

Je regrette sincèrement de ne pas y être allé. Ces endroits sont sacrés, leurs mémoriaux honorent les 200 000 personnes calcinées et les innombrables personnes empoisonnées par les retombées radioactives, et nous rappellent la part sombre de nos technologies.

Je pense souvent à ce qu'on appelle le « moment atomique », qui désigne en physique l'instant où les neutrons et les protons s'agrègent au noyau d'un atome autour duquel ils tournaient, mais que l'on emploie aussi pour parler de l'avènement de l'ère du nucléaire. Les isotopes ont permis des progrès dans les domaines de la production énergétique, de l'agriculture, du traitement de l'eau ainsi que dans le diagnostic et le traitement de maladies mortelles. Ils sont aussi à l'origine de la bombe atomique.

En technologie, il n'existe pas d'équivalent au serment d'Hippocrate. Depuis la révolution industrielle au moins, c'est le pragmatisme et non la morale qui a présidé à la prise de la plupart des décisions, que ce soit à l'Université, dans l'industrie, dans l'armée ou au sein du gouvernement. Et l'intention qui se trouve à l'origine d'une invention technologique en limite rarement, sinon jamais, l'usage et le champ d'application.

Loin de moi l'idée de vouloir comparer les armes nucléaires et la cyber-surveillance en termes de coût humain. On relève néanmoins des points communs entre les deux lorsqu'il s'agit de prolifération et de désarmement.

À ma connaissance, les seuls pays qui avaient déjà pratiqué la surveillance de masse étaient deux acteurs essentiels de la Seconde Guerre mondiale – l'un était un ennemi des États-Unis, et l'autre un allié. Dans l'Allemagne nazie comme en Union soviétique, cette surveillance de masse a d'abord revêtu l'aspect anodin d'un recensement, c'est-à-dire le décompte et l'enregistrement statistique de la population. Le premier recensement général organisé en 1926 par l'Union soviétique avait également un autre objectif puisque les gens étaient tenus d'indiquer leur nationalité. Ses résultats démontrèrent aux Russes ethniques, qui formaient l'élite soviétique, qu'ils étaient minoritaires face à la masse de citoyens se réclamant de l'héritage d'Asie centrale tels que les Ouzbeks, les Kazakhs, les Tadjiks, les Turkmènes, les Azéris, les Géorgiens et les Arméniens. Voilà qui renforça significativement la détermination de Staline d'en finir avec leurs cultures et de « rééduquer » ces populations à l'aide de l'idéologie « hors sol » du marxisme-léninisme.

Le recensement nazi de 1939 poursuivait le même objectif statistique mais bénéficiait de l'assistance de la technologie informatique. Il s'agissait de compter la population du Reich afin de mieux la contrôler et de la purger – en éliminant principalement les Juifs et les Roms – avant de s'en prendre aux peuples étrangers. À cet effet, le Reich s'est associé à Dehomag, une succursale allemande d'IBM qui détenait le brevet de la machine à cartes perforées, une espèce de calculateur analogique qui comptait le nombre de trous percés dans chaque carte. À chaque individu correspondait une carte perforée, certains trous faisant office de marqueurs identitaires. C'est ainsi que la colonne 22 concernait la religion et que le trou n° 1 correspondait à « protestant », le trou n° 2 à « catholique » et le trou n° 3 à « juif ». Peu de temps après, le résultat du recensement fut utilisé pour identifier les Juifs d'Europe et les déporter dans les camps de la mort.

Aujourd'hui, un smartphone ordinaire possède à lui seul des capacités de calcul plus importantes que celles dont disposaient ensemble les machines de guerre du troisième Reich et celle de l'Union soviétique réunies. Il convient de ne pas l'oublier si l'on veut replacer dans son contexte la domination informatique des services de renseignement américains modernes mais aussi la menace qu'elle fait peser sur la démocratie. Il s'est presque écoulé cent ans depuis ces recensements et si la technologie a fait des progrès stupéfiants, on ne peut pas en dire autant de la législation ou des scrupules humains susceptibles de les encadrer.

Bien entendu, les États-Unis procèdent aussi au recensement de leur population. La Constitution américaine en avait institué le principe de manière à ce que chaque État envoie à la Chambre des représentants une délégation proportionnelle au nombre de ses habitants. C'était un principe qui rompait avec le passé dans la mesure où les pouvoirs autoritaires, y compris celui de la monarchie britannique qui gouvernait les colonies américaines, se servaient traditionnellement des recensements pour fixer le montant des impôts et déterminer le nombre de jeunes hommes à enrôler dans les forces armées. Le coup de génie de la Constitution fut de transformer ce qui était un instrument d'oppression en un organe de la démocratie. Il fut décidé de procéder à un recensement décennal – car c'était alors à peu près le laps de temps nécessaire au traitement des données – placé officiellement sous l'autorité du Sénat. Le premier recensement fut donc organisé en 1790. Un siècle plus tard, en 1890, des machines à calculer furent pour la première fois utilisées (qui étaient les prototypes des appareils vendus ultérieurement par IBM à l'Allemagne nazie). Elles permettaient d'aller deux fois plus vite dans le traitement et l'analyse des données.

La technologie numérique ne s'est pas contentée de rationaliser ce décompte, elle l'a carrément rendu obsolète. La surveillance de masse s'apparente en effet désormais à un recensement en continu, et qui est considérablement plus dangereux que n'importe quel questionnaire envoyé par la poste. Nos appareils, téléphones portables ou ordinateurs, font tous office d'agents recenseurs miniatures que nous transportons sur nous ou dans notre sac à dos, des agents recenseurs qui se souviennent de tout et ne pardonnent rien.

C'est au Japon que j'ai personnellement connu mon « moment atomique ». Lors de mon séjour, j'ai en effet compris où ces nouvelles technologies étaient en train de nous mener. Si les gens de ma génération n'intervenaient pas, ça s'aggraverait. Il serait tragique de nous en apercevoir quand il serait trop tard pour réagir. Les générations à venir seraient alors obligées de composer avec un monde dans lequel la surveillance ne serait pas quelque chose d'occasionnel et qui s'exercerait dans un cadre légal mais une réalité de tous les instants obéissant à une logique aveugle : celle de l'oreille qui écouterait tout, de l'œil à qui rien n'échapperait, de la mémoire permanente qui ne s'accorderait aucun moment de repos.

Une fois que l'omniprésence de la collecte serait associée à la permanence de l'archivage, les gouvernements n'auraient plus qu'à choisir une personne ou un groupe pour les accuser et chercher les preuves opportunes – tout comme je le faisais, quand je cherchais dans les fichiers de l'agence.

17

La maison sur le *cloud*

E n 2011, j'étais de retour aux États-Unis. Je travaillais toujours officiellement pour Dell mais dépendais désormais de ma bonne vieille agence, la CIA. J'avais pris mes nouvelles fonctions par une belle journée de printemps et en rentrant chez moi, ça m'a amusé de constater que je venais d'emménager dans une maison qui possédait une boîte aux lettres. Rien de particulier, un grand rectangle divisé en compartiments, comme on en voit devant toutes les maisons de ville, mais je n'ai pas pu m'empêcher de sourire. Ça faisait des années que je n'avais pas eu de boîte aux lettres et je n'avais encore jamais relevé celle-ci. Je ne l'aurais peut-être même pas remarquée si elle n'avait pas débordé de courriers publicitaires – coupons de réduction, prospectus pour produits ménagers – adressés à « M. Edward J. Snowden ou le résident actuel ». Quelqu'un savait que je venais d'emménager.

Je me suis souvenu que dans mon enfance, j'avais un jour relevé le courrier et trouvé une lettre adressée à ma sœur. Ma mère m'avait interdit de l'ouvrir.

Je lui avais demandé pourquoi. « Parce qu'elle ne t'est pas adressée », m'avait-elle répondu. Elle m'avait expliqué que ce n'était pas bien d'ouvrir le courrier des autres même si c'était une simple carte d'anniversaire. À dire vrai, c'est même un délit.

J'ai voulu savoir de quel genre de délit elle parlait. « D'un délit grave, mon bonhomme, avait répondu ma mère. Un crime fédéral. »

Debout sur le parking devant la maison, j'ai déchiré les enveloppes et je suis allé les mettre à la poubelle.

Un nouvel iPhone se trouvait dans la poche de mon nouveau costard Ralph Lauren. J'avais des nouvelles lunettes Burberry, une nouvelle coiffure, les clés de cette nouvelle maison située à Columbia, dans le Maryland, le logement le plus vaste que j'avais jamais eu de toute ma vie et le premier où je me sentais vraiment chez moi. J'étais riche, ou du moins mes amis le croyaient. J'avais du mal à me reconnaître.

J'avais décidé qu'il valait mieux vivre dans le déni et gagner de l'argent pour améliorer les conditions de vie de ceux que j'aimais – au fond, n'était-ce pas là ce que faisaient la plupart des gens ? Sauf que c'était plus facile à dire qu'à faire. Je veux dire, vivre dans le déni. L'argent ? Il rentrait facilement, au point que je me sentais coupable.

En incluant mon séjour à Genève et sans tenir compte des allers-retours aux États-Unis, j'avais pratiquement passé quatre ans à l'étranger. Le pays dans lequel je revenais me semblait différent. Je n'irais pas jusqu'à dire que je m'y sentais étranger mais j'étais souvent largué quand je discutais avec quelqu'un. Les gens parlaient de films ou de séries dont le nom ne me disait rien, ou de scandales de stars dont je me moquais éperdument, et j'étais incapable de leur répondre – je n'avais rien à leur raconter.

J'étais assailli de pensées contradictoires qui me tombaient dessus comme des blocs de *Tetris* et je luttais pour y mettre de l'ordre. Aie pitié de ces pauvres gens, me disais-je, ils sont gentils et innocents – ce sont des victimes surveillées par le pouvoir, tenues à l'œil par les mêmes écrans qu'elles idolâtrent. Et l'instant d'après, je me ressaisissais : ferme-la, arrête un peu ton cinéma – ils sont heureux, ils s'en fichent et d'ailleurs tu devrais en faire autant. Grandis, bosse et paie tes factures. C'est ça, la vie.

Mener une vie normale, voilà ce dont on avait envie, avec Lindsay. On était prêts à passer à l'étape suivante et on avait décidé de nous fixer. Derrière la maison, il y avait un joli jardin avec un cerisier qui me rappelait un endroit sur les rives du Tama où Lindsay et moi avions ri en nous roulant dans les fleurs de sakura qui tapissaient le sol.

Lindsay allait décrocher son brevet de monitrice de yoga. De mon côté, j'étais en train de m'adapter à mon nouveau poste – j'étais devenu commercial.

L'un des fournisseurs extérieurs avec qui j'avais travaillé sur EPICSHELTER s'est retrouvé chez Dell et m'a convaincu que c'était du gâchis d'être rémunéré à l'heure. Je devrais plutôt travailler dans le service commercial de Dell, où je pourrais me faire une fortune en vendant des trucs comme EPICSHELTER, m'avait-il dit. Je gravirais alors très vite les échelons au sein de l'entreprise, et de son côté il toucherait une prime intéressante. Je me suis d'autant plus facilement laissé convaincre que ça me permettrait d'oublier un peu le malaise qui me gagnait et ne pouvait que m'attirer des ennuis. Je suis donc devenu consultant solutions, ce qui signifiait que j'avais pour mission de résoudre les problèmes créés par mon nouveau collègue, le chargé de clientèle, que j'appellerai Cliff.

Cliff était censé être le visage et moi le cerveau. Lors de nos réunions avec les acheteurs de la CIA et leurs collègues chargés de la redevance technique, il avait pour tâche de vendre par tous les moyens des équipements et de la compétence Dell. Il lui fallait pour ça promettre aux gens de la CIA de faire pour eux des choses dont nos concurrents seraient bien incapables (et nous aussi, en définitive). Quant à moi, je dirigeais un groupe d'experts chargés de trouver les moyens de minimiser l'importance des mensonges de Cliff afin que nous ne terminions pas tous derrière les barreaux lorsque celle ou celui qui aurait signé le chèque appuierait sur le bouton « Marche ».

Pas de pression.

Notre but était d'aider la CIA à rattraper son retard en matière de technologies de pointe – ou du moins par rapport aux normes techniques de la NSA – en mettant au point un « *cloud* privé ». Il s'agissait de réunir les activités d'analyse et de stockage de la CIA tout en multipliant les façons d'accéder aux données. Autrement dit, nous voulions faire en sorte que quelqu'un qui dormait sous la tente en Afghanistan puisse faire exactement le même boulot qu'un autre qui se trouvait au quartier général de la CIA. L'agence, ainsi d'ailleurs que les responsables techniques de la communauté du renseignement, ne cessait de se plaindre des « silos[1] » et du fait d'avoir des milliards de données disséminées dans le monde entier sans savoir où elles se trouvent exactement ni pouvoir y accéder. J'étais donc à la tête d'une équipe composée de gens extrêmement brillants ayant pour mission de faire en sorte que n'importe qui, n'importe où, puisse consulter n'importe quelle donnée.

Pendant la phase consacrée à la démonstration de faisabilité, notre *cloud* s'est appelé provisoirement « Frankie ». Je n'y peux rien : nous autres techniciens l'appelions tout simplement « le *cloud* privé », mais Cliff lui avait donné ce nom alors que nous en faisions une démonstration en présence de gens de la CIA. Ils allaient bien l'aimer, notre petit Frankenstein, avait-il affirmé, « car c'est un véritable monstre ».

Plus Cliff multipliait les promesses, plus j'avais de pain sur la planche. Il ne restait à Lindsay et moi que les week-ends pour voir nos parents et nos vieux amis. Nous avions l'intention de meubler et d'équiper notre nouveau logement. Cette maison de deux étages était vide quand nous nous y étions installés, et il fallait donc tout acheter, ou du moins acheter tout ce que nos parents ne nous avaient pas généreusement donné. Nous nous comportions comme des adultes mais en même temps, ça en disait long sur ce qui était prioritaire chez nous : si nous nous sommes effectivement acheté des assiettes, des couverts, un bureau et une chaise, nous avons malgré tout continué à dormir sur un matelas posé à même le sol... Comme j'étais devenu allergique aux cartes de crédit qui vous suivent à la trace, nous avons réalisé tous nos achats en les payant comptant et en réglant en espèces. Quand il nous

---

1. En informatique, un silo est un dispositif fournissant ou recevant de l'information. (NdT.)

a fallu une voiture, j'ai acquis une Acura Integra de 1998 pour 3 000 dollars, pour laquelle l'ancien propriétaire avait fait passer une petite annonce. C'était très bien de gagner de l'argent mais Lindsay et moi n'aimions pas le dépenser sauf pour nous payer du matériel informatique ou lors de grandes occasions. C'est ainsi que pour la Saint-Valentin, je lui ai offert le revolver dont elle avait toujours rêvé.

Notre nouvelle maison se trouvait à moins d'une demi-heure de voiture d'une dizaine de centres commerciaux, y compris celui de Columbia qui, sur près de quinze hectares, abritait plus de 200 boutiques et magasins, un complexe multisalles AMC, un P. F. Chang[2] et une Cheesecake Factory. Lorsque nous sillonnions ces routes bien connues au volant de notre Integra, je trouvais impressionnant que cette région se soit autant développée pendant mon absence mais ça me laissait aussi quelque peu songeur. Après les attentats du 11 Septembre, les dépenses frénétiques du gouvernement avaient assurément permis à quantité d'entreprises, de commerces et de gens du coin de se remplir les poches. Il était troublant de revenir aux États-Unis et de constater une fois de plus que cette région nageait dans l'opulence et était devenue un temple de la consommation – il n'y avait qu'à voir le nombre de grandes surfaces et de *showrooms* de design d'intérieur qui s'adressaient à une clientèle huppée. Et partout, on organisait des soldes, pour le President's Day, le Memorial Day, le Columbus Day, le jour de l'Indépendance ou celui des anciens combattants. Les dernières soldes s'affichaient sur des banderoles festives à côté des drapeaux américains.

Nous avions ce jour-là consacré l'après-midi à l'achat d'appareils ménagers à Best Buy. Après avoir choisi un nouveau micro-ondes, nous examinions les mixeurs sur l'insistance avisée de Lindsay. Elle avait d'ailleurs dégainé son portable pour rechercher sur Internet ceux qui étaient les mieux notés. Pendant ce temps, j'en ai profité pour aller faire un tour du côté des ordinateurs, tout au fond du magasin.

---

2. Chaîne de restaurants asiatiques. (NdT.)

Mais je me suis arrêté en cours de route. Au bout du rayon des accessoires de cuisine, un frigo rutilant trônait sur une espèce d'estrade illuminée. Disons plutôt qu'il s'agissait d'un « *smart-fridge* », puisqu'on expliquait qu'il bénéficiait d'un « équipement Internet ».

J'en suis resté baba.

Devant ma stupéfaction, un vendeur s'est approché. Il a dû croire que cet appareil m'intéressait. « C'est incroyable, n'est-ce pas ? » Il m'a alors fait une démonstration de ses fonctionnalités. Sur la porte du réfrigérateur se trouvaient un écran et un petit étui abritant un minuscule stylet avec lequel on pouvait griffonner des messages. Il était également possible d'enregistrer des mémos audio ou vidéo, et l'écran permettait de se servir du frigo comme d'un ordinateur puisqu'il avait le wifi. On pouvait donc l'utiliser pour lire ses e-mails ou consulter son calendrier, regarder des clips sur YouTube ou écouter des MP3, et même téléphoner. Je me suis retenu de composer le numéro de Lindsay pour lui annoncer : « Je t'appelle depuis un frigo. »

L'ordinateur intégré enregistrait la température du domicile et comme il lisait les codes-barres, on pouvait vérifier si ce qu'il y avait dans le réfrigérateur était encore assez frais pour être consommé. Il allait jusqu'à donner des informations sur les qualités nutritionnelles des divers produits et proposer des recettes. Ce réfrigérateur coûtait plus de 9 000 dollars. « Livraison comprise », précisa le vendeur.

Je ne savais pas trop quoi en penser quand j'ai pris la voiture pour rentrer. Sur la route, je restais silencieux. Ce n'était pas vraiment la révolution informatique qu'on nous avait promise. Si ce frigo était relié à Internet, c'était évidemment pour qu'il puisse transmettre au fabricant des renseignements sur l'usage qu'en faisait son propriétaire, ainsi que toutes les autres données qu'il pouvait recueillir sur son foyer. Le fabricant n'avait plus ensuite qu'à vendre ces mêmes données. Et on était supposé payer pour ce privilège.

À quoi bon me mettre dans tous mes états concernant la surveillance exercée par le pouvoir si mes amis, mes voisins et mes concitoyens ne demandaient qu'à inviter les grosses sociétés à les épier chez eux et leur permettaient de regarder aussi efficacement dans leurs placards que s'ils naviguaient sur Internet ? Nous n'avions plus que cinq ans à attendre avant la révolution domotique, avant l'arrivée dans les chambres à coucher des « assistants virtuels » tels qu'Amazon Echo et Google Home, fièrement installés sur les tables de nuit et prêts à enregistrer et à transmettre toutes les activités pratiquées à portée, consignant les habitudes et les préférences (sans parler des fétiches et des obsessions) avant qu'elles ne soient converties en algorithmes publicitaires et transformées en cash. Les données que nous générons rien qu'en existant – rien qu'en nous laissant surveiller au cours de notre existence –, allaient dans le même temps enrichir les grandes entreprises privées et dépouiller notre vie. Tout comme la surveillance gouvernementale assujettissait les citoyens, qui se trouvaient à la merci du pouvoir étatique, la surveillance des grandes entreprises transformait le consommateur en produit que ces mêmes corporations vendaient à des homologues, des courtiers de données et des annonceurs.

Pendant ce temps, toutes les grosses sociétés d'informatique, y compris Dell, lançaient des versions grand public de ce sur quoi je travaillais pour le compte de la CIA, à savoir un *cloud*. (À vrai dire, Dell avait même essayé de déposer quatre ans plus tôt l'expression « *cloud computing* », sans succès). Je n'en revenais pas de voir les gens y souscrire allègrement, tellement excités de se dire que leurs photos, leurs vidéos, leur musique et leurs livres numériques allaient être dupliqués et que tout le monde pourrait y avoir accès qu'ils ne se demandaient jamais vraiment pour quelle raison ce mode de stockage pratique et si sophistiqué était « gratuit » ou du moins « bon marché ».

Je ne crois pas avoir jamais vu auparavant un concept remporter un tel succès. Ce *cloud*, Dell le vendait à la CIA ou bien aidait Amazon, Apple et Google à le fourguer à leurs utilisateurs. J'entends encore Cliff expliquer à un cadre de la CIA qu'avec le *cloud*, il pourra lancer une mise à jour de sécurité sur tous les ordinateurs de l'agence à travers le monde, et qu'avec le *cloud*, la CIA sera en mesure de savoir qui sur terre a lu tel ou tel fichier. Ce « nuage » qui flottait au-dessus de la mêlée était blanc, cotonneux et pacifique. Si l'accumulation de nuages annonçait l'orage, un nuage isolé nous procurait de l'ombre et avait un côté rassurant. Je crois que tout le monde le percevait comme une sorte de paradis.

Dell, comme les plus importantes sociétés privées qui s'appuyaient sur le *cloud* (Amazon, Apple et Google), voyait son essor comme un nouvel âge informatique. Mais sur le plan conceptuel au moins, il marquait un retour au vieux système des débuts de l'informatique, qui reposait sur la dépendance des utilisateurs à une unité centrale puissante que seule une élite de cadres et de professionnels était capable d'entretenir. Or ce modèle « impersonnel » n'avait été abandonné que depuis une génération, lorsque des entreprises comme Dell avaient mis au point des ordinateurs « personnels » assez bon marché et faciles à utiliser pour attirer le commun des mortels. Cette renaissance s'était traduite par l'apparition des ordinateurs de bureau, des ordinateurs portables, des tablettes et des smartphones, autant d'appareils qui offraient à chacun de nous la possibilité de créer une multitude de choses. Seul problème : comment stocker tout ça ?

C'est alors qu'on a assisté à la genèse du « *cloud computing* ». Le genre d'ordinateur personnel dont vous disposiez n'avait plus vraiment d'importance car les véritables ordinateurs dont vous dépendiez étaient entreposés dans les énormes *data centers* installés par les entreprises travaillant avec le *cloud* un peu partout dans le monde. C'étaient en quelque sorte des nouvelles unités centrales, des rangées entières de casiers de stockage abritant des serveurs identiques et reliés pour que chacun d'eux agisse au sein d'un système informatique collectif. La perte d'un serveur isolé ou même d'un *data center* entier n'était pas grave car il ne s'agissait que d'une gouttelette au milieu du nuage global.

Pour l'utilisateur de base, ce *cloud* n'est autre qu'un dispositif de stockage grâce auquel vos données ne sont pas archivées sur votre appareil mais sur toute une gamme de serveurs différents que diverses sociétés privées sont en droit d'acquérir et de faire fonctionner. Résultat, vos données ne vous appartiennent plus vraiment, elles sont contrôlées par des entreprises qui peuvent s'en servir pour faire pratiquement n'importe quoi.

Lisez les termes du contrat de service qui s'applique au stockage sur le *cloud*. D'une année à l'autre, il vous est possible d'archiver davantage de données. Aujourd'hui par exemple, vous pouvez conserver plus de 6 000 mots, soit à peu près deux chapitres de ce livre. Choisir de stocker ses données en ligne revient souvent à en céder les droits. Les entreprises du *cloud* sont libres de garder ou de supprimer les données qu'on leur confie suivant que ça leur plaît ou non. Dans le second cas, les données seront perdues à jamais si l'on n'en a pas conservé un double sur notre propre ordinateur ou disque dur. Si certaines de nos données les dérangent ou contreviennent aux termes du contrat de service, les entreprises du *cloud* peuvent fermer notre compte et refuser de nous laisser consulter nos données tout en en conservant un double dans leurs archives, qu'il leur est ensuite possible de remettre aux autorités sans nous avertir ni nous demander notre autorisation. Finalement, le caractère privé de nos données dépend de l'entreprise qui les détient. Il n'existe pas de propriété moins protégée, ni pourtant de propriété plus privée.

L'Internet de mon enfance, avec qui j'ai grandi, était en train de disparaître, et ma jeunesse avec. L'acte même d'aller sur Internet, qui autrefois était une aventure, était devenu fastidieux. L'expression personnelle requérait désormais une telle autoprotection qu'il était difficile d'y prendre plaisir. Lorsqu'on envoyait un message, ce n'était pas la créativité qui comptait, mais la sécurité. Chaque opération représentait un danger potentiel.

Pendant ce temps, le secteur privé profitait de la confiance placée dans la technologie pour consolider le marché. La majorité des Américains qui se servaient d'Internet passaient toute leur vie numérique à lire, à envoyer des e-mails et à fréquenter les réseaux sociaux et les plateformes de commerce électronique détenus par un trio impérial (Google, Facebook et Amazon). Les services de renseignement américains essayaient de tirer profit de cet état de fait en obtenant un accès à leurs réseaux, que ce soit via des ordres directs cachés au public ou en se livrant à des manœuvres clandestines ignorées de ces sociétés elles-mêmes. Les données des utilisateurs généraient d'énormes profits pour les entreprises et étaient pillées sans complexe par le gouvernement. Je ne pense pas m'être jamais senti si impuissant.

Et puis je ressentais autre chose. J'avais à la fois le sentiment de partir à la dérive et d'assister à une violation de ma vie privée – comme si j'étais disséminé sur des serveurs à travers le monde et qu'en même temps on avait abusé de ma gentillesse en s'introduisant dans mon intimité. Tous les matins, en allant au travail, je saluais de la tête les caméras de surveillance qui montaient la garde dans notre lotissement. Auparavant je n'y prêtais pas attention mais désormais, quand sur la route un feu passait au rouge, je ne pouvais pas m'empêcher de penser à son vilain capteur électronique qui regardait si j'allais le brûler ou m'arrêter. Les lecteurs de plaques minéralogiques enregistraient mes allées et venues même quand je respectais les limitations de vitesse.

Aux États-Unis, les lois fondamentales ne sont pas faites pour simplifier la tâche de la police, au contraire. Loin d'être un raté, c'est l'une des caractéristiques essentielles de la démocratie. Dans le système qui prévaut, les organismes chargés de faire respecter la loi doivent nous protéger les uns des autres. On attend aussi des tribunaux qu'ils limitent ce pouvoir quand ils en abusent, et permettent aux victimes d'une injustice causée par l'un de ceux qui sont autorisés à vous arrêter, à vous détenir et à faire usage de la force (y compris létale), d'obtenir réparation. L'une des plus importantes de ces restrictions concerne l'interdiction faite aux forces de l'ordre de surveiller les gens lorsqu'ils se trouvent sur leur propriété et de s'emparer d'enregistrements privés sans disposer d'un mandat. Il n'existe en revanche guère de dispositions légales restreignant la surveillance dans l'espace public, qui englobe notamment la plupart des rues et des trottoirs de ce pays.

Les caméras qui surveillent l'espace public avaient au départ un rôle dissuasif et étaient destinées à aider les enquêteurs à retrouver les coupables après un crime. Le prix de ces appareils ne cessant de baisser, on a commencé à en voir fleurir un peu partout et leur rôle est devenu préventif, les forces de l'ordre s'en servant pour pister des gens qui n'avaient rien fait de mal ou qui n'étaient même pas soupçonnés d'avoir commis quoi que ce soit de répréhensible. Avec les progrès de l'intelligence artificielle dans des domaines tels que la reconnaissance faciale et la reconnaissance des formes, le plus grand danger est devant nous. Une caméra de surveillance ne se contenterait plus alors d'enregistrer mais ressemblerait davantage à un agent de police automatisé, un véritable RoboCop à l'affût des agissements « suspects » – une scène ressemblant à un deal (deux personnes qui se serrent dans les bras ou échangent une poignée de main), ou bien des éléments laissant penser à l'appartenance à un gang (le fait de porter des vêtements d'une certaine marque ou de certaines couleurs). Dès 2011, je voyais clairement vers quoi l'informatique se dirigeait, sans que cela ne donne lieu à un débat public digne de ce nom.

Les excès auxquels nous risquions d'assister en matière de surveillance s'accumulaient dans mon esprit et laissaient présager un avenir effrayant. Un monde dans lequel tous seraient surveillés en permanence deviendrait logiquement un monde dans lequel les ordinateurs nous obligeraient, automatiquement, à respecter la moindre loi. On voit mal qu'un appareil obéissant à l'intelligence artificielle soit capable de repérer une personne enfreignant la loi sans l'obliger ensuite à rendre des comptes. Aucun algorithme policier ne serait programmé, même si c'était possible, pour faire preuve de clémence ou pour implorer le pardon.

Je me suis demandé si l'on ne voyait pas ici se réaliser enfin, mais de façon grotesque, la promesse d'égalité devant la loi faite aux citoyens : chacun de nous serait logé à la même enseigne face à un système répressif complètement automatisé. J'imaginais le futur frigo intelligent qui, depuis la cuisine, surveillait mes faits et gestes et enregistrait mes habitudes, tâchant d'évaluer si je ne risquais pas de devenir un criminel tout simplement parce que je buvais mon jus d'orange à même la brique et que ne me lavais pas les mains.

Un monde où l'on ferait ainsi respecter les lois de façon complètement automatisée, que ce soit par exemple celles qui concernent les propriétaires d'animaux domestiques ou encore celles qui réglementent la possibilité de monter ou non chez soi une entreprise, serait carrément invivable. La justice poussée à l'extrême confinerait à l'extrême injustice non seulement parce que les infractions seraient toujours sévèrement punies mais aussi parce qu'il faudrait toujours appliquer les lois à la lettre. Dans toutes les grandes sociétés ayant une longue histoire, il existe des lois non écrites auxquelles tout le monde doit se conformer, ainsi qu'une multitude de lois écrites qui n'ont plus cours et dont on ignore parfois même l'existence. C'est ainsi que dans le Maryland, l'adultère est illégal et passible d'une amende de dix dollars, et qu'en Caroline du Nord, la loi n° 14-309.9 interdit que les parties de bingo durent plus de cinq heures. Ces dispositions légales ont été adoptées à une époque autrement plus pudibonde que la nôtre et n'ont pas été abrogées pour une raison ou pour une autre. En règle générale, même si nous n'en avons pas conscience, rien n'est jamais vraiment tranché dans notre vie, et nous évoluons dans une zone grise qui nous amène à traverser la rue en dehors de passages piétons, à mettre des ordures dans la poubelle destinée aux déchets recyclables et les déchets recyclables dans la poubelle à ordures, à rouler à vélo en dehors des pistes cyclables et à « emprunter » le wifi d'un illustre inconnu afin de télécharger gratuitement un livre. Pour dire les choses simplement, un monde dans lequel on appliquerait constamment l'ensemble des lois serait un monde où chacun de nous serait un délinquant.

J'ai essayé de l'expliquer à Lindsay. Si d'ordinaire elle se montrait compréhensive vis-à-vis de mes inquiétudes, elle n'était pas prête à se couper d'Internet, ou du moins de Facebook ou d'Instagram. « Si je fais ça, me répondit-elle, je pourrai dire adieu à la photo et à mes amis. Il fut un temps où tu aimais bien être en contact avec les autres… »

Elle avait raison. Et elle avait raison de se faire du souci pour moi. Elle me trouvait tendu et stressé, ce qui était le cas, non pas à cause de mon travail, mais parce que j'avais envie de lui expliquer quelque chose dont je n'avais pas le droit de parler. Je ne pouvais pas lui dire que mes anciens collègues de la NSA étaient capables de la mettre sous surveillance et de lire les poèmes d'amour qu'elle m'envoyait par texto. Je ne pouvais pas lui dire qu'ils pouvaient accéder à l'ensemble des photos qu'elle avait prises – non seulement celles qu'elle avait rendues publiques, mais également celles qui étaient intimes. Je ne pouvais pas lui dire qu'on recueillait tous les messages qu'elle envoyait et recevait, à l'instar de chacun de nous, ce qui s'apparentait à une menace adressée par les autorités : si jamais vous n'allez plus sur Internet, on utilisera votre vie privée contre vous.

J'ai essayé de le lui faire comprendre de façon indirecte en ayant recours à une analogie. Imagine, lui dis-je, qu'en allumant ton ordinateur portable tu découvres un beau jour un tableur qui s'affiche sur le bureau.

« – Et pour quelle raison ? Je n'aime pas les tableurs.

Je ne m'attendais pas à ce qu'elle me réponde ça, je lui ai donc sorti la première chose qui me passait par la tête.

– Personne ne les aime, mais celui-là est intitulé *La Fin*.

– Mystère, mystère…

– Tu ne te rappelles pas avoir créé ce fichier mais lorsque tu l'ouvres, tu reconnais ce qu'il contient. Car on y a consigné tout, absolument tout, ce qui peut te causer du tort. La moindre information susceptible de te pourrir la vie.

Lindsay a souri.

– Je peux voir le tien ? »

Elle plaisantait mais je n'avais pas le cœur à rire. Une feuille de calcul sur laquelle on aurait noté tout ce que l'on sait sur vous représenterait un danger mortel. Imaginez un peu qu'y soient consignés tous les secrets, grands ou petits, qui peuvent faire exploser votre couple, détruire votre vie professionnelle, empoisonner jusqu'à vos relations les plus proches, de sorte que vous vous retrouviez sans amis, fauché et en taule. Le fichier indiquerait peut-être que vous avez fumé un joint la semaine dernière chez un pote ou qu'au bistrot de la fac, vous vous êtes fait un rail de coke sur l'écran de votre portable, ou encore qu'un soir de débauche, vous vous êtes envoyé la copine d'un ami qui, depuis, l'a épousée – un acte que vous regrettez tous les deux et que vous avez décidé d'un commun accord de garder pour vous. Ou bien que vous avez avorté quand vous étiez encore ado et que ni vos parents ni votre époux ne sont au courant. Ou encore que l'on y rappelle tout simplement que vous avez jadis signé une pétition ou participé à une manifestation. Chacun de nous a des choses compromettantes dissimulées au milieu des octets, que ce soit dans ses fichiers, ses e-mails ou dans les pages qu'il est allé consulter sur Internet. Or voilà que c'est maintenant le gouvernement américain qui archive tout ça.

Peu après notre petite discussion, Lindsay est venue me voir.

« – J'ai trouvé ce qu'il y aurait sur ma feuille de calcul intitulée "Destruction totale", le secret qui pourrait me coûter cher.

– Et alors ?

– Je ne te le dirai pas. »

J'ai essayé de me détendre mais je présentais de drôles de symptômes. Je faisais preuve d'une maladresse étonnante, je tombais de l'échelle sur laquelle j'avais grimpé – ça m'est arrivé à plusieurs reprises –, je me cognais aux portes. Il m'arrivait aussi de perdre l'équilibre, de laisser tomber ma cuiller, de ne pas réussir à attraper ce que je voulais, de me renverser de l'eau dessus ou de m'étouffer en la buvant. De même, lorsque je discutais avec Lindsay, je perdais parfois le fil, elle me demandait alors où j'avais la tête… On aurait dit que j'étais piégé dans un autre monde.

Un jour où j'étais allé chercher Lindsay à la fin de son cours de pole-dance, j'ai été pris de vertige. C'était le plus dérangeant des symptômes que j'avais eus jusque-là et je n'en menais pas large, Lindsay non plus d'ailleurs. Ce n'étaient pas les explications qui manquaient : régime déséquilibré, manque d'exercice, manque de sommeil… Et de mon côté, je n'étais pas à court de rationalisations : l'assiette était trop près du bord du plan de travail, l'escalier trop glissant. Je ne savais pas ce qui serait le pire : des troubles psychosomatiques quelconques ou au contraire de véritables ennuis de santé. J'ai décidé d'aller voir un médecin mais il ne pouvait pas me recevoir avant plusieurs semaines.

Un jour ou deux plus tard, sur les coups de midi, j'étais au téléphone avec un agent de sécurité de Dell quand j'ai été pris d'un grand vertige. J'ai aussitôt expliqué à mon interlocuteur que je devais le quitter, en ayant toutes les peines du monde à m'exprimer clairement, puis j'ai raccroché tant bien que mal, persuadé que j'étais en train de mourir.

Inutile de décrire la situation à ceux qui se sont déjà sentis partir, et impossible de l'expliquer aux autres. Ça vous tombe dessus en un instant, tout le reste s'efface, et faute de mieux vous vous résignez. Ma vie allait s'achever. Je me suis écroulé sur ma chaise pivotante qui s'est inclinée sous mon poids, puis je me suis évanoui.

J'étais encore assis quand j'ai repris connaissance. Le réveil posé sur mon bureau affichait 13 heures. J'étais resté inconscient moins d'une heure et pourtant j'étais épuisé, comme si je n'avais pas dormi depuis la nuit des temps.

Paniqué, j'ai voulu attraper le téléphone mais je n'y arrivais pas et ma main se refermait dans le vide. Quand j'y suis enfin parvenu, je me suis aperçu que je ne me souvenais plus du numéro de Lindsay, ou plutôt je me rappelais bien des chiffres qu'il contenait mais je ne savais plus dans quel ordre les composer.

J'ai quand même réussi à descendre tout doucement à la cuisine en m'appuyant au mur. J'ai sorti du frigo une brique de jus d'orange, je l'ai bue jusqu'au bout en la tenant à deux mains tandis qu'une bonne partie me coulait sur le menton, puis je me suis allongé par terre, la joue collée contre le lino frais, et je me suis endormi. C'est dans cet état que Lindsay m'a trouvé.

Je venais de faire une crise d'épilepsie.

Ma mère y était également sujette. Pendant un temps au moins, elle faisait de graves malaises de ce genre, avec tout ce que ça implique : bave aux lèvres, convulsions, corps qui se roule par terre jusqu'à ce qu'il s'immobilise et se rigidifie, perte de connaissance. C'était incroyable que je n'aie pas fait le rapprochement entre mes propres symptômes et ceux de ma mère, même si elle aussi refusait à l'époque de se rendre à l'évidence et mettait les chutes dont elle était victime sur le compte de la « maladresse » et d'un « manque de coordination ». Elle avait été diagnostiquée vers la fin de la trentaine et avait alors suivi un traitement pendant un laps de temps assez court avant que les crises ne cessent. Elle nous avait toujours répété à ma sœur et à moi que l'épilepsie n'était pas une maladie héréditaire. Je ne sais pas si c'était ce que lui avait expliqué le médecin ou si elle voulait nous rassurer et ne pas associer son destin au nôtre.

Il n'existe pas de dépistage de l'épilepsie. Le diagnostic s'établit quand on a eu au moins deux crises inexplicables. On en sait assez peu sur cet état. La médecine a tendance à le traiter empiriquement. Les médecins ne parlent pas d'épilepsie, mais d'épisodes épileptiques. Ils distinguent les crises partielles et les crises généralisées. La crise partielle est une activité anormale qui reste dans une partie du cerveau. Dans le second cas, la crise crée une chaîne de réactions. Les synapses s'affolent, la motricité est affectée et on perd connaissance.

L'épilepsie est vraiment un syndrome étrange qui ne se traduit pas de la même façon chez tous ceux qui en sont atteints. Si c'est le cortex auditif qui est touché, on entend des cloches. Si c'est le cortex visuel, on a un voile devant les yeux ou on voit des étincelles. Si ça concerne une aire plus centrale du cerveau, comme chez moi, on est saisi d'un grand vertige. J'ai fini par savoir détecter les signes avant-coureurs, ce qui me permettait de m'y préparer. Ces signes sont appelés « auras » dans le langage populaire de l'épilepsie, même si d'un point de vue scientifique, il s'agit déjà de la crise en elle-même. Ils représentent l'aspect proprioceptif de cette soudaine modification de l'activité électrique.

Je suis allé consulter un maximum de spécialistes – le principal avantage de travailler chez Dell, c'est que vous bénéficiez d'une couverture médicale : on m'a fait passer des scanners, des IRM, la totale. Lindsay m'a épaulé vaillamment durant toute cette période, me conduisant aux rendez-vous médicaux, rassemblant toutes les informations disponibles sur ce syndrome. Elle s'est tellement intéressée aux traitements allopathiques et homéopathiques sur Internet que ses publicités Gmail concernaient exclusivement des médicaments contre l'épilepsie.

J'étais démoralisé. Les deux institutions de ma vie, mon pays et Internet, avaient été trahies et me trahissaient à leur tour. Et voilà que maintenant mon corps s'y mettait lui aussi.

Mon cerveau avait littéralement disjoncté.

18

Sur le canapé

C'est en fin de soirée, le 1er mai 2011, que mon portable m'a alerté : un commando des Navy SEALs venait de liquider Ben Laden, localisé à Abbottabad, au Pakistan.

C'était donc fini. Le cerveau des attentats qui m'avaient conduit à m'engager dans l'armée et à travailler ensuite dans le milieu du renseignement était mort. Un type placé sous dialyse, abattu à bout portant dans les bras de l'une de ses femmes dans leur résidence, tout près de l'académie militaire la plus importante du Pakistan. Les sites d'info alternaient des cartes localisant Abbottabad et des scènes de liesse en provenance de villes américaines : les gens levaient le poing en signe de victoire, sautaient de joie, hurlaient, picolaient, se défonçaient... Même à New York on faisait la fête, ce qui est exceptionnel.

J'ai éteint mon portable. Je n'avais tout simplement pas envie de participer aux réjouissances. J'étais évidemment ravi que cet enfoiré soit mort. Mais ça m'a laissé songeur, j'avais l'impression qu'un cycle s'achevait.

Dix ans. C'est le temps qui s'était écoulé depuis que ces deux avions s'étaient écrasés sur les Twin Towers. Qu'est-ce que ça nous avait rapporté ? Qu'avions-nous réalisé concrètement ces dix dernières années ? Je me suis assis sur le canapé hérité de ma mère et j'ai regardé par la fenêtre un voisin qui klaxonnait au volant de sa voiture à l'arrêt. Je n'arrivais pas à m'ôter de la tête l'idée que j'avais gâché la dernière décennie de ma vie.

À l'initiative des Américains, les années 1990 avaient connu leur lot de catastrophes : une guerre interminable en Afghanistan, un funeste changement de régime en Irak, les détentions sans fin à la prison de Guantanamo, les extraditions exceptionnelles, la torture, l'assassinat ciblé de civils – y compris de civils américains – *via* des attaques de drones. Au niveau national, on ne parlait que de sécuriser le territoire, chaque jour se voyant attribuer un coefficient de menaces (Rouge-Grave, Orange-Sérieux, Jaune-Élevé), et à partir de l'adoption du *Patriot Act*, on a assisté à la lente érosion des libertés civiles, celles-là mêmes pour lesquelles nous étions censés nous battre. Les dommages cumulés étaient ahurissants et semblaient complètement irréversibles, ce qui n'empêchait pas les Américains de jubiler ce soir, à grands coups de klaxon et d'appels de phares.

La technologie numérique était en plein essor aux États-Unis lorsque le pays a été victime du plus grave attentat terroriste perpétré sur son sol, ce qui explique qu'il se soit emparé d'une bonne partie de la planète, que ça nous plaise ou non. Le terrorisme était bien entendu invoqué pour justifier l'adoption par l'État de la plupart des programmes de surveillance, à une époque où régnaient la peur et l'opportunisme. Il s'est toutefois avéré que le véritable terrorisme était précisément cette peur, cette peur instillée par un système politique prêt à user de n'importe quel prétexte pour autoriser l'usage de la force. Plus que le terrorisme, les responsables politiques craignaient de passer pour des faibles, de donner l'impression de trahir leur parti ou d'être malhonnêtes envers ceux qui avaient financé leur campagne et espéraient maintenant décrocher des contrats gouvernementaux ou liés aux produits pétroliers du Moyen-Orient. La politique de lutte contre la terreur est devenue plus puissante que la terreur proprement dite et a abouti au « contre-terrorisme », autrement dit aux gesticulations paniquées d'un pays doté d'une puissance inégalée, non contraint dans la pratique et se souciant comme d'une guigne de faire respecter la loi. Après les attentats du 11 Septembre, les divers services secrets ont été chargés d'empêcher qu'une chose pareille se reproduise – « plus jamais ça » –, ce qui était mission impossible. Dix ans plus tard, il était clair, du moins pour moi, que ce n'était pas pour répondre à des menaces précises que l'on ne cessait d'invoquer le terrorisme. C'était une tentative cynique pour faire apparaître le terrorisme comme un danger de tous les instants devant lequel un pouvoir incontestable devait faire preuve de vigilance permanente.

Au terme d'une décennie de surveillance de masse, l'informatique a prouvé qu'elle servait davantage à brider la liberté qu'à lutter contre le terrorisme. En continuant à mentir et à appliquer ces programmes, les États-Unis ne protégeaient pas grand-chose, n'avaient rien à y gagner et beaucoup à y perdre – jusqu'à ce que les différences entre « eux » et « nous » apparues après les attentats du 11 Septembre 2001 fassent de moins en moins sens.

J'ai fait toute une série de crises d'épilepsie durant la deuxième moitié de 2011, et j'ai consulté quantité de médecins dans une multitude d'hôpitaux. J'ai passé des radios et des examens, et on m'a prescrit un traitement qui m'a stabilisé physiquement mais m'empêchait d'avoir les idées claires. J'étais déprimé, léthargique et incapable de me concentrer.

Je ne savais pas combien de temps j'allais vivre dans cet « état », comme disait Lindsay, sans perdre mon travail. Comme j'étais le principal informaticien de Dell qui travaillait pour la CIA, je jouissais d'une grande flexibilité. Mon smartphone faisait office de bureau et je pouvais travailler depuis chez moi. En revanche, les réunions me posaient problème. Elles se déroulaient toujours en Virginie or j'habitais le Maryland, un État où les gens atteints d'épilepsie n'ont pas le droit de conduire. En cas de contrôle, je risquais de perdre mon permis et donc de ne plus pouvoir me rendre aux réunions, la seule chose non négociable qu'exigeait mon poste.

J'ai fini par me résigner à prendre un congé maladie et à retourner me coucher sur le canapé légué par ma mère. Il était aussi sombre que mon humeur mais enfin, il était confortable. Pendant des semaines, il a occupé une place centrale dans ma vie : c'est là que je dormais, que je lisais, que je mangeais et que je dormais à nouveau, l'endroit où je restais vautré, maussade.

Je ne me souviens pas des livres que j'ai essayé de lire mais je me souviens très bien qu'au bout d'une page, mes yeux se fermaient et que je sombrais dans les coussins. Je ne m'intéressais à rien d'autre qu'à mon état de faiblesse, à cette carcasse mal disposée qui avait été la mienne et qui s'étalait sur le tissu du canapé, immobile, à part mon doigt qui s'activait sur l'écran du portable. L'écran était la seule et unique source de lumière de la pièce.

Je faisais défiler les nouvelles sur mon téléphone puis je m'endormais, puis je retournais aux nouvelles, puis je dormais encore… Pendant ce temps, les gens qui manifestaient en Tunisie, en Libye, en Égypte, au Yémen, en Algérie, au Maroc, en Irak, au Liban et en Syrie se faisaient arrêter et torturer, à moins que des agents des services secrets des régimes concernés – des régimes qui avaient pour beaucoup bénéficié de l'aide américaine pour rester au pouvoir – ne les abattent purement et simplement dans la rue. La souffrance de cette période était immense et faisait dérailler le cycle habituel de l'info. J'assistais à des scènes de désespoir en comparaison desquelles mes combats semblaient dérisoires. Ils paraissaient mesquins, moralement et éthiquement mesquins, et trahissaient la situation d'un privilégié.

Au Moyen-Orient, la population vivait sous la menace constante de la violence ; les entreprises et les écoles avaient temporairement fermé leurs portes ; les services de traitement des déchets et d'électricité ne fonctionnaient plus. Dans certaines régions, il était impossible d'accéder à des soins médicaux, même rudimentaires. Et si par moments je doutais du bien-fondé de mes angoisses liées à la surveillance et au respect de la vie privée, il me suffisait de regarder ces foules dans les rues et d'être attentif à leurs slogans, aussi bien au Caire qu'à Sanaa, à Beyrouth, Damas ou encore Ahvaz, dans la province iranienne du Khuzestan, ainsi que dans toutes les villes qui étaient le théâtre du « printemps arabe » et du mouvement vert iranien. La foule appelait à la fin de l'oppression, de la censure et de la précarité. Ils affirmaient que dans les sociétés véritablement justes, les gens n'ont pas de comptes à rendre aux autorités, mais qu'à l'inverse le pouvoir est responsable devant le peuple. Bien que les revendications semblaient varier en fonction de la ville et même du jour, le peuple exprimait partout un rejet des régimes autoritaires et réaffirmait le principe humaniste des droits naturels et inaliénables des personnes.

Dans les systèmes autoritaires, les droits sont accordés au peuple par l'État et définis par lui. Dans un pays libre, c'est le peuple qui définit les droits et les délègue au pouvoir. Dans un cas, les individus sont tenus en sujétion et ils ne peuvent s'exprimer, célébrer leur religion, travailler, faire des études et posséder quoi que ce soit que s'ils y sont autorisés. Dans l'autre, ces individus sont des citoyens qui acceptent d'être gouvernés et doivent renouveler régulièrement la confiance qu'ils accordent au pouvoir. Cette opposition entre autoritarisme et démocratie libérale est à mon avis le principal conflit idéologique qui traverse notre époque – et non pas la pseudo-division entre l'Est et l'Ouest, ou une nouvelle guerre de religion dirigée contre l'islam ou le christianisme.

Les régimes autoritaires ne sont pas soumis à l'autorité de la loi mais à celle de dirigeants qui veulent qu'on leur obéisse, sans jamais exprimer le moindre désaccord. Les démocraties libérales ne formulent aucune exigence de la sorte mais chaque citoyen s'engage à protéger la liberté de l'autre sans considérations de race, d'origine ethnique, de croyance, de capacités, de genre ou de sexualité. Les garanties collectives, qui ne reposent pas sur la violence mais sur le consentement, favorisent en définitive l'égalitarisme, et même si la démocratie n'a pas toujours atteint cet objectif, loin de là, je n'en demeure pas moins convaincu qu'elle représente le seul mode de gouvernement permettant à chacun de nous, quelle que soit son histoire, de vivre en société avec les autres et d'être égaux devant la loi.

Cette égalité ne concerne pas seulement les droits mais aussi les libertés. En réalité, bien des droits parmi les plus précieux pour les citoyens ne sont qu'implicitement prévus par la loi. Ils se déploient dans l'espace ouvert par les limites imposées au gouvernement. C'est ainsi que les Américains ne jouissent de la liberté d'expression que parce que le pouvoir n'a pas le droit de l'entraver, et que la liberté de la presse existe pour la simple et bonne raison que les autorités n'ont pas le droit de la bâillonner. Il en va de même pour la liberté de culte et le droit de manifester.

Dans le monde contemporain, l'idée de « vie privée » renvoie à cet espace négatif ou potentiel inaccessible au gouvernement. Il s'agit d'une zone vide demeurant hors de portée de l'État et à l'intérieur de laquelle les forces de l'ordre ne peuvent s'aventurer que si elles disposent d'un mandat – non pas d'un mandat « contre n'importe qui », comme le pouvoir américain s'en est décerné un dans un objectif de surveillance de masse, mais un mandat visant quelqu'un en particulier ou délivré dans un objectif précis.

La notion de vie privée paraît creuse puisqu'elle est indéfinissable ou, au contraire, susceptible de faire l'objet d'une quantité de définitions. Chacun de nous sait à quoi s'en tenir à ce sujet ; pour tous, le concept renvoie à quelque chose.

C'est parce que la vie privée n'entre dans aucune définition précise que les citoyens des démocraties pluralistes et technologiquement avancées se sentent obligés de justifier leur désir de la protéger et de la formuler comme un droit. En réalité, nous n'avons pas à nous justifier ; l'État, en revanche, est tenu de nous dire pour quelle raison il n'a pas respecté notre vie privée. Ne pas revendiquer le droit d'en avoir une revient à l'abandonner à une autorité politique qui s'affranchit des limites imposées par la Constitution, ou à une entreprise « privée ».

Il n'est tout simplement pas possible de fermer les yeux sur la vie privée. Nos libertés sont solidaires et renoncer à notre vie privée, c'est renoncer à celle de tout le monde. On peut tirer un trait dessus par souci de commodité ou sous prétexte que seuls ceux qui ont quelque chose à se reprocher veulent la protéger leur vie privée. Mais clamer qu'on n'a pas besoin de vie privée car on n'a rien à cacher revient à dire que personne ne devrait avoir le droit de cacher quoi que ce soit – y compris son statut de migrant, le fait qu'il se soit retrouvé au chômage, sa situation financière ou son état de santé. C'est partir du principe que personne, y compris vous-même, ne pourrait s'opposer à ce que l'on rende publiques ses croyances religieuses, ses affiliations politiques et sa vie sexuelle aussi simplement que ses goûts en matière de cinéma, de musique ou de lecture.

Finalement, prétendre que vous n'accordez aucune importance au concept de vie privée parce que vous n'avez rien à cacher n'est pas très différent que d'affirmer que vous n'avez que faire de la liberté d'expression parce que vous n'avez rien à dire, ou que la liberté de culte vous indiffère puisque vous ne croyez pas en Dieu, ou encore que vous vous moquez éperdument de la liberté de réunion parce vous êtes agoraphobe, paresseux et antisocial. Si cette liberté ne représente peut-être pas grand-chose pour vous aujourd'hui, cela ne veut pas dire qu'elle ne représentera toujours rien demain – pour vous, votre voisin ou tous ces gens que je suivais sur mon téléphone et que leurs principes amenaient à manifester dans la moitié des pays du globe, qui espéraient conquérir une once de cette liberté que les Américains s'efforçaient de détruire.

Je voulais me rendre utile mais je ne savais pas comment. J'en avais assez de me sentir impuissant, ou tout simplement d'être un connard qui passait son temps sur un canapé miteux à manger des Doritos et à boire du Coca Light pendant que le monde entier s'embrasait.

Au Moyen-Orient, les jeunes réclamaient une hausse des salaires, une baisse des prix ainsi que des allocations plus importantes, mais je ne pouvais rien leur offrir dans ce domaine et ils étaient les mieux placés pour essayer de se gouverner eux-mêmes. Ils exigeaient aussi d'avoir un accès plus libre à Internet. Cible de leurs critiques, l'ayatollah Ali Khamenei, qui censurait toujours davantage Internet et bloquait les contenus menaçants, piratait les plateformes et les services gênants et faisait fermer certains fournisseurs d'accès à Internet. Autre chef d'État qui cristallisait la colère de son peuple,

Hosni Moubarak avait coupé l'accès à Internet dans toute l'Égypte, ce qui avait rendu fous de rage les jeunes et les avait poussés à descendre dans la rue.

Depuis que j'avais découvert Tor à Genève, j'avais eu recours à son navigateur et géré mon propre serveur Tor car je voulais travailler depuis chez moi et utiliser Internet sans être surveillé. Je me suis donc arraché à mon désespoir et à mon canapé pour rejoindre mon bureau en titubant, et j'ai construit une passerelle permettant de contourner les blocages auxquels se heurtaient les internautes en Iran. J'ai ensuite envoyé la configuration cryptée à ceux qui avaient mis au point le système Tor.

C'était la moindre des choses. S'il y avait une infime chance pour qu'un jeune Iranien qui jusqu'alors n'arrivait pas à aller sur Internet parvienne à s'affranchir des filtres et des restrictions imposées pour se connecter avec moi – pour se connecter à travers moi –, tout en restant protégé par Tor et par l'anonymat que lui garantissait mon serveur, ça valait le coup que je déploie cet effort minime.

Je me suis imaginé cette personne en train de lire ses e-mails, ou se rendant sur les comptes des réseaux sociaux de ses amis et de sa famille pour s'assurer qu'on ne les avait pas arrêtés. Je n'avais aucun moyen de savoir si c'était effectivement ce qu'elle faisait, ou s'il y avait en Iran ne serait-ce qu'un individu qui était relié à mon serveur. C'était justement là le but de l'opération : je les aidais à titre privé.

Le type qui a lancé le Printemps arabe avait le même âge que moi. C'était un vendeur ambulant de fruits et légumes tunisien. Ne supportant plus d'être harcelé par les forces de l'ordre qui lui soutiraient par ailleurs de l'argent, il s'est immolé par le feu sur une place publique et est mort en héros. Si ce fut là son dernier acte de liberté face à un régime illégitime, je pouvais bien me lever du canapé et taper sur le clavier de mon ordinateur.

TROISIÈME PARTIE

19

Le Tunnel

Imaginez que vous entrez dans un tunnel. Visualisez la perspective : quand vous regardez l'espace qui s'ouvre devant vous, vous avez l'impression que les parois se resserrent jusqu'à l'autre bout et ne laissent filtrer qu'un rayon de lumière. Cette lumière au bout du tunnel symbolise l'espoir, ce que racontent également tous ceux qui ont connu une expérience de mort imminente. Ils doivent aller vers cette lumière, disent-ils, ils sont attirés par elle. Car enfin, où aller dans un tunnel, si ce n'est à l'autre bout ? N'est-ce pas à cela que nous en arrivons ?

Mon tunnel à moi, c'était le Tunnel, une immense usine aéronautique datant de l'époque de Pearl Harbor, planquée sous un champ d'ananas à Kunia, sur l'île d'Oahu, dans l'archipel d'Hawaï, qui abritait désormais une base de la NSA. Ce complexe en béton armé et son tunnel d'un kilomètre de long creusé à flanc de colline débouchaient sur trois vastes espaces sécurisés où l'on trouvait des serveurs et des bureaux. Quand le Tunnel a été construit, la colline était recouverte de sable, de terre, de feuilles de plants d'ananas et d'herbes desséchées, ce qui servait de camouflage face aux bombardiers japonais. Soixante ans plus tard, on aurait dit le tumulus de quelque civilisation disparue, ou un énorme tas façonné par une espèce de dieu bizarre au milieu d'un bac à sable à sa dimension. Ce n'était autre que le Security Operations Center, ou SOC, de la région de Kunia.

Toujours officiellement employé par Dell, même si en réalité je travaillais à nouveau pour le compte de la NSA, j'y ai été affecté début 2012. Un beau jour, au cours de cet été – c'était le jour de mon anniversaire –, tandis que je franchissais les postes de contrôle et m'engageais dans le Tunnel, j'ai soudain pris conscience que mon avenir était là, en face de moi.

Je ne dis pas que c'est à ce moment-là que j'ai pris ma décision. Ce n'est d'ailleurs jamais comme ça que ça se passe pour les grandes décisions de la vie. On se décide sans s'en rendre compte et ce n'est qu'ensuite qu'on réalise, lorsqu'on est assez fort pour admettre que notre conscience avait déjà choisi pour nous, que c'est la ligne de conduite à tenir. Voilà le cadeau d'anniversaire que je m'étais fait pour mes 29 ans : je venais de réaliser que je m'étais enfoncé dans un tunnel au bout duquel ma vie se limiterait à ne plus faire qu'une seule chose – encore assez confuse, il est vrai.

Hawaï a toujours été une escale importante – même si historiquement, l'archipel ne constituait pour les militaires américains guère plus qu'un endroit où les navires et les avions se ravitaillaient en carburant – et il est devenu un endroit important pour les communications américaines. C'est notamment le cas pour les renseignements échangés entre les 48 États continentaux américains et le Japon, où j'avais travaillé, ainsi que d'autres sites installés en Asie.

Mon nouveau poste représentait une régression significative dans ma carrière et l'on attendait de moi des choses très simples que j'aurais été capable de faire en dormant. Ce poste était censé moins me stresser avec moins de travail en perspective. J'étais le seul employé du bien nommé Office of Information Sharing (« bureau du partage des informations »), où j'occupais la fonction d'administrateur système SharePoint. Mis au point par Microsoft, SharePoint est un programme idiot et balourd, ou plutôt un assortiment hétéroclite de logiciels destinés à la gestion interne des documents : qui peut lire quoi, qui peut corriger quoi, qui peut envoyer et recevoir quoi, etc. En me nommant administrateur système SharePoint, la NSA faisait de moi le principal responsable de la gestion documentaire, et c'était effectivement moi qui prenais connaissance des messages. Fidèle à mon habitude quand je prenais un nouveau poste, j'ai passé plusieurs jours à automatiser mon travail, c'est-à-dire à rédiger des scripts chargés de bosser à ma place, de manière à avoir le temps de me consacrer à des choses plus intéressantes.

Avant d'aller plus loin, je tiens à souligner que ce n'est pas en copiant des documents mais tout simplement en les lisant que mes recherches concernant les abus de la NSA ont commencé. Je voulais avoir la confirmation des soupçons que j'avais depuis 2009, lorsque je me trouvais à Tokyo. Trois ans plus tard, j'étais déterminé à savoir si mon pays avait mis en place un système de surveillance de masse et, si oui, comment il opérait concrètement. Si je ne voyais pas trop comment mener mon enquête, une chose était sûre, je devais comprendre le fonctionnement du système avant de décider, le cas échéant, de réagir.

Ce n'était évidemment pas pour cela que Lindsay et moi étions venus nous installer à Hawaï. Nous n'avions pas choisi de vivre dans ce décor paradisiaque pour que je sacrifie nos vies à un principe.

Nous étions venus pour tout reprendre à zéro. Tout recommencer, une fois de plus.

Les médecins m'avaient expliqué que le climat d'Hawaï et une vie plus décontractée me feraient du bien, puisqu'on estimait que c'était surtout le manque de sommeil qui déclenchait les crises d'épilepsie. En outre, ça réglait la question de la voiture car le Tunnel se trouvait à une distance raisonnable à vélo de nombreux quartiers de Kunia, le cœur de cette île aride et rouge. Je mettais un quart d'heure à me rendre au boulot et c'était agréable de rouler en plein soleil au milieu des champs de canne à sucre. Les montagnes tranquilles qui se découpaient sur le ciel bleu ont rapidement effacé mon cafard des derniers mois.

Avec Lindsay, on s'est trouvé un pavillon de bonne taille sur Eleu Street, près de Kuni, et avons fait venir nos meubles de Columbia puisque Dell payait le déménagement. Ils ne nous ont pas servi à grand-chose, cela dit, puisqu'avec le soleil et la chaleur, il nous arrivait souvent de nous déshabiller en rentrant à la maison et de nous allonger nus, à même le tapis, sous le climatiseur qui tournait à plein régime. Lindsay a fini par transformer le garage en salle de sport en y installant la barre de pole-dance et les tapis de yoga qu'elle avait apportés de Columbia. De mon côté, j'ai mis en route un nouveau serveur Tor. Le trafic du monde entier se connectait à Internet via l'ordinateur portable de notre système audio-vidéo, ce qui présentait aussi l'avantage de noyer sous le bruit mes activités en ligne.

Un soir de cet été où j'ai eu 29 ans, Lindsay a réussi à me persuader de participer avec elle à un *luau*[1]. Ça faisait un moment qu'elle insistait, certaines de ses copines avec qui elle faisait du pole-dance apprenaient aussi à danser le *hula*, mais ça ne me disait rien. Ça me semblait une attraction ringarde pour touristes, qui plus est irrespectueuse. Hawaï a une culture très ancienne et des traditions toujours vivaces, et je n'avais pas l'intention de perturber le rituel sacré d'un insulaire.

J'ai fini par capituler et je m'en félicite. Ce n'est pas tant le *luau* proprement dit qui m'a le plus impressionné, même si ça ressemblait à un spectacle où l'on jongle avec des flambeaux. C'était le vieil homme entouré de toute sa cour d'adorateurs qui se trouvait à côté, dans un petit cirque naturel du bord de mer. Originaire d'Hawaï, cet érudit s'exprimait d'une voix douce et nasale typique de l'île, et il était en train de raconter à des gens regroupés autour d'un feu de camp les légendes polynésiennes sur la naissance de l'archipel.

La légende qui m'est restée concernait les douze îles sacrées des dieux. Apparemment, il avait existé dans le Pacifique une douzaine d'îles magnifiques et pures, où par chance on trouvait de l'eau douce. Il ne fallait donc pas que les humains en apprennent l'existence car ils les saccageraient. Dans le lot, trois étaient particulière-

---

1. Grande fête hawaïenne qui comprend banquets, danses et spectacles traditionnels. (NdT.)

ment révérées : Kanehunamoku, Kahiki et Pali-uli. Les dieux qui y habitaient avaient décidé de les cacher, craignant que les gens ne perdent la tête devant tant de magnificence. Ils envisagèrent divers moyens pour les rendre invisibles, comme de les teindre en bleu pour qu'elles se confondent avec le Pacifique, ou encore de les déposer au fond de l'océan, et décidèrent finalement de les faire flotter dans les airs.

En suspension, les îles ne cessaient de se déplacer. C'est ainsi qu'on pouvait avoir l'impression d'en distinguer une au loin, surtout au lever du jour et au crépuscule, mais que dès l'instant qu'on la montrait à quelqu'un, elle s'éloignait ou changeait de forme, devenant par exemple un radeau en pierre ponce, un gros rocher éjecté par un volcan en éruption ou un nuage.

J'ai souvent pensé à cette légende quand je me livrais à mon enquête. Ce que j'espérais découvrir s'apparentait à ces îles : des bouts de terre exotiques qu'une petite élite de dirigeants auto-proclamés et vaniteux était convaincue d'avoir gardés secrets, à l'abri de l'humanité. Je voulais savoir exactement quels étaient les moyens de la NSA pour nous surveiller ; si cela dépassait le cadre de la surveillance qu'elle exerçait habituellement, et de quelle façon ; qui avait autorisé de telles activités ; qui était au courant ; et enfin comment fonctionnaient concrètement ces systèmes, tant d'un point de vue technique qu'institutionnel.

Dès que je pensais avoir aperçu l'une de ces « îles » – qu'il s'agisse d'un nom de code en majuscules qui ne me disait rien ou d'un programme dont la référence en note était enterrée à la fin d'un rapport –, j'allais aussitôt voir s'il en était fait mention ailleurs, dans d'autres documents, mais je ne trouvais rien. À croire que le programme en question s'était évaporé. Il pouvait refaire surface quelques jours ou quelques semaines plus tard sous un autre nom, dans un document émanant d'un autre service.

Il m'arrivait aussi de tomber sur un programme dont je reconnaissais le nom tout en ignorant à quoi il servait. D'autres fois, je trouvais un exposé sans nom ni aucune autre indication me permettant de savoir s'il était question d'un programme déjà en vigueur ou d'un ambitieux projet en cours. Je me heurtais à un système de cloisonnements successifs, de mises en garde enchâssées, de suites logicielles emboîtées, de programmes gigognes. Voilà comment ça se passait à la NSA : on se débrouillait pour que la main gauche ne sache pratiquement jamais ce que fabriquait la main droite.

Ce que je faisais me rappelait d'une certaine façon un documentaire sur la cartographie que j'avais regardé un jour, qui racontait comment on créait les cartes marines avant que n'existent le GPS et les dispositifs d'imagerie. Les capitaines notaient la position exacte de leur bateau dans leur journal de bord, et les cartographes tâchaient ensuite de l'interpréter. C'est ainsi, au fil des siècles et grâce à cette accumulation de données, qu'on connaît la superficie exacte du Pacifique et qu'on a identifié toutes les îles qui la composent.

Sauf que je n'avais pas des siècles devant moi, ni des centaines de navires à ma disposition. J'étais seul, un homme penché au-dessus d'un océan uniformément bleu, qui essayait de comprendre comment ce point de terre aride, cette donnée, se mettait en relation avec toutes les autres.

20

Heartbeat

En 2009 au Japon, quand j'étais conférencier remplaçant à ce fameux congrès sur la Chine, je m'étais fait des amis, tout particulièrement à la JCITA, un centre de formation inter-armées du contre-espionnage, et à l'Agence du renseignement de la Défense, dont elle dépendait. Au cours des trois années qui ont suivi, la JCITA m'a invité une demi-douzaine de fois à donner des conférences et à animer des séminaires dans les locaux de l'Agence du renseignement de la Défense. Mes cours portaient principalement sur les manières dont la communauté du renseignement pouvait se protéger des hackers chinois et exploiter les informations obtenues grâce à l'analyse de leurs modes opératoires, pour les hacker à leur tour.

J'ai toujours adoré enseigner – bien plus qu'étudier – et au début de ma désillusion, vers la fin de mon séjour au Japon et pendant ma période chez Dell, je m'étais dit que si je devais rester dans le renseignement toute ma carrière, alors la fonction dans laquelle mes principes seraient les moins compromis et dans laquelle, en même temps, je trouverais le plus d'excitation intellectuelle, serait sans conteste un poste académique. Enseigner à la JCITA était une façon de garder cette porte ouverte mais aussi de rester à jour

243

– quand vous enseignez, vous ne pouvez pas vous permettre que vos étudiants aient de l'avance sur vous, tout particulièrement dans le domaine des technologies.

C'est ainsi que j'ai pris l'habitude de consulter ce que la NSA appelait les « *readboards* ». Il s'agit de sortes de panneaux d'affichage numériques fonctionnant un peu comme des blogs de *news*, sauf que là, les nouvelles étaient le produit d'activités de renseignement classifiées. Les sites principaux de la NSA avaient leur propre *readboard*, que les équipes locales mettaient à jour quotidiennement en fonction de ce qu'elles considéraient comme les documents les plus importants et les plus intéressants – tout ce qu'un employé avait besoin de lire pour se tenir au courant.

Comme un héritage de l'époque où je préparais ma conférence à la JCITA et aussi, en toute honnêteté, parce que je m'ennuyais à Hawaï, j'avais pris l'habitude de consulter un certain nombre de ces *readboards* tous les jours : celui de mon site à Hawaï, mais également celui de mon poste précédent à Tokyo ainsi que divers *readboards* de Fort Meade. Ce nouveau poste sans trop de pression me laissait autant de temps que je le désirais pour lire. Si ma curiosité sans limites avait bien dû provoquer quelques haussements de sourcils au début de ma carrière, j'étais désormais employé de l'Office of Information Sharing – à vrai dire, *j'étais* l'Office of Information Sharing – si bien que mon travail, par définition, consistait à savoir quelles informations étaient partageables. Pendant ce temps, la plupart de mes collègues du Tunnel passaient leur pause à regarder les nouvelles sur Fox News.

Afin d'organiser tous les documents issus de ces divers *readboards* que je voulais lire, j'avais élaboré une file d'attente avec ma propre sélection. Les fichiers se sont entassés jusqu'à ce que la gentille dame qui gérait les quotas de stockage numérique me reproche la trop grande taille de mon dossier. Je me suis rendu compte que mon *readboard* personnel était devenu moins un résumé quotidien qu'une archive d'informations sensibles dont la pertinence allait bien au-delà de la journée. Je ne voulais ni l'effacer ni cesser d'y ajouter des fichiers, ce qui aurait été du gâchis, j'ai donc décidé de

partager mon *readboard* avec les autres. C'était la meilleure justifi-
cation que j'avais trouvée à ce que je faisais, tout particulièrement
parce que cela m'autorisait plus ou moins à collecter légitimement
du matériau issu d'un spectre de sources encore plus large. Avec
l'accord de mon chef, je me suis attelé à construire un *readboard*
automatisé qui ne dépendait pas de ce que les gens postaient dessus car il était capable de s'éditer tout seul.

Comme EPICSHELTER, ma plateforme automatisée de
readboard était conçue pour scanner en permanence le réseau à la
recherche de documents nouveaux et uniques. Elle le faisait toutefois d'une manière bien plus complète, dans la mesure où son
regard portait au-delà du NSAnet, le réseau de la NSA, et balayait
les réseaux de la CIA et du FBI ainsi que celui du *Joint Worldwide
Intelligence Communications System* (Système mondial conjoint de
communication de renseignements), l'Intranet top secret du département de la Défense. L'idée était de rendre ses découvertes acces-
sibles à tous les officiers de la NSA en comparant leur badge d'identification numérique – appelé « certificats » PKI – au niveau de
classification des documents, générant ainsi un *readboard* personnel
taillé sur mesure en fonction du niveau d'habilitation, mais aussi des
affiliations par bureau et des centres d'intérêt personnels. En gros,
c'était un *readboard* de *readboard*, un agrégateur de fils d'actualité
personnalisé apportant à chaque officier les dernières infos pertinentes pour son travail, tous les documents qu'il devait lire pour
rester à jour. Ce *readboard* tournerait sur un serveur, dont je serais
le seul à m'occuper, situé juste de l'autre côté du couloir face à
mon bureau, et qui ferait également une copie de tous les documents qu'il indexerait, ce qui me permettrait d'effectuer plus facilement le type de recherches interagences complexes dont la direction de la plupart des agences se contentait pour l'instant de rêver.

J'ai appelé ce système Heartbeat (« battement de cœur ») car il
prenait le pouls de la NSA et de la communauté du renseignement
dans son ensemble. Le volume d'informations qui transitait dans
ses veines était tout simplement monstrueux : il aspirait aussi bien
des documents de sites internes dédiés à toutes les spécialités pos-

sibles et imaginables que des mises à jour sur les derniers projets de recherches cryptographiques, en passant par les minutes des réunions du Conseil de sécurité nationale. J'avais beau l'avoir configuré avec soin pour qu'il ingère les matériaux à un rythme lent et constant, afin de ne pas monopoliser les câbles de fibre optique sous-marins qui reliaient Hawaï à Fort Meade, il centralisait tellement plus de documents que ne le pouvait un être humain qu'il est immédiatement devenu le *readboard* le plus complet du NSAnet.

Je venais à peine de lancer Heartbeat quand j'ai reçu un e-mail qui a failli mettre un terme à sa carrière. Un administrateur éloigné – apparemment le seul membre de l'ensemble de la communauté du renseignement à prendre la peine d'éplucher ses journaux d'accès – a voulu savoir pourquoi un système situé à Hawaï copiait un par un tous les fichiers de sa base de données. Il m'avait immédiatement bloqué par précaution, ce qui m'avait effectivement chassé de son système, et exigeait une explication. Je lui ai dit ce que je faisais et lui ai montré comment se servir du site web interne qui lui permettrait de lire Heartbeat comme un grand. Sa réponse m'a rappelé que les techniciens travaillant pour la sécurité nationale possèdent une caractéristique inhabituelle : à la seconde où je lui ai permis d'accéder à Heartbeat, sa méfiance s'est transformée en curiosité. Il pouvait douter d'une personne mais jamais il ne douterait d'une machine. Il constatait maintenant de ses yeux que Heartbeat faisait exactement ce pour quoi il avait été conçu, et qu'il le faisait parfaitement. Il était fasciné. Il m'a débloqué pour que je puisse à nouveau accéder à son référentiel de données et m'a même proposé de m'aider à faire circuler auprès de ses collègues la bonne nouvelle de l'existence de Heartbeat.

Quasiment tous les documents que j'ai plus tard divulgués aux journalistes ont été récupérés grâce à Heartbeat. Il a permis de mettre au jour non seulement les objectifs poursuivis par le système de surveillance de masse de la communauté du renseignement, mais aussi ce dont ce dernier était réellement capable. C'est là un point sur lequel j'aimerais insister : à la mi-2012, j'essayais tout simplement de comprendre comment la surveillance de masse fonctionnait concrètement. Tous les journalistes qui ont plus tard écrit sur les secrets de la NSA s'intéressaient avant tout aux cibles de la surveillance – les efforts déployés pour espionner les citoyens américains ou les chefs des alliés des États-Unis, par exemple. Pour le dire autrement, ils s'intéressaient davantage aux sujets des rapports de surveillance qu'au système qui avait permis de les produire. Je respecte cet intérêt, bien évidemment, dans la mesure où je le partage, mais à l'origine, ma curiosité était encore d'une nature strictement technique. C'est très bien de lire un document ou de faire défiler les slides d'une présentation PowerPoint pour comprendre ce qu'un programme est *censé faire*, mais plus vous comprenez avec précision ses mécanismes, plus vous êtes en mesure de comprendre son potentiel d'abus.

Cela signifie que je ne m'intéressais pas tant que ça au contenu informatif des documents, comme celui de ce qui est sans doute devenu le plus connu de fichiers que j'ai divulgués : un ensemble de slides PowerPoint datant de 2011 qui définissait grâce à six protocoles la nouvelle position de la NSA sur la surveillance : « *Sniff It all, Know It All, Collect It All, Process It All, Exploit It All, Partner It All* » (« Tout renifler, tout connaître, tout collecter, tout traiter, tout exploiter, tout partager »). C'était du jargon marketing, de la pure com destinée à impressionner les alliés de l'Amérique – l'Australie, le Canada, la Nouvelle-Zélande et le Royaume-Uni –, c'est-à-dire les principaux pays avec lesquels les États-Unis partagent des renseignements. (Avec les États-Unis, ces quatre pays forment les *Fives Eyes*, les « Cinq yeux ».) « *Sniff It All* » signifie trouver une source de donnée ; « *Know It All* », trouver ce qu'est cette donnée ; « *Collect It All* », capturer cette donnée ; « *Process It All* », analyser cette donnée pour en extraire des informations utilisables ; « *Exploit It All* », utiliser ces infos pour atteindre les objectifs de l'agence ; et « *Partner It All* », partager cette nouvelle source de donnée avec nos alliés. Si cette taxinomie en six étapes était aussi facile à retenir qu'à vendre, et permettait de prendre la juste mesure de l'étendue de l'ambition de l'agence et de son degré de collusion avec des gouvernements étrangers, elle ne me

donnait aucun aperçu de la manière dont, à un niveau technologique, l'agence comptait s'y prendre.

Un ordre de la cour FISA, la cour de surveillance du renseignement étranger des États-Unis, était à mes yeux bien plus révélateur : il s'agissait d'une requête juridique adressée à une entreprise privée afin qu'elle transmette au gouvernement fédéral des
informations privées sur ses clients. Ce type d'ordre était théoriquement émis sous l'autorité de la législation publique ; pourtant leur contenu, voire leur existence, était classé « top secret ».
En vertu de la section 215 du *Patriot Act*, également connue sous
le nom de disposition sur les « registres commerciaux », le gouvernement était autorisé à obtenir un ordre de la cour FISA contrai-
gnant des « parties tierces » à produire « tout élément tangible »
susceptible d'être « pertinent » pour le renseignement extérieur et
la lutte contre le terrorisme. Mais comme le rendait parfaitement
clair l'ordre de la cour en question, la NSA avait secrètement interprété cette autorisation comme une licence pour collecter tous les
« registres commerciaux », c'est-à-dire toutes les métadonnées des
communications téléphoniques transitant par des opérateurs américains, comme Verizon ou AT&T, le tout « sur une base quotidienne continue ». Ceci incluait bien sûr l'enregistrement de communications téléphoniques entre citoyens américains, une pratique
par définition anticonstitutionnelle.

De plus, la section 702 du *FISA Amendments Act* autorise la
communauté du renseignement à cibler tout étranger à l'extérieur
des États-Unis dont on estime qu'il existe une probabilité suffisante
pour qu'il communique une « information relevant du renseignement étranger », ce qui correspond à une vaste catégorie de cibles
potentielles incluant journalistes, employés d'entreprises, chercheurs, travailleurs humanitaires, ainsi que d'innombrables autres
innocents. C'est cette législation qui a permis à la NSA de justifier
ses deux principales méthodes de surveillance d'Internet, à savoir
Upstream Collection et le programme PRISM.

PRISM a permis à la NSA de collecter régulièrement des données
auprès de Microsoft, Yahoo!, Google, Facebook, Paltalk, YouTube,

Skype, AOL et Apple, dont des e-mails, des photos, des chats audio et vidéo, des historiques de navigation, des historiques de recherches et tout autre donnée susceptible d'être abritée sur le *cloud*, transformant ces entreprises en des complices tout à fait conscients de ce qu'ils faisaient. Upstream Collection, quant à lui, était potentiellement encore plus invasif. Il permettait la capture régulière de données directement sur les infrastructures Internet du secteur privé – les interrupteurs et les routeurs qui aiguillaient le trafic Internet mondial *via* les satellites en orbite et les câbles de fibre optique parcourant le fond des océans. Cette collecte était opérée par une unité de la NSA appelée Special Sources Operations, qui avait construit un équipement secret de mise sur écoute et l'avait installé dans les locaux des fournisseurs d'accès à Internet partout dans le monde. Pris ensemble, PRISM (qui collecte des données sur les serveurs des fournisseurs de services) et Upstream Collection (qui collecte directement des données sur les infrastructures d'Internet) garantissaient que toutes les informations du monde, qu'elles soient stockées ou en transit, étaient bien « surveillables ».

L'étape suivante de mon enquête consistait donc à comprendre comment cette collecte était effectivement réalisée, c'est-à-dire que je devais me plonger dans les documents qui expliquaient quels outils permettaient à ces programmes de fonctionner ainsi que la manière dont étaient sélectionnées, dans l'immense masse de communications prises dans leurs filets, celles qui méritaient qu'on s'y intéresse d'un peu plus près. La difficulté était que cette information n'existait dans aucune présentation, quel que soit son niveau de classification, mais seulement dans des schémas et des diagrammes d'ingénieurs. C'étaient ces derniers documents qu'il me fallait par-dessus tout trouver. Contrairement au blabla destiné aux *Five Eyes*, ces schémas constitueraient la preuve tangible que les capacités à propos desquelles j'avais tant lu étaient davantage que les fantasmes d'un chef de projet abusant de la caféine. En tant qu'administrateur système qui avait toujours été poussé à produire plus et plus vite, j'étais parfaitement conscient qu'il pouvait arriver aux agences d'annoncer l'utilisation de technologies qui n'existaient pas encore

– parfois parce qu'un commercial dans le genre de Cliff avait fait trop de promesses, et parfois par pure ambition.

Dans ce cas précis, les technologies derrière Upstream Collection existaient bel et bien. J'ai pu constater que ces outils étaient les éléments les plus invasifs de tout le système de surveillance de masse de la NSA, ne serait-ce que parce qu'ils sont les plus proches de l'utilisateur – c'est-à-dire les plus proches de la personne en train d'être surveillée. Imaginez-vous assis devant un ordinateur, alors que vous êtes sur le point de vous rendre sur un site web. Vous ouvrez votre navigateur, tapez un URL, et appuyez sur la touche « Entrée ». L'URL est une requête, et cette requête est envoyée vers son serveur de destination. Mais quelque part au cours de son voyage, avant que la requête ne parvienne à son serveur, elle devra passer à travers TURBULENCE, l'une des armes les plus puissantes de la NSA.

Plus spécifiquement, votre requête passera par plusieurs serveurs noirs empilés les uns sur les autres, d'à peu près la taille d'une bibliothèque à quatre rayonnages. Ces serveurs sont installés dans des salles spéciales au sein de bâtiments appartenant aux plus grands opérateurs télécoms privés dans des pays alliés, ainsi que dans des ambassades et des bases militaires américaines. Ils utilisent deux outils capitaux. Le premier, TURMOIL, gère la « collecte passive ». Le second, TURBINE, est responsable de la « collecte active » – au sens où elle manipule activement les données de l'utilisateur.

Vous pouvez imaginer TURMOIL comme un garde posté devant un pare-feu invisible à travers lequel passe tout le trafic Internet. Quand votre requête arrive, il vérifie ses métadonnées pour voir si elles possèdent l'un des critères indiquant que la requête doit être examinée de plus près. Ces critères sont du ressort arbitraire de la NSA, et relèvent de tout ce que l'agence considère comme suspect : une adresse mail, un numéro de carte de crédit ou un numéro de téléphone particulier ; l'origine ou la destination géographique de votre activité Internet ; ou bien juste certains mots-clés, comme « proxy anonyme » ou « manif ».

Si TURMOIL décide que votre navigation est suspecte, il transmet l'info à TURBINE, qui redirige votre requête vers les serveurs de la NSA ; là-bas, des algorithmes décident quel programme – quel logiciel malveillant, ou *malware* – de l'agence va être utilisé contre vous. Ce choix est aussi bien fondé sur le type de site que vous vous apprêtez à visiter que sur votre connexion Internet ou les softwares qu'utilise votre ordinateur. Les programmes choisis sont renvoyés à TURBINE (par des programmes de la suite QUANTUM, si vous vous posez la question), qui les injecte dans le trafic et vous les refile en même temps que le site web que vous cherchiez à visiter. Et voilà le résultat : vous avez eu le contenu que vous vouliez, avec la surveillance dont vous ne vouliez pas, le tout en moins de 686 millisecondes. Et complètement à votre insu.

Une fois que les programmes sont sur votre ordinateur, la NSA n'a plus seulement accès à vos métadonnées mais également à toutes vos données. Désormais votre vie numérique lui appartient entièrement.

21

Lancer l'alerte

S'il y a bien un truc que les employés de la NSA qui ne s'en servaient pas savaient utiliser sur SharePoint, le logiciel dont je m'occupais, c'étaient les calendriers. Ils ressemblaient *grosso modo* à tout les agendas partagés non gouvernementaux, en beaucoup plus cher, c'est-à-dire à une interface basique permettant au personnel de la NSA d'Hawaï de programmer l'heure et le lieu des réunions. C'était aussi excitant à gérer que vous pouvez l'imaginer. À tel point que j'ai voulu pimenter un peu tout ça en mettant dans l'agenda des rappels de tous les jours fériés, et quand je dis tous, je veux dire tous : pas seulement les jours fériés nationaux, mais aussi Roch Hachana, l'Aïd el-Fitr, l'Aïd el-Kebir, ou encore Divali.

Mon jour férié préféré était le 17 septembre. Le jour de la Constitution et de la citoyenneté – c'est le nom officiel de ce jour férié – célèbre le moment où, en 1787, les membres de la Convention constitutionnelle signèrent et ratifièrent officiellement le document. Techniquement, le jour de la Constitution n'est pas un jour férié fédéral, au sens où il serait chômé, et relève plus de la tradition. En clair, le Congrès n'estimait pas que ce document fondateur, qui est aussi la plus vieille Constitution nationale encore en usage dans le monde, était suffisamment important pour justifier un jour payé à ne pas travailler.

La communauté du renseignement a toujours entretenu une relation pour le moins ambivalente avec le jour de la Constitution : pour le célébrer, elle se contentait en général de faire circuler un e-mail fadasse rédigé par les services de com des différents départements et signés par tel et tel directeurs, et de dresser une petite table tristounette dans un coin reculé de la cafétéria. Sur cette table, on trouvait des exemplaires gratuits de la Constitution, imprimés, reliés et généreusement offerts au gouvernement par des agitateurs du Cato Institute ou de l'Heritage Foundation[1], dans la mesure où la communauté du renseignement n'avait aucune envie de puiser dans ses propres milliards pour promouvoir les droits civiques avec documents agrafés.

Je ne sais pas si les équipes ont saisi le message mais sur les sept jours de la Constitution que j'ai connus au sein de la communauté du renseignement, je ne crois pas avoir vu quelqu'un d'autre que moi prendre l'un de ces exemplaires gratuits. Comme j'aime autant l'ironie que les avantages en nature, j'en ai toujours pris plusieurs – un pour moi et les autres pour les distribuer sur les postes de travail de mes amis. Mon exemplaire reposait contre mon Rubik's Cube sur mon bureau et à une époque, j'avais même pris l'habitude de lire la Constitution pendant le déjeuner, en essayant de ne pas faire de tâches de gras sur « *We the people* » alors que j'avalais une de ces sinistres parts de pizza de la cafétéria dignes d'une cantine de primaire.

J'aimais lire la Constitution, d'une part parce que les idées qui y étaient développées étaient géniales, d'autre part parce que le texte était remarquablement écrit, et surtout parce que ça faisait flipper mes collègues. Dans un bureau où tout ce que vous imprimez doit terminer dans la déchiqueteuse, un vrai livre posé sur une table constituera toujours une source d'étonnement. Ils se penchaient et demandaient :

---

1. Le Cato Institute est un *think tank* libertarien américain, et l'Heritage Foundation, un *think tank* conservateur. (NdT.)

« – C'est quoi, ça ?
– La Constitution. »

Ils faisaient alors une drôle de tête et battaient prudemment en retraite.

Le jour de la Constitution de 2012, j'ai pris mon exemplaire sans la moindre ironie. Je ne l'avais pas lu de bout en bout depuis quelques années et j'étais content de me rendre compte que je connaissais encore le préambule par cœur. Cependant, ce jour-là, j'ai décidé de le relire entièrement, depuis les articles jusqu'aux amendements. J'ai été surpris de redécouvrir que 50 % exactement de la Déclaration des droits, c'est-à-dire les dix premiers amendements, étaient destinés à rendre plus difficile le travail d'application de la loi.

Les amendements IV à VIII avaient tous été délibérément et soigneusement conçus pour entraver et diminuer la capacité du gouvernement à exercer son pouvoir, et organiser sa surveillance.

C'est tout particulièrement vrai du IVe amendement, qui protège les individus et leurs biens de la surveillance du gouvernement : « Le droit des citoyens d'être garantis dans leur personne, domicile, papiers et effets, contre les perquisitions et saisies non motivées ne sera pas violé, et aucun mandat ne sera délivré, si ce n'est sur présomption sérieuse, corroborée par serment ou affirmation, ni sans qu'il décrive particulièrement le lieu à fouiller et les personnes ou les choses à saisir. »

Traduction : Si des représentants de la loi veulent fouiller dans votre vie, ils doivent d'abord déclarer sous serment devant un juge qu'il existe bien une « présomption sérieuse ». Ce qui signifie qu'ils doivent expliquer à ce juge pourquoi ils ont des raisons de croire que vous pouvez avoir commis ce crime spécifique ou que cette preuve spécifique d'un crime spécifique peut être trouvée dans ou sur une partie spécifique de votre propriété. Puis ils doivent jurer que ces raisons sont avancées sincèrement et de bonne foi. Il faut alors que le juge accorde un mandat pour que les représentants de la loi soient autorisés à faire une perquisition – et encore, seulement pendant un temps limité.

La Constitution a été écrite au XVIIIe siècle, à une époque où les seuls ordinateurs étaient des bouliers, des machines à calculer et des métiers à tisser, et où il fallait des semaines voire des mois à un message pour atteindre, par navire, l'autre côté de l'Atlantique. Il semble raisonnable de soutenir que nos fichiers informatiques, quel que soit leur contenu, sont la version contemporaine des « papiers » dont parle la Constitution. Il ne fait aucun doute que nous les utilisons comme des « papiers », qu'il s'agisse de nos documents de traitement de textes et de nos tableurs, de nos messages ou encore de nos historiques de recherche. Les données, dans ce cadre, correspondent à nos « effets », un terme fourre-tout pour désigner toutes les choses que nous possédons, produisons, vendons et achetons en ligne. Ce qui inclut par défaut les métadonnées, qui sont l'enregistrement de toutes les choses que nous possédons, produisons, vendons et achetons en ligne – le grand livre de nos vies privées.

Au cours des siècles qui nous séparent du premier jour de la Constitution, nos *clouds*, nos ordinateurs et nos téléphones sont devenus nos maisons, aussi personnels et intimes que nos maisons physiques. Si vous n'êtes pas d'accord, alors répondez à cette simple question : est-ce que vous préféreriez laisser vos collègues traîner seuls dans votre maison pendant une heure ou leur donner accès à votre téléphone ne serait-ce que dix minutes ?

Les programmes de surveillance de la NSA, et tout particulièrement ses programmes nationaux de surveillance, ont clairement bafoué le IVe amendement. L'agence s'est avant tout appuyée sur l'idée que les protections garanties par cet amendement ne pouvaient pas s'appliquer à nos vies modernes. Ce n'était pas dans l'habitude de l'agence de considérer vos données comme votre propriété personnelle protégée par la loi, pas plus qu'elle ne considérait la manière dont elle les collectait comme une « perquisition » ou une « saisie ». Au lieu de ça, la NSA maintenait que dans la mesure où vous aviez déjà « partagé » les données contenues dans votre téléphone avec un « tiers » – votre opérateur téléphonique –, vous aviez renoncé à tout droit constitutionnel à la vie privée que vous aviez pu avoir par le passé. La NSA insistait sur le fait que la « perquisition » ou la « saisie » ne pouvait avoir lieu qu'à condition qu'un analyste, et non ses algorithmes, recherche activement dans ce qui avait déjà été automatiquement collecté.

Si les mécanismes de surveillance constitutionnelle avaient correctement fonctionné, cette interprétation pour le moins radicale du IVᵉ amendement – qui soutient que l'acte même d'utiliser des technologies modernes équivaut à renoncer à ses droits à la vie privée – aurait été rejetée par le Congrès et les cours de justice. Les pères fondateurs des États-Unis possédaient de grandes compétences en ingénierie politique et étaient particulièrement sensibles aux périls que faisaient courir les subterfuges juridiques et la tentation pour la présidence d'exercer une autorité monarchique. Pour prévenir ces risques, ils avaient conçu un système, défini dans les trois premiers articles de la Constitution, qui établissait le gouvernement des États-Unis en trois branches distinctes et égales entre elles, chacune supposée contrôler et limiter la puissance des deux autres. Pourtant, quand il avait fallu protéger la vie privée des citoyens américains à l'ère numérique, chacune de ces branches avait échoué à sa façon, si bien que c'est l'ensemble du système qui avait planté.

La branche législative, c'est-à-dire les deux chambres du Congrès, avait volontairement abandonné son rôle de supervision : alors même que le nombre d'employés gouvernementaux – et non gouvernementaux – de la communauté du renseignement explosait, de moins en moins de membres du Congrès restaient informés de ses capacités et activités, jusqu'à ce que seuls quelques membres de commissions spéciales continuent à être informés lors de séances à huis clos. Et même dans ce cas, ils n'étaient informés que d'une fraction de ces activités. Lors des rares séances publiques sur le renseignement, la position de la NSA était on ne peut plus claire : l'agence ne comptait pas coopérer, ne comptait pas être honnête et, pire, forcerait les législatures fédérales américaines à collaborer à sa tromperie au nom de la classification et du secret. Début 2013, par exemple, James Clapper, à l'époque directeur du Renseignement national, affirma sous serment devant le Select Committee on

Intelligence du Sénat[2] que la NSA ne s'était pas lancée dans une collecte de grande ampleur des communications des citoyens américains. À la question : « La NSA collecte-t-elle des données, quelles qu'elles soient, de millions ou de centaines de millions d'Américains ? », Clapper répondit « Non, monsieur », avant d'ajouter : « Il arrive peut-être que des données soient accidentellement collectées, mais jamais de manière volontaire. » Il s'agissait bien sûr d'un mensonge éhonté et on ne peut plus volontaire, non seulement vis-à-vis du Congrès, mais vis-à-vis de l'ensemble du peuple américain. Un certain nombre des parlementaires devant lesquels Clapper témoignait étaient parfaitement conscients que ce qu'il affirmait était faux, mais ils se refusèrent – ou bien se sentaient légalement impuissants – à l'attaquer sur ce point.

L'échec du pouvoir judiciaire fut encore plus décevant. La Foreign Intelligence Surveillance Court (Cour de surveillance du renseignement étranger, FISC), qui supervise la surveillance des renseignements à l'intérieur des États-Unis, est un organe spécialisé qui se réunit en secret et ne communique qu'avec le gouvernement. La cour, qui fut créée pour accorder ou non des mandats individuels permettant la collecte de renseignements concernant des pays étranger, s'est toujours montrée particulièrement accommodante avec la NSA, approuvant plus de 99 % de ses demandes – un taux évoquant davantage un simple processus administratif qu'une délibération judiciaire. Après le 11 Septembre, la cour ne fut plus seulement chargée d'autoriser la surveillance d'individus spécifiques mais également de juger de la légalité et de la constitutionnalité d'un grand programme de surveillance, et sans aucun examen contradictoire. Un organe dont la tâche avait jusque-là été d'approuver la surveillance de « Terroriste étranger n° 1 » et

2. Le United States Senate Select Committee on Intelligence (parfois appelé SSCI) est une commission permanente du Sénat des États-Unis dédiée à la surveillance de la communauté du renseignement américaine, que ce soit des agences nationales reconnues, telles la NSA et la CIA, ou des bureaux du gouvernement fédéral des États-Unis qui informe les responsables du pouvoir exécutif et du pouvoir législatif. (NdT.)

d'« Espion étranger n° 2 » était désormais utilisé pour légitimer l'ensemble de l'infrastructure combinée de PRISM et d'*Upstream collection*. L'examen de la constitutionnalité de cette infrastructure fut donc confié, selon les mots mêmes de l'American Civil Liberties Union (l'ACLU, l'Union américaine pour les libertés civiles), à une cour secrète chargée d'autoriser des programmes secrets tout en réinterprétant secrètement la loi fédérale.

Quand des associations de la société civile comme l'ACLU tentèrent de remettre en cause les activités de la NSA devant des cours fédérales ordinaires et publiques, il se produisit quelque chose d'étrange. Le gouvernement ne se défendit pas en se fondant sur l'idée que ses activités de surveillance étaient légales ou constitutionnelles. Il préféra déclarer que l'ACLU et ceux que l'association représentait n'avaient aucun droit d'attaquer le gouvernement en justice dans la mesure où l'ACLU n'était pas capable de prouver que ses clients avaient effectivement fait l'objet d'une surveillance. De plus, l'ACLU ne pouvait utiliser le contentieux pour obtenir les preuves d'une surveillance car l'existence (ou la non-existence) d'une telle preuve était un « secret d'État », et que les fuites dans la presse ne comptaient pas. Autrement dit, la cour ne pouvait prendre en compte une information qui était pourtant publique puisqu'elle avait été publiée dans les médias ; elle pouvait seulement apprécier les informations que le gouvernement avait officiellement confirmé être connues du public. Cet argument de la classification signifiait que ni l'ACLU ni personne d'autre ne serait jamais en mesure d'attaquer le gouvernement sur ces questions devant une cour de justice non secrète. J'ai été particulièrement dégoûté quand, en février 2013, la Cour suprême a décidé par 5 voix contre 4 d'accepter le raisonnement du gouvernement et a, sur cette base, débouté l'action en justice intentée par l'ACLU et Amnesty International afin de remettre en cause la surveillance de masse sans même considérer la question de la légalité des activités de la NSA.

Enfin, il y avait la branche de l'exécutif, première cause de cette rupture institutionnelle. La présidence, par le biais du ministère de la Justice, avait, après le 11 Septembre, commis le péché originel en donnant dans le plus grand secret des directives autorisant la surveillance de masse. Ce zèle de l'exécutif s'est poursuivi sans relâche depuis cette première entorse et les gouvernements qui se sont succédé n'ont jamais cessé, républicains comme démocrates, d'essayer d'agir de manière unilatérale et de mettre en place des politiques contournant la loi – des politiques qui ne peuvent pas être remises en question car le fait qu'elles soient classifiées les empêche d'être rendues publiques.

Le système constitutionnel fonctionne comme un tout, à condition que chacune des trois branches agisse comme prévu. Quand les trois non seulement sont en défaut, mais en plus de manière délibérée et coordonnée, il en résulte une certaine culture de l'impunité. Je me suis rendu compte que j'avais été terriblement naïf de croire que la Cour suprême, le Congrès ou le président Obama, en cherchant à rompre avec le gouvernement de George W. Bush, accepteraient de tenir la communauté du renseignement pour juridiquement responsable de quoi que ce soit. Il était temps d'admettre que cette communauté se croyait au-dessus des lois, et vu à quel point le système était vérolé, qu'elle avait raison de le croire. La communauté du renseignement en est venue à comprendre les règles de notre système mieux que ceux qui en sont à l'origine, et ses membres savent s'en servir à leur avantage.

Ils ont hacké la Constitution.

L'Amérique est née d'un acte de trahison. La Déclaration d'indépendance était une violation pure et simple des lois anglaises et, en même temps, l'expression la plus profonde de ce que les pères fondateurs appelaient les « lois de la nature », parmi lesquelles on comptait le droit de défier le pouvoir en place et de se rebeller contre des questions de principes si notre conscience nous le dictait. Les premiers Américains à exercer ce droit, les premiers « lanceurs d'alerte » de l'histoire américaine, apparurent un an plus tard, en 1777.

Ces hommes, comme tant d'hommes de ma propre famille, étaient des marins, et plus précisément des officiers de la toute nouvelle marine de guerre américaine, la Continental Navy. Pendant la Révolution, ils avaient servi à bord de l'USS *Warren*, une frégate de 32 canons sous le commandement d'Esek Hopkins, le commandant en chef de la Continental Navy. Hopkins était un chef à la fois intraitable et paresseux qui refusait d'envoyer son navire au combat. Ses officiers prétendaient également l'avoir vu frapper et affamer des prisonniers de guerre anglais. Dix des officiers du *Warren* – après avoir consulté leur conscience, et sans réfléchir plus d'une seconde à l'impact que tout cela pourrait avoir sur leur carrière – firent remonter ces informations en haut de la chaîne de commandement, en écrivant au comité de la marine :

Mes très chers Messieurs,

Nous, qui vous envoyons cette requête, sommes actuellement engagés à bord d'un navire, le *Warren*, avec le désir honnête et l'espoir déterminé de rendre quelque service à notre pays. Nous restons inquiets du Bonheur de l'Amérique et souhaitons plus que tout la voir s'épanouir dans la paix et la prospérité. Nous sommes prêts à sacrifier tout ce qui nous est cher pour le bien de notre pays, jusqu'à nos propres vies si nécessaire. Nous désirons être actifs dans la défense de nos libertés constitutionnelles et de nos privilèges contre les prétentions aussi injustes que cruelles de la tyrannie et de l'oppression ; mais telles que les choses se présentent à l'heure actuelle à bord de cette frégate, il semble peu probable que nous soyons utiles. Nous sommes dans cette situation depuis un temps considérablement long. Nous connaissons personnellement très bien la conduite et le caractère véritable de notre commandant, le commodore Hopkins, et nous adoptons cette méthode faute d'un moyen plus pratique pour demander sincèrement et humblement à l'honorable Comité de la Marine d'enquêter sur son caractère et sa conduite, parce que nous supposons que son caractère est tel, et qu'il s'est montré coupable de tant de crimes – crimes dont les signataires de cette requête peuvent suffisamment attester – qu'il s'est rendu inapte à occuper la position publique qui est la sienne actuellement.

Après avoir reçu cette lettre, le comité de la marine enquêta sur le commodore Hopkins. Ce dernier démit ses officiers de leurs fonctions et licencia le reste de l'équipage et, dans un mouvement de rage, attaqua pour diffamation l'aspirant de marine Samuel Shaw et le troisième lieutenant Richard Marven, les deux officiers qui avaient reconnu être les auteurs de la lettre. Le procès eut lieu à la cour de Rhode Island, dont le dernier gouverneur colonial avait été un certain Stephen Hopkins, l'un des signataires de la Déclaration d'indépendance, et accessoirement le frère du commodore.

L'affaire fut confiée à un juge nommé par le gouverneur Hopkins mais avant le début du procès, Shaw et Marven furent sauvés par un autre officier de marine, John Grannis, qui rompit les rangs et présenta directement l'affaire devant le Congrès. Ce dernier fut si inquiet du précédent que pouvait créer le fait de laisser des plaintes militaires concernant des manquements au devoir faire l'objet de plaintes pour diffamation qu'il décida d'intervenir. Le 30 juillet 1778, il releva le commodore Hopkins de ses fonctions, ordonna au Trésor de payer à Shaw et Marven leurs frais de justice et, à l'unanimité, vota la première loi de protection des lanceurs d'alerte. Cette loi déclarait qu'il était du « devoir de toutes les personnes au service des États-Unis, ainsi que de tous ses habitants, de transmettre, le plus tôt possible, toute information au Congrès ou à toute autre autorité adaptée concernant toute fraude, faute ou délit commis par tout officier ou personne au service de ces États dont ils auraient connaissance. »

Cette loi m'a donné de l'espoir, et c'est toujours le cas. Même aux heures les plus sombres de la révolution, quand l'existence du pays était en jeu, le Congrès ne se contenta pas d'accueillir les contestations fondées sur des principes : il les encouragea et les consacra comme des devoirs. Au second semestre 2013, j'étais résolu à accomplir moi-même ce devoir, même si je savais que je ferais mes révélations à un autre moment – un moment plus opportun à la fois pour des raisons de confort et des raisons cyniques. Peu, voire aucun de mes supérieurs de la communauté du renseignement, n'auraient été prêts à sacrifier leur carrière au nom de ces mêmes principes pour lesquels le personnel militaire sacrifiait régulièrement sa vie. Et dans mon cas, remonter la « chaîne de commandement », c'est-à-dire « passer par les canaux habituels », comme on dit dans la communauté du renseignement, n'était pas une option, contrairement aux dix hommes de l'équipage du *Warren*. Mes supérieurs étaient non seulement conscients de ce que faisait l'agence, mais ils y contribuaient activement – ils étaient complices.

Dans les organisations comme la NSA – où la malfaisance est devenue si structurelle qu'elle n'est plus le fruit d'une quelconque initiative particulière mais bien d'une idéologie – les « canaux habituels » sont destinés à devenir des pièges conçus pour identifier les hérétiques et les tièdes. J'avais déjà fait l'expérience de la faillite du commandement à Warrenton, puis à nouveau à Genève quand, au cours de mon travail habituel, j'avais découvert une faille de sécurité dans un programme crucial. J'avais signalé la vulnérabilité et quand je m'étais rendu compte que rien n'avait été fait pour y remédier, j'avais rédigé un second rapport. Cela n'a pas plu à mes supérieurs car cela n'avait pas plus aux leurs. La chaîne de commandement est vraiment une chaîne qui contraint, et les chaînons inférieurs ne peuvent faire remonter quoi que ce soit sans l'aide des chaînons supérieurs.

Issu d'une famille de gardes-côtes, j'ai toujours été fasciné par le fait qu'une immense partie du vocabulaire anglais de la divulgation est issu de l'univers marin. Même avant l'époque de l'USS *Warren*, les organisations, tout comme les navires, avaient des fuites. Quand la vapeur a remplacé le vent pour propulser les navires, on soufflait dans un sifflet[3] pour signaler ses intentions et les situations d'urgence : un coup de sifflet si on virait à bâbord, deux à tribord, et cinq en cas d'alerte.

Dans d'autres langues européennes, en revanche, les mêmes termes ont souvent une charge sémantique issue d'un contexte historico-politique donné. Par exemple, le français a utilisé le terme de « dénonciateur » pendant la plus grande partie du XXᵉ siècle, jusqu'à la Seconde Guerre mondiale mais l'association de ce terme avec la collaboration a favorisé ultérieurement l'émergence de l'expression « lanceur d'alerte ». L'allemand, une langue qui a dû lutter avec son passé nazi et la Stasi, est passé de « *Denunziant* » et « *Informant* » aux expressions peu satisfaisantes de « *Hinweisgeber* » (« celui qui donne un tuyau ou un avertissement »), d'« *Enthueller* » (le « révélateur »), de « *Skandalaufdecker* » (le « découvreur de scandale »), et même le terme ostensiblement politique d'« *ethische Dissidenten* » (le « dissident éthique »). Toutefois, les Allemands utilisent peu ces termes en ligne ; en ce qui concerne les révélations contemporaines sur Internet, ils ont simplement emprunté à l'anglais le nom « *Whistleblower* » et le verbe « *Leaken* » (« faire fuiter »). Les régimes comme la Russie et la Chine, de leur côté, emploient des termes connotés péjorativement, comme « balance » ou « traître ». Il faudrait qu'une puissante presse libre existe dans ces pays pour imprégner ces mots d'une charge plus positive, ou pour en inventer de nouveaux qui feraient de la divulgation non pas une trahison mais un acte de devoir.

Finalement, dans toutes les langues, y compris en anglais, la manière dont l'acte de divulguer est défini en dit long sur la dimension culturelle de la relation entre langage et pouvoir. Même les termes anglais dérivés du vocabulaire marin, apparemment neutres et sans malice, définissent en réalité le point de vue d'une institution qui s'estime lésée, et non le point de vue d'un public qui estimerait que l'institution a échoué. Quand une institution

---

3. En anglais, lanceur d'alerte se dit « *whistleblower* » (« celui qui souffle dans un sifflet »). (NdT.)

dénonce une « fuite », cela implique que le « responsable de la fuite » a endommagé ou saboté quelque chose.

De nos jours, « faire fuiter » et « lancer l'alerte » sont souvent utilisés de manière interchangeable. Mais selon moi, l'expression « faire fuiter » devrait être utilisée différemment, pour désigner des actions de divulgation effectuées non pas dans l'intérêt du public mais par intérêt personnel, ou dans un objectif clairement politique ou institutionnel. Pour être plus précis, je conçois la fuite comme quelque chose de plus proche d'un « ensemencement idéologique » : la divulgation sélective d'une information protégée dans le but d'affecter le cours d'une prise de décision ou d'influencer l'opinion publique. Il est rare qu'il se passe une seule journée sans qu'un haut fonctionnaire « anonyme » du gouvernement ne fasse fuiter auprès d'un journaliste une information classifiée dans le but de servir ses propres objectifs ou l'agenda politique de son administration ou de son parti.

Ainsi, en 2013 des fonctionnaires de la communauté du renseignement, cherchant probablement à augmenter la peur du terrorisme et à délégitimer la critique de la surveillance de masse, firent fuiter auprès d'un certain nombre de sites d'information le compte rendu extrêmement détaillé d'une conférence téléphonique entre le leader d'Al-Qaïda, Ayman al-Zawahiri, et ses comparses. Dans cette conférence surnommée « la conférence du chaos », al-Zawahiri aurait prétendument discuté de coopération internationale avec Nasser al-Wahishi, le chef d'Al-Qaïda au Yémen, et des représentants des Talibans et de Boko Haram. En révélant sa capacité à intercepter cette conférence téléphonique – qui, si c'est bien une « fuite », consiste en une description de l'appel et non en son enregistrement –, la communauté du renseignement a ruiné un moyen extraordinaire de mettre la main sur les plans et les intentions des plus hauts cadres de ces organisations terroristes dans le seul but de bénéficier d'un avantage politique momentané au sein du cycle de l'information. Personne ne fut poursuivi en justice après ce coup d'éclat alors que cette fuite était très certainement illégale et qu'elle coûta à l'Amérique sa capacité à continuer à écouter la prétendue *hotline* d'Al-Qaïda.

À maintes reprises, la classe politique américaine s'est montrée capable de tolérer, voire de créer des fuites pour servir ses propres fins. La communauté du renseignement aime bien annoncer ses « succès » indépendamment de la classification de ces informations et indépendamment des conséquences que peut avoir leur divulgation. Ce point a été particulièrement frappant lors de la fuite liée à l'assassinat extra-judiciaire, au Yémen, de l'imam extrémiste né aux États-Unis Anwar al-Awlaqi. En ne cessant de transmettre des informations sur son attaque de drone contre al-Awlaqi au *Washington Post* et au *New York Times*, l'administration Obama admettait tacitement non seulement l'existence du programme de drones de la CIA mais également celle de la « disposition Matrix », soit la liste des « hommes à abattre », tous deux officiellement top secrets. En outre le gouvernement confirmait implicitement qu'il commanditait non seulement des assassinats ciblés mais, qui plus est, des assassinats ciblés de citoyens américains. Ces fuites, divulguées avec toute la coordination que nécessite une campagne médiatique, constituaient la démonstration choquante du deux poids deux mesures avec lequel l'État aborde la question du secret : un sceau doit être maintenu afin que le gouvernement puisse agir en toute impunité, mais il peut être brisé pour peu que le gouvernement ait besoin de s'attribuer un mérite.

C'est dans ce contexte que l'on peut comprendre la relation à deux vitesses que le gouvernement américain entretient avec les fuites. Il a pardonné des fuites « non autorisées » pour peu qu'elles aient eu des conséquences désirables, tout comme il a oublié des fuites « autorisées » qui lui ont causé du tort. Mais si la dangerosité et l'absence d'autorisation d'une fuite, sans parler de son illégalité, ont si peu d'impact sur la réaction du gouvernement, qu'est-ce qui en a ? Qu'est-ce qui rend une révélation acceptable et une autre non ?

La réponse est le pouvoir. La réponse est le contrôle. Une divulgation n'est jugée acceptable qu'à la condition qu'elle ne remette pas en question les prérogatives fondamentales d'une institution. Si tous les éléments disparates d'une organisation, depuis le service du courrier jusqu'à la direction générale, peuvent prétendre au même pouvoir de discuter des affaires internes, cela signifie que les dirigeants ont renoncé à leur contrôle de l'information et que la pérennité du fonctionnement de l'organisation est menacée. Se saisir de cette égalité des voix, indépendante de la hiérarchie managériale ou décisionnelle d'une organisation, c'est ce que signifie à proprement parler l'expression « lancer l'alerte » – un acte qui se révèle particulièrement menaçant pour la communauté du renseignement, qui opère par le biais d'une stricte compartimentation et sous un voile de secret juridiquement codifié.

Un « lanceur d'alerte », selon moi, est une personne qui est parvenue, à la dure, à la conclusion que sa vie à l'intérieur d'une institution est devenue incompatible avec les principes de la société à laquelle il appartient, ainsi qu'avec la loyauté due à cette société, à laquelle l'institution doit des comptes. Cette personne sait qu'elle ne peut pas rester à l'intérieur de l'institution et que cette dernière ne peut pas être ou ne sera pas démantelée. La réformer, en revanche, est peut-être possible, si bien que cette personne lance l'alerte et divulgue des informations pour qu'une pression publique s'exerce sur l'institution en question.

Il s'agit là d'une description exacte de ma situation, à un détail près : toutes les informations que j'ai eu l'intention de divulguer étaient classées « top secret ». Pour lancer l'alerte à propos des programmes secrets, j'ai également dû lancer l'alerte sur le système plus général du secret, exposer ce système non pas comme une prérogative absolue de l'État, ainsi que le prétend la communauté du renseignement, mais bien plutôt comme un privilège exceptionnel dont cette dernière abuse pour échapper à la surveillance démocratique. Sans mettre au jour toute la portée de ce secret systémique, il n'y a aucune chance de restaurer l'équilibre des pouvoirs entre les citoyens et leur gouvernement. Je considère que cette volonté de restauration est essentielle pour tout lanceur d'alerte : avec elle, la divulgation n'est pas un acte radical de contestation ou de résistance mais bien plutôt un acte conventionnel de restauration – signalant au navire qu'il lui faut retourner à quai, où il sera retapé, remis en état, et où ses fuites seront colmatées avant d'avoir une chance de reprendre la mer.

Une exposition totale de l'intégralité de l'appareil de surveillance de masse – non pas par moi mais par les médias, qui forment de fait la quatrième branche du gouvernement des États-Unis, protégés par la Déclaration des droits : c'était la seule réponse appropriée à l'envergure du crime. Il n'aurait pas été suffisant de révéler un abus particulier, ou un ensemble d'abus, auquel l'agence aurait pu mettre un terme (ou prétendre mettre un terme), tout en gardant intact et dans l'ombre le reste de l'appareil. Au lieu de ça, je m'étais décidé à mettre au jour un seul et unique fait, mais global : mon gouvernement avait développé et mis en œuvre un système de surveillance de masse sans que sa population n'en ait connaissance ni soit en mesure de donner ou non son consentement.

Les lanceurs d'alerte peuvent être choisis par les circonstances à n'importe quel niveau d'une institution. Mais la technologie numérique nous a entraînés dans une ère où, pour la première fois de l'histoire, les lanceurs d'alerte les plus efficaces viendront du bas de l'échelle, c'est-à-dire des rangs ayant le moins d'intérêt à maintenir le *statu quo*. Dans la communauté du renseignement comme d'ailleurs dans pratiquement toute autre institution décentralisée reposant sur l'utilisation d'ordinateurs, ces rangs inférieurs sont en gros occupés par des informaticiens comme moi, dont l'accès autorisé à des infrastructures vitales est complètement disproportionné par rapport à leur autorité officielle et à leur capacité à influencer les décisions institutionnelles. En d'autres mots, il existe généralement un déséquilibre entre ce que les individus comme moi sont censés savoir et ce que nous sommes capables de savoir, ainsi qu'entre le faible pouvoir dont nous disposons pour changer la culture institutionnelle et le grand pouvoir dont nous disposons pour informer le grand public de nos inquiétudes, et donc changer la culture dans son ensemble. Même s'il est bien entendu possible d'abuser de ce type de privilèges technologiques – après tout, la majorité des informaticiens travaillant au niveau du système ont accès à *absolument* tout –, l'exercice le plus élevé de ce privilège implique dans certains cas de s'attaquer à la technologie elle-même. Des compétences spécialisées exposent à de plus grandes responsabilités. Les informaticiens qui cherchent à rapporter le mauvais usage systématique d'une technologie ne peuvent pas se contenter de partager leurs découvertes avec le grand public s'ils désirent que l'importance de ces découvertes soit véritablement comprise. Ils ont le devoir de les contextualiser et de les expliquer – de les démystifier.

Quelques dizaines des personnes les mieux placées au monde pour faire cela étaient là, assises autour de moi, dans le Tunnel. Mes collègues venaient tous les jours se poster devant leur terminal pour poursuivre l'œuvre de l'État. S'ils n'étaient pas aveugles aux abus, ils éprouvaient peu de curiosité à leur égard, et cette absence de curiosité les rendait non pas mauvais, mais tragiques. Peu importait en fin de compte qu'ils aient intégré la communauté du renseignement par opportunisme ou par patriotisme : une fois dans la machine, ils devenaient eux-mêmes des machines.

22

Le quatrième pouvoir

Rien n'est plus difficile que de vivre avec un secret dont on ne peut parler à personne. Mentir à des étrangers à propos de sa véritable identité ou dissimuler le fait que votre bureau se trouve sous le champ d'ananas le plus secret du monde peut sembler difficile, mais au moins vous faites partie d'une équipe : même si votre travail est secret, il s'agit d'un secret partagé, et donc d'un fardeau partagé. Il y a du malheur, mais aussi des rires.

Quand vous êtes détenteur d'un véritable secret, c'est-à-dire d'un secret que vous ne pouvez partager avec personne, alors même les rires sont un mensonge. Je pouvais certes parler de ce qui me tracassait mais jamais de la direction vers laquelle ces pensées m'entraînaient. Je me souviendrai jusqu'à ma mort de la réaction de mes collègues quand je leur avais expliqué comment notre travail était utilisé pour violer les serments que nous avions nous-mêmes prêtés. Ils avaient exprimé l'équivalent verbal d'un haussement d'épaules : « Qu'est-ce qu'on peut y faire ? » Je détestais cette question, ce renoncement, ce sentiment de défaite, mais c'était suffisamment pertinent pour que me je demande : « Ouais, c'est vrai, quoi ? »

Quand la réponse s'est imposée à moi, j'ai décidé de devenir lanceur d'alerte. Mais souffler ne serait-ce qu'un seul mot de cette décision à Lindsay, l'amour de ma vie, aurait fait subir à notre relation une épreuve encore plus cruelle que le silence. Ne souhaitant pas lui faire plus de mal que celui que je m'étais déjà résolu à lui infliger, j'ai décidé de me taire. J'étais seul avec mon silence.

Je pensais me faire facilement à la solitude et à l'isolement, du moins mieux que mes prédécesseurs dans le monde des lanceurs d'alerte. Chaque étape de ma vie n'avait-elle pas, en fin de compte, constitué en une sorte de préparation ? Ne m'étais-je pas habitué à la solitude après toutes ces années à rester silencieux et concentré devant un écran ? J'avais été hacker solo, capitaine de port de nuit, gardien des clés dans un bureau désert. Mais j'étais aussi un humain et l'absence de camaraderie était pesant. Je luttais chaque jour, tandis que je tentais, en vain, de réconcilier le moral et le légal, mes devoirs et mes désirs. J'avais tout ce que j'avais toujours voulu – l'amour, une famille et bien plus de succès que je n'en méritais –, et je vivais au milieu d'un jardin d'Éden, parmi des arbres luxuriants dont un seul m'était interdit. Le plus simple aurait été de respecter les règles.

Même si j'avais déjà accepté les dangers inhérents à ma décision, je ne m'étais pas encore fait à mon nouveau rôle. Après tout, qui étais-je pour mettre ces informations sous les yeux du peuple américain ? Qui donc m'avait élu président des secrets ?

L'information que j'avais l'intention de divulguer à propos du dispositif secret de surveillance de masse dans mon pays était si explosive et en même temps si technique que je craignais autant que ma parole soit remise en cause que d'être mal compris. C'est la raison pour laquelle ma première décision, après celle de rendre cette information publique, a été de le faire documents à l'appui. J'aurai pu me contenter de décrire l'existence d'un programme secret, mais pour révéler la dimension programmatique de ce secret, il me fallait en expliquer le fonctionnement en détail. J'avais pour ce faire besoin des fichiers de l'agence – autant qu'il en faudrait pour révéler au grand jour toute l'étendue de la tromperie, même si je savais que divulguer un seul pdf serait suffisant pour m'envoyer en prison.

La perspective des représailles que le gouvernement ne manquerait pas d'exercer contre l'entité ou la plateforme sur laquelle je ferai mes révélations m'a fait un temps envisager l'autopublication. Cette méthode aurait été la plus pratique et la plus sûre : me contenter de collecter les documents illustrant le mieux mes craintes et les mettre en ligne tels quels, puis faire circuler le lien. En fin de compte, l'une des raisons pour lesquelles j'y ai renoncé était liée au problème de l'authentification. J'ai pensé au nombre d'individus qui, tous les jours, postent des « documents top secrets » sur Internet – bien souvent à propos d'extraterrestres et de technologies de voyage spatio-temporel. Je ne voulais pas que mes propres révélations, qui étaient déjà littéralement incroyables, se retrouvent noyées au milieu de la masse des messages barjos.

Dès le tout début du processus, il était clair à mes yeux que j'avais besoin – comme le public – d'une personne ou d'une institution capable d'attester de la véracité de mes documents. Je voulais également un partenaire pour évaluer minutieusement les risques liés à la révélation d'informations classifiées, ainsi que pour m'aider à mettre en perspective les informations en les replaçant dans leur contexte technologique et juridique. J'avais confiance en ma capacité à présenter les problèmes que posait la surveillance, et même à les analyser, mais il fallait que je me fie à d'autres personnes pour les résoudre. Étant donnée la méfiance que j'avais pu éprouver jusque-là à l'égard des institutions, j'en éprouvais encore plus à l'idée de me comporter moi-même comme une institution. Coopérer avec un média me protégerait de l'accusation de « piraterie » et permettrait en outre de corriger certains de mes biais, conscients ou non, personnels ou professionnels. Je ne voulais pas que mes opinions politiques influencent d'une manière ou d'une autre la présentation et la réception de mes révélations. Après, tout, dans un pays où tout le monde était surveillé, la question de la surveillance était, par définition, l'une des moins partisanes.

Rétrospectivement, je me rends compte que c'est en partie grâce à l'heureuse influence de Lindsay que j'ai désiré mettre en place des filtres idéologiques. Lindsay avait passé des années à patiemment instiller en moi l'idée que mes problèmes et mes intérêts n'étaient pas toujours les siens, et certainement pas ceux du reste de la planète, et que ce n'était pas parce que je partageais mes connaissances que celui qui en profitait devait nécessairement partager mon opinion sur ces dernières. On pouvait s'opposer aux invasions de la vie privée sans pour autant être prêt à adopter un AES[1] de 256 bits ou à renoncer purement et simplement à Internet. Un acte illégal qui choquait une personne car il constituait une violation de la Constitution pouvait en choquer une autre parce qu'il était une atteinte à la vie privée. Lindsay a été la clé qui m'a permis d'apercevoir cette vérité – au fait que la diversité des motivations et des approches ne pouvait qu'améliorer nos chances d'atteindre des objectifs communs. Sans le savoir, elle m'a donné la confiance qui m'a permis de dépasser mes propres états d'âme pour tendre la main aux autres.

Les autres, mais quels autres ? Il est peut-être difficile de s'en souvenir, voire de se l'imaginer, mais à l'époque où j'ai pour la première fois songé à franchir le pas, le forum de choix de tout lanceur d'alerte était sans conteste WikiLeaks. À l'époque, il fonctionnait à bien des égards comme un éditeur traditionnel, mis à part son scepticisme radical envers tout pouvoir d'État. WikiLeaks collaborait régulièrement avec les plus grands journaux internationaux, comme *The Guardian*, *The New York Times*, *Der Spiegel*, *Le Monde* ou *El País*, pour publier les documents que lui avaient fournis ses sources. Le travail qu'ont accompli ces organes de presse de 2010 à 2011 m'a fait penser que la plus grande valeur de WikiLeaks reposait dans sa capacité à jouer les intermédiaires entre les journalistes et les sources et à faire office de pare-feu protégeant l'anonymat de ces dernières.

Les pratiques de WikiLeaks ont changé après la publication des révélations de la soldate américaine Chelsea Manning – une multitude de « journaux internes » de l'armée américaine rela-

1. *Advanced Encryption Standard* ou AES (« norme de chiffrement avancé »), aussi connu sous le nom de Rijndael, est un algorithme de chiffrement symétrique. (NdT.)

tifs à la guerre en Irak et à la guerre en Afghanistan, des informations sur les prisonniers de Guantanamo, ainsi que des centaines de milliers de câbles diplomatiques américains. À la suite des représailles du gouvernement et de la controverse suscitée dans les médias par l'éditorialisation qu'avait fait WikiLeaks du matériau transmis par Manning, WikiLeaks avait décidé de changer son fusil d'épaule et de publier les futures fuites telles qu'elles étaient reçues : vierges de tout travail éditorial. Ce passage à une politique de transparence totale signifiait que publier sur Wiki-Leaks ne correspondait plus à mes besoins : je me serais retrouvé dans une situation comparable à celle de l'autopublication, une option que j'avais déjà écartée. Je savais que l'histoire racontée par ces documents de la NSA, celle d'un système global de surveillance de masse déployé dans le plus grand secret, était difficile à comprendre. C'est une histoire compliquée et technique qui ne pouvait pas, j'en étais de plus en plus persuadé, être présentée en bloc dans une « décharge à documents », mais nécessitait au contraire le travail patient et attentif d'un groupe de journalistes, accompli dans l'idéal avec le soutien de plusieurs institutions ou organes de presse indépendants.

Même si je me suis senti soulagé une fois que j'ai décidé faire mes révélations directement auprès de journalistes, un certain nombre de doutes persistaient. La plupart concernaient les journaux les plus prestigieux de mon pays – et tout particulièrement le quotidien de référence aux États-Unis, le *New York Times*. À chaque fois que j'envisageais de le contacter, j'hésitais. Si le journal avait fait preuve d'une certaine volonté de déplaire au gouvernement avec ses reportages sur WikiLeaks, je me souvenais également de la manière dont il s'était comporté vis-à-vis d'un article important d'Eric Lichtblau et James Risen sur le programme du gouvernement de mise sur écoute sans mandat.

Ces deux journalistes, en croisant des informations émanant de lanceurs d'alerte du ministère de la Justice avec leurs propres recherches, avaient réussi à lever une partie du voile sur STELLARWIND – la recette originale de surveillance de la NSA mise en place après le 11 Septembre – et à produire un article intégralement rédigé, *fact-checké* et édité sur le sujet, prêt à sortir à la mi-2004. C'est alors que le rédacteur en chef du journal, Bill Keller, a soumis l'article au gouvernement. Il s'agit d'un geste de courtoisie dont le but est généralement de permettre à la rédaction d'évaluer les arguments du gouvernement soutenant que la publication de telle ou telle information peut mettre en péril la sûreté nationale. Dans ce cas précis comme dans la plupart des cas, le gouvernement a refusé de donner une raison spécifique mais a sous-entendu que cette raison existait et qu'elle était elle-même classifiée. Sans fournir la moindre preuve, le gouvernement Bush a affirmé à Keller et au directeur de publication, Arthur Sulzberger, qu'en rendant public le fait que le gouvernement mettait les citoyens américains sur écoute sans mandat, le *New York Times* encouragerait les ennemis des États-Unis et déclencherait une vague de terreur. Malheureusement, le journal s'est laissé convaincre et n'a pas publié l'article. Il ne l'a fait qu'un an plus tard, en décembre 2005, après que Risen avait fait pression en annonçant que le matériau contenu dans l'article faisait partie d'un livre qu'il s'apprêtait à publier. Si l'article avait été publié au moment de sa rédaction, il y a fort à parier qu'il aurait pu changer l'issue de l'élection présidentielle de 2004.

Si le *New York Times* ou n'importe quel autre journal m'avait fait un coup similaire – c'est-à-dire prendre mes révélations, les présenter au gouvernement pour évaluation avant de renoncer à la publication – je serais au trou. Étant donné la probabilité de m'identifier comme la source, cela serait revenu à m'envoyer en taule avant même que mes révélations n'aient été rendues publiques.

Si je ne pouvais pas faire confiance à un journal de cette stature, à quelle institution le pouvais-je ? Pourquoi même me prendre la tête ? Je n'avais pas signé pour ça. Tout ce que j'avais voulu, c'était faire mumuse avec des ordinateurs et, pourquoi pas ?, faire un peu de bien à mon pays au passage. J'avais une maison, une petite amie et ma santé s'était améliorée. Tous les panneaux « STOP » sur le trajet entre mon travail et la maison me conseillaient de mettre un terme à cette folie. Ma tête et mon cœur étaient en conflit, et la seule constante dans mon état émotionnel était l'espoir désespéré que quelqu'un d'autre, n'importe qui, n'importe où, ferait le boulot à ma place et révèlerait le pot aux roses. Après tout, le journalisme ne consistait-il pas à suivre des pistes avec assez d'acharnement pour pouvoir en tirer des conclusions ? Qu'est-ce qu'ils faisaient d'autre toute la journée, les journalistes, à part tweeter ?

Je savais au moins deux choses sur ceux qui travaillent pour le quatrième pouvoir : ils étaient en concurrence pour les scoops et ils ne connaissaient pas grand-chose à l'informatique. C'est cette absence d'expertise et même d'intérêt minimal pour l'informatique qui explique en grande partie que les journalistes soient complètement passés à côté de deux événements qui m'ont estomaqué au cours de mes recherches sur la surveillance de masse.

Le premier était l'annonce par la NSA de la construction d'un immense centre de stockage et de traitement de données à Bluffdale, dans l'Utah. L'agence l'avait appelé le *Massive Data Repository* (« Entrepôt de données en masse »), jusqu'à ce que quelqu'un d'un peu plus doué que les autres en relations publiques se rende compte que ce nom serait difficile à expliquer s'il fuitait, si bien que le centre a été renommé *Mission Data Repository* (« Entrepôt des données de mission ») – conserver le même acronyme permettait d'éviter de remplacer tous les slides de présentation. Il était prévu que le MDR fasse environ 39 500 m^2 et soit rempli de serveurs. Il pouvait héberger une quantité phénoménale de données, en gros une sorte d'histoire en perpétuelle évolution des faits et gestes à l'échelle de la planète, dans la mesure où la vie peut être modélisée en connectant des paiements à des individus, des individus à des téléphones, des téléphones à des appels et des appels à des réseaux, le tout avec le tableau synoptique de l'activité d'Internet se déployant le long de ces lignes de réseaux.

Le seul journaliste important qui ait semblé avoir remarqué l'annonce était James Bamford, qui a écrit à ce propos dans *Wired* en mars 2012. Quelques papiers ont suivi dans la presse généraliste mais ils se sont contentés, au mieux, de rapporter l'information. Personne n'a posé les questions qui me semblaient les plus évidentes : pourquoi une agence gouvernementale, sans même parler d'une agence de renseignement, aurait-elle besoin *d'autant* d'espace ? Quelles données et en quelle quantité avaient-ils l'intention d'y stocker ? Pour combien de temps ? Il n'existait tout simplement aucune raison valable de construire un monstre doté de telles spécifications à moins de projeter de tout stocker jusqu'à la fin des temps. Selon moi, c'était là le corps du délit – la confirmation, claire comme le jour, qu'un crime était commis au sein d'un gigantesque bunker de béton entouré de fil de fer barbelé et de miradors, qui pompait autant d'électricité qu'il n'en faut pour alimenter une ville entière et disposait de son propre réseau de distribution électrique en plein milieu du désert de l'Utah. Et personne n'y prêtait la moindre attention.

Le second événement date de l'année suivante, en mars 2013 – une semaine après que Clapper a menti au Congrès en toute impunité. Quelques magazines avaient couvert son témoignage même s'ils s'étaient contentés de répéter que Clapper avait nié que la NSA collectait en masse les données des citoyens américains. En revanche, aucune publication *mainstream* n'avait couvert l'une des rares apparitions publiques d'Ira « Gus » Hunt, le directeur de la technologie de la CIA.

Je connaissais un peu Gus depuis mon passage chez Dell avec la CIA. Il était l'un de nos meilleurs clients et tous nos vendeurs adoraient son inaptitude évidente à la discrétion : il vous en disait toujours un peu plus que ce que vous n'étiez censé savoir. Pour les commerciaux, c'était un gros sac de fric avec une bouche. Et maintenant, il était l'un des intervenants invités à un événement consacré à la technologie civile à New York, intitulé « GigaOM Structure : Data conference ». Toute personne prête à payer 40 dollars pouvait s'y rendre. Et les conférences les plus importantes, comme celle de Gus, étaient visibles gratuitement et en direct en streaming.

Je ne voulais pas rater son intervention car je venais de lire, *via* les canaux internes de la NSA, que la CIA avait finalement pris une décision pour son contrat concernant le *cloud*. L'agence avait dit non à ma vieille équipe chez Dell ainsi qu'à HP, et avait préféré signer un contrat de 600 millions de dollars avec Amazon pour le développement et la gestion de son *cloud* pour une durée de dix ans. Cela ne me faisait ni chaud ni froid – en réalité, à ce moment-là, j'étais même plutôt ravi que mon travail ne soit pas utilisé par l'agence. J'étais simplement curieux, d'un point de vue professionnel, de savoir si Gus allait faire cette annonce et, si oui, s'il donnerait une indication quant aux raisons pour lesquelles Amazon avait été choisi. Des rumeurs circulaient en effet, selon lesquelles l'appel d'offres avait été manipulé pour favoriser Amazon.

Cette conférence m'a bien appris des choses, mais pas ce qui était prévu. J'ai eu l'opportunité de voir le directeur de la technologie de la CIA sur scène, parler dans un costard tout fripé des ambitions et des capacités de l'agence à une foule de civils sans accréditation – et, *via* Internet, au monde entier, qui n'avait pas plus d'accréditation. Plus sa présentation avançait, entre mauvaises blagues et manipulation bouffonne de PowerPoint, plus mon incrédulité grandissait.

« À la CIA, a-t-il dit, nous essayons de tout collecter et de tout conserver, pour toujours. » Comme si ce n'était pas assez clair, il a rajouté : « Nous sommes désormais quasiment en mesure de traiter *toutes* les informations créées par les humains » – je précise que c'est Gus lui-même qui soulignait. Il lisait sur ses diapos des mots moches, écrits dans une police moche, le tout illustré du clipart en quatre couleurs qui faisait office de signature du gouvernement.

Quelques journalistes étaient apparemment présents dans l'assistance mais il semblait qu'ils travaillaient tous pour des publications spécialisées dans la tech gouvernementale, comme *Federal Computer Week*. Il était précisé que Gus resterait pour une séance de questions/réponses. En fait, il s'agissait plus d'une présentation complémentaire pour les journalistes. Il donnait l'impression de vouloir se libérer d'un poids, et pas seulement de sa cravate de clown.

Gus a dit aux journalistes que l'agence pouvait pister leurs smartphones même quand ils étaient éteints, qu'elle était capable de surveiller toutes leurs communications. Rappelez-vous : il s'agissait d'une assemblée de journalistes américains. Et le « pouvait pister » a sonné comme un « le fait » et « le fera ». Il pérorait d'une manière extrêmement brouillonne, du moins pour un ponte de la CIA : « La technologie va trop vite pour le gouvernement ou la loi. Elle va trop vite pour vous. La seule question que vous devez vous poser, c'est quels sont vos droits, et qui possède vos données. » J'étais sidéré. N'importe quelle personne moins gradée qui aurait prononcé un discours pareil se serait retrouvée derrière les barreaux avant la fin de la journée.

La confession de Gus n'a été couverte que par le *Huffington Post*. Mais la performance en tant que telle est encore disponible sur YouTube à l'heure où j'écris ces lignes, soit six ans plus tard. La dernière fois que j'ai vérifié, la vidéo avait 313 vues – dont une dizaine de mon fait.

La leçon que j'ai tirée de tout ça, c'est que si je voulais que mes révélations soient efficaces, je ne pouvais pas me contenter de donner quelques documents à des journalistes – et je devais même faire plus que les aider à interpréter les documents. Je devais devenir leur partenaire et leur fournir les outils et la formation technologique qui leur permettraient de faire leur travail de manière à la fois précise et sécurisée. Choisir cette voie revenait à commettre l'un des crimes capitaux de l'univers du renseignement : là où certains espions se contentent d'espionnage, de sédition et de trahison, j'allais encourager et même contribuer à commettre un acte de journalisme. L'ironie, c'est qu'en termes juridiques, ces crimes sont pratiquement synonymes les uns des autres. La loi américaine ne fait aucune distinction entre le fait de fournir des informations classifiées à la presse dans l'intérêt du public et le fait de les transmettre ou même de les vendre à l'ennemi. La seule fois où j'ai entendu un autre son de cloche fut lors de mon endoctrinement au sein de la communauté du renseignement : on m'avait alors expliqué qu'il était légèrement préférable de vendre des secrets à l'ennemi plutôt que de les offrir à un journaliste, dans la mesure où il était fort peu probable que l'ennemi partage ses secrets, même avec ses alliés.

Étant donné les risques que je m'apprêtais à prendre, il fallait que j'identifie des individus à qui faire confiance et en qui le public avait confiance. J'avais besoin de reporters à la fois rapides, discrets, indépendants et fiables. Il fallait qu'ils soient suffisamment solides pour remettre en question ce que je dirais et m'obliger à clarifier la distinction entre ce que je soupçonnais et ce que prouvaient réellement les documents que je leur confierais, ainsi que pour défier le gouvernement quand ce dernier les accuserait à tort de mettre des vies en danger. Par-dessus tout, je devais être sûr et certain que les journalistes choisis ne craqueraient pas quand ils subiraient des pressions que ni eux ni moi, c'était évident, n'avions connues auparavant.

Je n'ai pas jeté mon filet trop près pour ne pas mettre en péril la mission, mais assez loin pour ne pas me retrouver coincé – comme cela aurait pu être le cas avec le *New York Times*. Un journaliste, une publication et même un seul pays ne seraient pas suffisants parce que le gouvernement américain avait déjà fait la preuve de sa volonté d'étouffer ce type d'informations. Idéalement, je voulais donner à chaque journaliste, simultanément, un ensemble distinct de documents, pour ne plus en avoir aucun. L'attention serait ainsi tournée vers eux et cela garantissait que même si j'allais en prison, la vérité sortirait malgré tout.

Alors que ma liste de partenaires potentiels s'amenuisait, je me suis rendu compte que je m'y prenais très mal, ou en tout cas d'une manière tout à fait inefficace. Au lieu d'essayer de sélectionner par moi-même les journalistes, je devais laisser le système que j'allais essayer de dénoncer les choisir pour moi. Je décidai donc que mes meilleurs partenaires seraient les journalistes que la sécurité nationale avait déjà dans le viseur.

Laura Poitras était une documentariste qui travaillait alors principalement sur la politique étrangère des États-Unis depuis le 11 Septembre. Son film *My Country, My Country* décrivait les élections nationales irakiennes de 2005 organisées sous occupation américaine (qui ne les avait pas facilitées, loin de là). Elle avait également réalisé *The Program*, un film sur le cryptanalyste de la NSA

William Binney – qui faisait part de ses objections concernant le programme TRAILBLAZER, le prédécesseur de STELLARWIND. Accusé d'avoir fait fuiter des informations classifiées, il avait été harcelé et arrêté chez lui sous la menace d'une arme, mais n'avait jamais été inculpé. Laura elle-même avait été fréquemment harcelée par le gouvernement en raison de son travail, et régulièrement arrêtée et longuement interrogée par les garde-frontières dès qu'elle sortait du pays.

Glenn Greenwald était un avocat spécialisé dans la défense des droits civils devenu chroniqueur, à l'origine pour *Salon* – où il avait fait partie de ceux qui avaient écrit sur la version non classifiée du rapport de l'inspecteur général de la NSA en 2009 – puis pour l'édition américaine du *Guardian*. Je l'aimais bien pour son scepticisme et son esprit de contradiction, c'était le genre de type qui se serait battu avec le diable, et si le diable n'était pas là, se serait battu avec lui-même. Même si Ewen MacAskill, de l'édition britannique du *Guardian*, et Bart Gellman, du *Washington Post*, se sont avérés par la suite des partenaires précieux (et des guides patients dans la jungle journalistique), j'ai été tout d'abord attiré par Laura et Glenn, peut-être parce qu'ils n'éprouvaient aucun intérêt particulier pour la communauté du renseignement en tant que telle mais se devaient, à un niveau personnel, de comprendre l'institution.

Le seul problème était la prise de contact.

Dans l'incapacité de révéler mon vrai nom, j'ai contacté les journalistes sous une foule d'identités aussi fausses que temporaires. La première de ces identités a été « Cincinnatus », d'après le fermier légendaire qui devint consul à Rome et renonça volontairement au pouvoir. Puis ce fut « Citizenfour », un pseudo que certains journalistes interprétèrent comme le fait que je me considérais le quatrième employé dissident de l'histoire de la NSA, après Binney et les autres lanceurs d'alerte du programme TRAILBLAZER, J. Kirk Wiebe et Ed Loomis – mais le triumvirat que j'avais effectivement à l'esprit était constitué de Thomas Drake, qui avait révélé l'existence de TRAILBLAZER aux journalistes, et de Daniel Ellsberg et Anthony Russo, dont la divulgation des *Pentagon Papers* avait permis de révéler tous les mensonges de la guerre du Vietnam et contribué à y mettre un terme. Le dernier pseudo que j'ai choisi pour ma correspondance était « Verax », « celui qui dit la vérité » en latin, dans l'espoir de proposer une alternative au modèle du hacker appelé « Mendax » (« celui qui dit des mensonges ») – le pseudonyme du jeune homme qui avait par la suite créé Wiki-Leaks, Julian Assange.

On ne peut pas véritablement réaliser à quel point il est difficile de rester anonyme sur Internet avant d'avoir essayé d'agir en ligne comme si votre vie en dépendait. La plupart des systèmes de communication mis en place dans la communauté du renseignement visent un but très simple : quelqu'un qui observe la communication ne doit pas être capable d'identifier les interlocuteurs, ou même d'attribuer la communication à une agence. C'est pour cette raison que la communauté du renseignement qualifie ces échanges de « non attribuables ». La manière dont les espions préservaient leur anonymat avant Internet est célèbre, surtout grâce à la télé et au cinéma : l'adresse d'une planque est codée dans un graffiti à l'intérieur de toilettes publiques, ou bien dissimulée dans les abréviations d'une petite annonce. Ou pensez aux « boîtes aux lettres mortes » de la Guerre froide : les marques de craie sur les boîtes aux lettres signalaient qu'un paquet secret attendait dans le tronc creux de tel arbre dans tel parc. La version moderne de tout ceci pourrait être des faux profils ayant une fausse discussion sur un site de rencontre ou, plus souvent, une appli apparemment anodine laissant des messages apparemment anodins sur un serveur Amazon apparemment anodin mais secrètement contrôlé par la CIA. Mais je voulais quelque chose d'encore mieux que ça, quelque chose qui n'entraînait pas une telle exposition et ne nécessitait pas un tel budget.

J'ai décidé d'utiliser la connexion Internet de quelqu'un d'autre. J'aurais aimé qu'il suffise d'aller au Starbucks ou au McDonald's pour utiliser leur wifi, mais ces endroits ont des caméras de surveillance, des tickets de caisse, et des clients – des souvenirs sur pattes. De plus, toutes les machines sans fil, depuis les téléphones jusqu'aux ordinateurs portables, sont dotées d'un identifiant unique appelé le MAC (*Machine Adress Code*) et le laissent en signature à chaque point de connexion – autant dire qu'il s'agit d'une carte détaillée des mouvements de l'utilisateur.

Je ne suis donc pas allé au McDo ni au Starbucks, non, j'ai pris ma voiture. Et plus spécifiquement, je suis parti faire du *war-driving*, c'est-à-dire que je me suis servi de ma voiture comme d'un détecteur de wifi en mouvement. Pour cela, il suffit d'un ordinateur portable, d'une antenne très puissante et d'un capteur GPS magnétique que l'on peut installer sur le toit. Le tout est alimenté soit par la voiture, soit par une batterie, soit par l'ordinateur portable lui-même. Tout ce dont on a besoin tient dans un sac à dos.

J'ai emporté un ordinateur portable bon marché sur lequel j'ai fait tourner TAILS, un système d'exploitation « amnésique » fonctionnant sous Linux – ce qui signifie qu'il oublie tout dès que vous l'éteignez, et recommence à zéro quand vous le rallumez, sans garder aucune trace de ce que vous avez fait dessus auparavant. TAILS m'a permis de facilement « déguiser » le MAC de l'ordinateur : à chaque fois qu'il se connectait à un réseau, il laissait la signature d'une autre machine, qu'il était impossible d'associer à la mienne. Hasard pratique, TAIL intègre également une fonction de connexion au réseau anonymisateur Tor.

Les nuits et les week-ends, je sillonnais toute l'île d'Oahu, laissant mon antenne prendre le pouls de chaque réseau wifi. Mon traceur GPS associait chaque point d'accès à l'adresse à laquelle il était pour la première fois apparu, grâce à un programme de cartographie appelé Kismet. Bientôt, je disposais d'une carte du réseau invisible à travers lequel nous passions tous les jours sans le voir, et j'ai été surpris de constater qu'un très grand nombre de ces réseaux ne disposaient d'aucune sécurité, ou d'une sécurité que je pouvais contourner de façon triviale. Certains étaient un peu plus compliqués à hacker. J'ai brouillé brièvement un réseau, si bien que les utilisateurs légitimes se sont retrouvés hors-ligne ; en essayant de se reconnecter, ils ont automatiquement retransmis leurs « paquets d'authentification », que j'ai interceptés et déchiffrés pour obtenir des mots de passe qui me permettaient de me connecter au même titre que n'importe quel utilisateur « autorisé ».

Avec cette carte à la main, j'ai conduit comme un dératé sur les routes d'Oahu, à essayer de vérifier mes e-mails pour voir si l'un des journalistes contactés m'avait répondu. Après avoir établi le contact avec Laura Poitras, j'ai passé le plus clair de mes soirées à lui écrire – assis derrière la roue de secours de ma voiture, à la plage, volant le wifi d'un complexe touristique du coin. J'ai dû convaincre certains des journalistes que j'avais choisis de la nécessité d'utiliser des e-mails cryptés, ce qui en 2012 était, il est vrai, pénible. Dans certains cas, j'ai dû leur montrer comment faire, donc j'ai uploadé des tutos – assis dans ma voiture au beau milieu d'un parking, m'invitant dans le réseau d'une bibliothèque, d'une école, d'une station-essence ou encore d'une banque – qui, au passage, disposait d'une protection informatique catastrophique. L'objectif était de ne pas créer de schémas.

Tout en haut du parking d'un centre commercial, rassuré à l'idée que, à la seconde où je fermerai le clapet de mon ordi, mon secret serait protégé, j'ai commencé à rédiger des manifestes pour expliquer pourquoi j'avais décidé de rendre tout ça public, puis je les ai effacés. Et puis j'ai commencé à écrire des e-mails à Lindsay, que j'ai également effacés. Je n'arrivais pas à trouver les mots justes.

23

Lire, écrire, exécuter

L ire, écrire, exécuter. En informatique, c'est ce qu'on appelle des autorisations. D'un point de vue pratique, elles déterminent l'étendue de votre pouvoir sur un ordinateur ou sur un réseau d'ordinateurs, et définissent précisément ce que vous pouvez et ne pouvez pas faire. Le droit de *lire* un fichier vous autorise à accéder à son contenu, tandis que le droit d'*écrire* sur un fichier vous confère le droit de le modifier. L'*exécution*, quant à elle, désigne le droit de lancer un programme, de lui faire effectuer les actions pour lesquelles il a été conçu.

Lire, écrire, exécuter : tel était également mon plan en trois étapes. Je voulais m'infiltrer au cœur du réseau le plus sécurisé du monde pour trouver la vérité, en faire une copie, et le rendre public. Et je devais réaliser tout ceci sans me faire prendre – c'est-à-dire sans être moi-même lu, écrit et exécuté.

Presque toutes vos actions sur un ordinateur ou un appareil similaire laissent une trace. C'est encore plus vrai à la NSA. Toute connexion et toute déconnexion créent une entrée dans le journal des connexions. Chaque autorisation que j'ai utilisée a laissé sa propre trace. À chaque fois que j'ai ouvert un fichier, à chaque fois que j'ai copié un fichier, ces actions ont été enregistrées. À chaque fois que j'ai téléchargé, déplacé ou effacé un fichier, ces actions ont également été enregistrées, et le journal de sécurité a été mis à jour. Les flux de paquets ont été enregistrés, de même que les infrastructures à clés publiques – les gens disaient même pour plaisanter que des caméras étaient dissimulées dans les toilettes. L'agence disposait d'un nombre non négligeable de programmes de contre-espionnage destinés à espionner les gens qui en espionnaient d'autres, et il aurait suffi que l'un d'eux me chope à faire quelque chose que je n'étais pas censé faire pour que la suppression ne concerne plus seulement un fichier.

Par chance, la force de ces systèmes est également leur faiblesse : leur complexité signifie que même les individus qui les font marcher ne connaissent pas nécessairement leur fonctionnement. Personne, en réalité, ne sait exactement où ces programmes se superposent et où se trouvent leurs failles. Personne, à part les administrateurs systèmes. Après tout, ces systèmes sophistiqués de surveillance, ceux avec des noms flippants comme MIDNIGHTRIDER (« cavalierde-minuit »), il faut bien que quelqu'un les ait installés. C'était peut-être la NSA qui avait payé le réseau, mais c'étaient les administrateurs système comme moi qui en étions les véritables propriétaires.

L'étape « Lire » impliquait de me frayer un chemin à travers la grille de pièges numériques disposés sur les routes connectant la NSA à n'importe quelle autre agence de renseignements, nationale ou étrangère (parmi lesquelles se trouvait l'homologue britannique de la NSA, le Government Communications Headquarters, ou GCHQ – Quartier général des communications du gouvernement –, qui posait des filets comme OPTIC-NERVE, un programme qui sauvegardait toutes les cinq minutes une photo volée à la webcam d'individus discutant par vidéo sur des plates-formes comme Yahoo Messenger, ainsi que PHOTONTORPEDO, qui s'emparait des adresses IP des utilisateurs de MSN Messenger). En utilisant Heartbeat pour me procurer les documents que je désirais, je pouvais retourner la « collecte de masse » au détriment de ceux qui s'en étaient servis contre les gens et ainsi transformer la communauté du renseignement en une véritable créature de

Frankenstein. Les outils de sécurité de l'agence gardaient la trace de qui lisait quoi, mais cela n'avait pas d'importance : tous ceux qui prenaient la peine de consulter leurs journaux s'étaient habitués à y voir figurer Heartbeat. Cela ne soulèverait aucune inquiétude. C'était la couverture parfaite.

Mais si Heartbeat permettait de collecter les fichiers – beaucoup, beaucoup trop de fichiers –, il ne pourrait rien faire d'autre que les acheminer jusqu'à un serveur à Hawaï, un serveur qui tenait un journal que j'étais pour le coup incapable de contourner. Il me fallait trouver un moyen de travailler sur les fichiers, de les examiner, et de me débarrasser des fichiers inintéressants ou peu pertinents, ainsi que de ceux qui contenaient des secrets d'État qui ne devaient pas tomber entre les mains des journalistes. À ce stade, alors que j'en étais toujours à l'étape « Lire », les risques étaient nombreux et principalement dus au fait que les protocoles que j'affrontais n'étaient plus conçus pour surveiller mais plutôt pour barrer l'accès. Lancer mes recherches depuis le serveur sur lequel tournait Heartbeat revenait à brandir une immense pancarte clignotante sur laquelle était écrit « ARRÊTEZ-MOI ».

J'ai réfléchi à tout ça quelque temps. Il était impossible de copier directement les fichiers depuis le serveur de Heartbeat sur un dispositif personnel de stockage et me tirer du Tunnel sans me faire prendre. Mais ce que je pouvais faire, en revanche, c'était rapprocher les fichiers et les diriger vers une station intermédiaire.

Je ne pouvais pas les envoyer vers l'un de nos ordinateurs habituels car en 2012, tout le Tunnel était passé aux « clients légers » : des petits ordinateurs inoffensifs avec des processeurs et des lecteurs de disques bridés, qui ne pouvaient ni stocker ni traiter seuls des données se trouvant toutes sur le *cloud*. Dans un coin oublié du bureau, toutefois, trônait une pile d'ordinateurs mis au rebut – des vieilles bécanes pourries que l'agence avait reformatées et abandonnées dans un coin. Quand je dis « vieilles », ici, je précise que ça voudrait dire « neuves » pour tous ceux qui n'ont pas le budget de la NSA. C'étaient des PC Dell de 2009 ou 2010, des grands cubes gris au poids réconfortant, qui pouvaient stocker et traiter des données comme des grands sans avoir besoin d'être connectés au *cloud*. Ce que j'aimais chez eux, c'est qu'ils avaient beau être toujours dans le système de la NSA, ils n'étaient pas précisément traçables tant que je m'abstenais de les connecter aux réseaux centraux.

Je pouvais aisément justifier mon besoin soudain de ces boîtes fiables et impassibles en expliquant que je devais vérifier si Heartbeat fonctionnait avec les systèmes d'exploitation plus anciens. Après tout, les sites de la NSA n'étaient pas tous déjà dotés d'un parc de « clients légers ». Et si Dell voulait implémenter une version civile de Heartbeat ? Ou si la CIA, le FBI ou une autre de ces organisations arriérées voulait s'en servir ? En prétextant ce test de compatibilité, je pourrais transférer les fichiers sur ces vieux ordinateurs avant de les analyser, les filtrer et les organiser comme il me plairait. J'étais en train de porter l'une de ces bonnes vieilles carcasses jusqu'à mon bureau quand j'ai croisé l'un des directeurs du service informatique, qui m'a arrêté pour me demander pourquoi j'avais besoin de cette antiquité – il avait été l'un des avocats les plus zélés de leur remplacement. « Pour voler des secrets », ai-je répondu, et nous avons ri.

L'étape « Lire » a pris fin quand tous les fichiers désirés se sont retrouvés bien organisés à l'intérieur de dossiers. Mais ils étaient toujours sur un ordinateur qui ne m'appartenait pas et qui se trouvait de plus dans le Tunnel, sous terre. L'étape « Écrire » a alors commencé, ce qui, ici, désigne le processus non seulement terriblement lent et ennuyeux, mais aussi proprement terrifiant, consistant à copier les fichiers du Dell sur quelque chose que je pourrais faire sortir du bâtiment.

La manière la plus facile et la plus sûre de copier un fichier de n'importe quel poste de travail de la communauté du renseignement reste la plus ancienne, à savoir prendre des photographies. Les smartphones, bien évidemment, sont interdits dans les bureaux de la NSA, mais ceux qui travaillent là y introduisent régulièrement le leur par inadvertance, et personne ne le remarque. Ils les laissent dans leur sac de gym ou dans les poches de leur coupevent. S'ils se font choper en train de faire une recherche lambda et qu'ils prennent un air idiot et embarrassé plutôt que de hurler en mandarin d'un air paniqué en direction de leur montre, alors ils se font à peine remonter les bretelles, surtout si c'est la première fois. Mais sortir du Tunnel un smartphone rempli de secrets de la NSA est un pari risqué. Si j'avais quitté le bâtiment avec mon smartphone, il est probable que personne ne l'aurait remarqué – ou ne s'en serait soucié – et ça aurait sans doute été la bonne solution pour sortir la copie d'un rapport de torture. Mais je n'étais pas chaud à l'idée de prendre des milliers de photographies de mon écran d'ordinateur au beau milieu d'un bâtiment top secret. Et puis, le téléphone aurait dû être configuré de manière à ce que même les experts les plus acharnés puissent le fouiller sans rien trouver d'incriminant.

Je vais refréner mon envie de coucher sur le papier la manière précise dont j'ai fait ma propre « écriture » – ma propre copie et mon propre cryptage – pour que la NSA soit encore debout demain matin. Je mentionnerai toutefois la technologie de stockage que j'ai utilisée pour les fichiers copiés. Laissez tomber les clés USB ; elles sont trop encombrantes au regard de leur faible capacité de stockage. À la place, je me suis servi de cartes SD – l'acronyme signifie *Secure Digital* (« transmission numérique protégée »). Pour être plus précis, je me suis servi de cartes mini-SD et micro-SD.

Vous savez à quoi ressemble une carte SD si vous vous êtes déjà servi d'un appareil photo numérique ou d'une caméra, ou si vous avez déjà eu besoin de plus de mémoire sur votre tablette. Elles sont minuscules, de véritables miracles de mémoire flash non volatile, et – avec une taille de 20 x 21,5 mm pour la mini-SD et de 15 x 11 mm pour la micro-SD, soit *grosso modo* la taille de l'ongle de votre petit doigt – éminemment dissimulables. On peut par exemple en fixer une à l'intérieur de l'un des cubes d'un Rubik's Cube avant de le remettre en place et personne ne verra rien. Il m'est aussi arrivé de dissimuler une carte dans l'une de mes chaussettes et, lors de mon pic de paranoïa, dans ma joue, afin de pouvoir l'avaler si nécessaire. À la fin, quand j'ai eu suffisamment confiance dans mes méthodes de cryptage, je me suis contenté de

garder la carte au fond de ma poche. Elles ne déclenchent quasiment jamais les détecteurs de métaux, et puis, qui m'en voudrait
d'avoir oublié quelque chose d'aussi petit ?

Il y a malheureusement un prix à payer pour la petite taille des
cartes SD : les transferts de données sont extrêmement lents. Les
temps de copie pour de grands volumes de données sont longs
– toujours trop longs – mais cette durée augmente encore quand
vous ne copiez pas des fichiers sur un disque dur rapide mais sur
un minuscule *wafer* en silicone incorporé dans du plastique. De
plus, je ne me contentais pas de copier des fichiers : je dédupli-
quais, compressais, cryptais, et aucun de ces processus ne pouvait
être effectué en même temps qu'un autre. Je me servais de tout ce
que j'avais appris dans mon travail de stockage, parce qu'au final,
c'est bien ce que je faisais : je stockais le stockage de la NSA, faisais une sauvegarde externe des preuves des abus dont s'était rendue coupable la communauté du renseignement.

Remplir une carte pouvait prendre huit heures ou plus – toute
une journée de travail. Et même si j'avais changé mes horaires
pour travailler à nouveau de nuit, ces heures étaient terrifiantes.
Il y avait le souffle du vieil ordinateur, l'écran éteint et la faible
lumière de l'unique panneau LED encore allumé au plafond pour
faire des économies d'énergie la nuit. Et puis il y avait moi, ral-
lumant l'écran de temps en temps pour vérifier la progression du
transfert, piaffant d'impatience. On connaît tous cette sensation
– le cauchemar consistant à observer la barre de progression tandis qu'elle indique « 84 % », « 85 % », « temps restant : 1:58:53 ».
Et tandis que la barre se remplissait jusqu'à atteindre l'immense
soulagement des « 100 %, tous les fichiers ont été copiés », j'étais
en nage, je voyais des ombres partout, j'entendais des pas venir
des moindres recoins.

Exécuter : c'était l'étape finale. Une fois une carte remplie,
je devais opérer ma fuite quotidienne, faire sortir du bâtiment
cette archive vitale, passer devant les chefs et des types en uniforme, descendre les escaliers, m'engouffrer dans un couloir vide,
scanner mon badge, passer devant les gardes armés, passer les

sas de sécurité – ces zones à deux portes dans lesquelles, pour que la seconde porte s'ouvre, il faut que la première soit fermée et que votre badge soit approuvé – et s'il ne l'est pas, ou que quelque chose ne se passe pas comme prévu, le garde vous braque avec son arme, les portes se verrouillent, et vous dites : « Eh bien, c'est pas mon jour ! » D'après tous les rapports que j'avais étudiés et tous les cauchemars que j'avais faits, c'était là qu'ils me choperaient, j'en étais sûr et certain. À chaque fois que je partais, j'étais pétrifié. Je devais me forcer à ne pas penser à la carte SD car si j'y pensais, j'avais peur d'agir différemment, de manière suspecte.

Mieux comprendre la surveillance de la NSA a eu pour conséquence inattendue de mieux me faire comprendre les dangers auxquels j'étais confronté. Pour le dire autrement, apprendre le fonctionnement des systèmes de l'agence m'avait également appris à leur échapper. Mes guides en la matière étaient les chefs d'accusation qu'utilisait le gouvernement contre les anciens agents – dans l'ensemble de vrais salauds qui, dans le jargon de la communauté du renseignement, avaient « exfiltré » des informations classifiées contre de l'argent. J'ai compilé et étudié autant de procès de ce type que possible. Le FBI – l'agence qui enquête sur tous les crimes commis au sein de la communauté du renseignement – est toujours très fier d'expliquer la manière dont, précisément, il a mis la main sur son suspect et, croyez-moi, j'avais très envie de tirer profit de son expertise. Il semblait que dans la plupart des cas, le FBI attendait, avant de procéder à l'arrestation du suspect, que ce dernier ait terminé son travail et s'apprête à rentrer chez lui. Parfois, il laissait même le suspect sortir ses infos du SCIF – *Sensitive Compartimented Information Facility* ou « établissement d'informations compartimentées sensibles », c'est-à-dire un type de bâtiment, ou de pièce, protégé contre la surveillance – et regagner l'espace public, où la présence même de ces infos constitue un crime fédéral.

Je n'arrêtais pas d'imaginer une équipe d'agents du FBI aux aguets à l'autre extrémité du Tunnel.

En général j'essayais de plaisanter avec les gardes, et c'est là que mon Rubik's Cube s'est révélé utile. Les gardes comme le reste des gens du Tunnel me connaissaient comme « le gars au Rubik's Cube », parce que j'étais tout le temps en train de le manipuler quand je traversais les couloirs. J'étais devenu tellement bon que j'y arrivais d'une seule main. Il était devenu mon totem et une source de distraction, autant pour moi que pour mes collègues. La plupart devaient penser que c'était un air que je me donnais, ou bien une invitation à une conversation de geek. C'était le cas, mais c'était avant tout une manière de maîtriser mon angoisse. Le Rubik's Cube me calmait.

J'ai acheté quelques Rubik's Cube que j'ai distribués autour de moi. Je donnais des tuyaux à ceux qui en prenaient un. Plus les gens seraient habitués aux Rubik's Cube et moins leur viendrait l'envie de s'intéresser de trop près au mien.

Je m'entendais bien avec les gardes, c'est du moins ce que je me racontais, principalement parce que je savais où était leur esprit : ailleurs. J'avais eu un job assez proche du leur, autrefois, au CASL. Je savais à quel point il pouvait être abrutissant de passer toutes les nuits debout à feindre la vigilance. Vous commencez par avoir mal aux pieds. Après un moment, vous avez mal partout. Et vous vous sentez tellement seul que vous vous mettez à parler aux murs.

J'essayais donc d'être plus divertissant qu'un mur et développais un baratin sur mesure pour chaque obstacle humain. Avec l'un des gardes, je parlais d'insomnies et de la difficulté à dormir le jour (rappelez-vous, je travaillais de nuit, donc ces discussions avaient lieu autour des 2 heures du matin). Avec un autre, je parlais de politique. Il qualifiait les démocrates de « rats maléfiques », si bien que j'ai commencé à lire *Breitbart News* pour préparer ces discussions. Ils réagissaient tous de la même façon à mon cube : ça les faisait sourire. Au cours de la période où j'ai travaillé dans le Tunnel, je pense qu'à quelques variations près, quasiment tous les gardes m'ont dit à un moment ou à un autre : « mec, je jouais à ça quand j'étais môme », puis, invariablement : « J'ai essayé d'enlever les stickers pour y arriver. » Moi aussi, mon pote, moi aussi.

C'est seulement de retour chez moi que je commençais à me détendre. J'étais toujours inquiet à l'idée que ma maison soit sur écoute – c'était l'une des autres méthodes charmantes utilisées par le FBI quand elle soupçonnait un agent d'avoir des loyautés suspectes. Je rembarrais Lindsay quand elle s'inquiétait de mes insomnies jusqu'à ce qu'elle me déteste et que je me déteste également. Elle allait au lit, moi sur le canapé, et je me planquais sous une couverture avec mon ordinateur, comme un gosse, parce que le coton reste plus fort que les caméras. Le risque d'une arrestation immédiate étant momentanément écarté, je pouvais me concentrer sur le transfert des fichiers depuis mon ordinateur portable vers un disque dur externe – seul quelqu'un ne comprenant pas très bien l'informatique pourrait croire que j'allais garder pour toujours les fichiers sur mon ordinateur portable – et les verrouiller en me servant de plusieurs algorithmes de cryptage utilisant différentes méthodes d'implémentation, si bien que même si l'une des méthodes de cryptage échouait, les autres continueraient à garder les fichiers en sécurité.

J'ai fait très attention à ne laisser aucune trace au travail, tout comme j'ai pris soin que mon travail de cryptage ne laisse aucune trace des documents à la maison. Je savais en revanche que les documents permettraient de remonter jusqu'à moi une fois que je les aurais envoyés aux journalistes et qu'ils auraient été décryptés. Tout enquêteur dressant la liste des employés de l'agence ayant accès ou pouvant avoir accès à toutes ces données ne retiendrait au final qu'un seul nom : le mien. Je pouvais bien sûr confier moins de données aux journalistes mais, dans ce cas, ils ne pourraient pas faire aussi bien leur travail. J'ai fini par accepter l'idée que même un seul slide ou un seul pdf me rendraient vulnérable, dans la mesure où tous les fichiers numériques contiennent des métadonnées, des tags invisibles qui peuvent être utilisés pour identifier leur origine.

J'ai retourné dans tous les sens la manière dont je devais gérer cette question des métadonnées. D'un côté j'étais inquiet, car si je n'effaçais pas les informations d'identification sur les documents, ces dernières m'incrimineraient à la seconde où les journalistes ouvriraient et déchiffreraient le fichier. Mais de l'autre, je craignais qu'effacer complètement les métadonnées n'altère les fichiers – s'ils étaient endommagés de quelque façon que ce soit, leur authenticité pouvait légitimement être remise en doute. Qu'est-ce qui était le plus important : la sécurité personnelle ou le bien public ? Cela peut sembler un choix évident mais il m'a fallu du temps pour accepter la situation. J'ai décidé à mes risques et périls de ne pas toucher aux métadonnées.

J'ai été en partie convaincu par ma crainte qu'il existe, même si j'avais effacé les métadonnées que je connaissais, une autre sorte de tatouage numérique dont j'ignorais l'existence et que j'étais incapable de repérer. La difficulté de gommer des documents mono-utilisateur a également pesé dans la balance. Un document mono-utilisateur est un document marqué avec un code spécifique attaché à un utilisateur, si bien que si un journal décide de le soumettre avant publication au gouvernement, ce dernier saura qui en est la source. Parfois, l'identificateur est dissimulé dans l'horodatage, parfois dans un ensemble de micro-points dans le logo ou un graphique. Mais il peut aussi être intégré au document d'une manière à laquelle je n'ai jamais pensé. Cette hypothèse aurait dû me décourager mais curieusement, elle m'a stimulé. La difficulté technologique m'a forcé, pour la première fois, à envisager la perspective de renoncer à un anonymat que j'avais pratiqué toute ma vie et de me présenter comme la source. J'allais défendre mes principes en acceptant de donner mon nom et de me faire condamner.

En fin de compte, les documents que j'avais sélectionnés tenaient sur un unique disque dur que j'ai laissé sur mon bureau à la maison. Je savais que ces données étaient autant en sécurité ainsi qu'à l'agence. En réalité, grâce aux différentes méthodes et aux différents niveaux de cryptage que j'avais utilisés, elles étaient même davantage sécurisées. Là réside l'incomparable beauté de l'art de la cryptologie. Un petit peu de maths peut accomplir ce dont sont incapables les fusils et les fils barbelés : garder un secret.

24

Crypter

La plupart des personnes qui utilisent des ordinateurs, y compris les journalistes, pensent qu'il existe une quatrième autorisation fondamentale en plus de « Lire », « Écrire » et « Exécuter », qui s'appellerait « Supprimer ».

La possibilité de supprimer est omniprésente pour l'utilisateur. Elle est présente physiquement dans le *hardware* comme une touche sur le clavier, et dans le *software* en tant qu'option cliquable dans un menu déroulant. Le caractère définitif de l'action de supprimer implique une certaine responsabilité au moment d'appuyer sur la touche. Parfois, il arrive même qu'une fenêtre s'ouvre pour vérifier : « Voulez-vous vraiment supprimer ces fichiers ? » Si l'ordinateur va jusqu'à remettre en cause votre décision en vous en demandant confirmation – cliquer « Oui » –, il paraît logique que « Supprimer » soit un acte lourd de conséquences, peut-être même la plus grave des décisions.

Cela est aussi parfaitement vrai en dehors du monde de l'informatique où, clairement, le pouvoir de faire disparaître a historiquement toujours été grand. Mais même ainsi, comme d'innombrables despotes l'ont appris à leurs dépens, il ne suffit pas de détruire tous les exemplaires d'un document pour s'en débarrasser. Il faut également en détruire tous les souvenirs, ce qui revient à détruire toutes les personnes qui s'en souviennent ainsi que tous les exemplaires de tous les autres documents qui en font mention, et toutes les personnes qui se souviennent de tous ces autres documents. Alors peut-être, mais peut-être seulement, vous aurez véritablement supprimé ce document.

Les fonctions de suppression sont apparues dès les prémices de l'informatique. Les ingénieurs avaient compris qu'au sein d'un monde aux options réellement illimitées, certains choix se révéleraient inévitablement des erreurs. Les utilisateurs devaient avoir *l'impression* d'être aux manettes, surtout vis-à-vis de quelque chose qu'ils avaient eux-mêmes créé. S'ils avaient créé un fichier, il fallait qu'ils soient en mesure de le détruire quand ils le désiraient. La capacité de détruire ce qu'ils avaient créé pour tout recommencer à zéro constituait une fonction fondamentale qui conférait aux utilisateurs le sentiment d'une certaine capacité d'action, en dépit du fait qu'ils étaient peut-être dépendants d'un *hardware* propriétaire qu'ils ne pouvaient pas réparer et d'un *software* qu'ils ne pouvaient pas modifier, ou encore contraints par les règles imposées par une plateforme tierce.

Pensez un instant aux raisons pour lesquelles vous appuyez sur le bouton « Supprimer ». Sur votre PC, vous désirez peut-être vous débarrasser d'un document dont vous n'êtes pas satisfait, ou d'un fichier que vous avez téléchargé et dont vous n'avez plus besoin – ou encore d'un fichier dont vous ne voulez pas qu'on sache que vous en avez eu besoin. Sur votre boîte mail, vous avez peut-être envie de supprimer le message d'un ou d'une ex dont vous ne vous souvenez plus ou dont vous ne voulez pas que votre époux ou épouse apprenne l'existence, ou l'invitation pour la manif à laquelle vous vous êtes rendu hier. Sur votre téléphone, vous pourriez avoir envie d'effacer l'historique de tous les lieux où il a voyagé, ou certaines des photos, vidéos et enregistrements privés qui sont automatiquement envoyés sur le *cloud*. À chaque fois, vous supprimez, et la chose – le fichier – semble avoir disparu.

La vérité, c'est que la suppression en informatique n'a jamais existé comme nous la concevons. La suppression est juste une ruse, une invention, une fiction publique, le mensonge pas si pieux que vous susurre votre ordinateur pour vous rassurer et vous mettre à l'aise. Même si les fichiers supprimés disparaissent de l'écran, ils ont rarement complètement disparu. En termes techniques, la suppression n'est en vérité rien d'autre qu'une variante de la seconde autorisation, celle consistant à « Écrire ». Normalement, quand vous cliquez « Supprimer » sur l'un de vos fichiers, ses données – qui ont été stockées dans quelque recoin obscur d'un disque dur – ne sont pas véritablement altérées. Les systèmes d'exploitation modernes efficaces ne sont pas conçus pour aller farfouiller au plus profond d'un disque dur pour de simples suppressions. En fait, c'est seulement la carte de l'ordinateur indiquant où est stocké chaque fichier (une carte appelée « *file table* ») qui est réécrite pour indiquer : « Je ne me sers plus de cet emplacement pour quelque chose d'important. » Ce qui signifie qu'à l'instar d'un livre oublié dans une immense bibliothèque, le fichier supposément effacé peut toujours être lu par quiconque le cherche de manière suffisamment précise. Autrement dit, vous aurez beau effacer la référence au livre des fichiers de la bibliothèque, le livre n'aura pas disparu pour autant.

En fait, vous pouvez facilement vérifier cette idée par vous-même : la prochaine fois que vous copierez un fichier, demandez-vous pourquoi cela prend autant de temps alors que l'acte de suppression est instantané. La réponse, c'est que la suppression ne fait rien au fichier, si ce n'est le mettre à l'abri des regards. Pour le dire simplement, les ordinateurs n'ont pas été conçus pour corriger des erreurs mais pour les cacher – les cacher uniquement aux yeux de ceux qui ne savent pas chercher.

Les derniers jours de 2012 ont été marqués par de sinistres nouvelles. Les derniers remparts légaux qui interdisaient la surveillance de masse par certains des membres les plus importants des « Five Eyes » étaient en train de tomber. Les gouvernements australien et britannique proposaient tous deux des législations pour rendre obligatoire l'enregistrement des métadonnées téléphoniques et d'Internet. C'était la première fois que des gouvernements en théorie démocratiques confessaient publiquement leur ambition de construire une sorte de machine à remonter le temps de la surveillance qui leur permettrait, grâce à la technologie, de revenir sur les événements de la vie de n'importe quel individu, et ce jusqu'à plusieurs mois, voire des années, en arrière. Ces tentatives ont définitivement marqué, du moins dans mon esprit, le passage d'un monde occidental créateur et défenseur d'un Internet libre à un monde occidental ennemi et destructeur potentiel de ce même Internet. Même si ces lois étaient justifiées comme des mesures de sécurité publique, elles représentaient une intrusion violente dans la vie quotidienne des innocents qu'elles ont terrifié – à juste titre – jusqu'aux citoyens des autres pays qui ne se sentaient pas directement concernés par ces lois (peut-être parce que leur propre gouvernement avait choisi de les surveiller en secret).

Ces initiatives publiques de surveillance de masse ont prouvé une fois pour toutes qu'il ne saurait exister d'alliance naturelle entre la technologie et les gouvernements. Le fossé séparant mes deux communautés si étrangement interconnectées, à savoir la communauté du renseignement américain et la tribu mondiale en ligne des techniciens informatiques, était devenu définitivement infranchissable. Pendant mes toutes premières années dans la communauté du renseignement, j'arrivais encore à concilier les deux cultures, passant facilement de mon travail d'espion à mes relations avec les civils défendant la protection de la vie privée sur Internet – depuis les hackers anarchistes jusqu'aux chercheurs plus fréquentables qui se servaient de Tor et me tenaient au courant des avancées de la recherche en informatique et m'inspiraient politiquement. Pendant des années, j'ai été capable de me mentir à moi-même et de me faire croire que nous étions tous, en fin de compte, dans le même camp historique, en train d'essayer de protéger Internet pour qu'y règne la liberté d'expression plutôt que la peur. Mais je n'ai pas pu m'accrocher très longtemps à cette illusion. Il est vite devenu clair que le gouvernement, mon employeur, était l'adversaire. Ce que mes pairs en informatique avaient toujours suspecté, je venais seulement d'en avoir confirmation et je ne pouvais pas leur en parler. Ou, du moins, pas encore.

Ce que je pouvais faire, en revanche, c'était les aider tant que cela ne mettait pas en danger mes propres projets. C'est comme ça que je me suis retrouvé à Honolulu, une très jolie ville à laquelle je ne m'étais jamais particulièrement intéressé, pour intervenir lors d'une « CryptoParty ». Il s'agissait d'un nouveau type de rassemblement, inventé par un mouvement cryptologique international et populaire, où des informaticiens donnaient gratuitement des cours sur le thème de l'autodéfense numérique – le but était en gros de montrer à tous ceux que ça intéressait comment protéger et sécuriser leurs communications. De bien des manières, cela recoupait ce que j'avais enseigné à la JCITA, alors j'avais sauté sur l'occasion.

Même si cela peut vous paraître assez inconséquent de ma part, étant donné les dangers que me faisaient courir mes autres activités à l'époque, cette décision traduisait l'absolue confiance que je plaçais dans les méthodes de cryptage que j'enseignais – celles-là mêmes que j'avais utilisées pour protéger le disque dur rempli des abus de la communauté du renseignement qui était posé sur mon bureau, et dont même la NSA aurait été incapable de faire sauter les verrous. Je savais que quel que soit le nombre de documents divulgués et le nombre de journalistes sur le coup, cela ne suffirait pas à écarter la menace qui planait sur le monde. Les gens avaient besoin d'outils pour se protéger et ils avaient besoin d'apprendre à s'en servir. Je craignais que mon approche ne soit devenue trop technique, or j'étais également en train d'essayer de fournir ces outils aux journalistes. Après tant de sessions passées à faire la leçon à mes collègues, cette opportunité de simplifier la manière dont je traitais le sujet devant un public non averti ne pouvait que m'être bénéfique. Et puis l'enseignement me manquait sincèrement : cela faisait déjà un an que je ne m'étais pas retrouvé face à une classe et, à la seconde où j'ai repris cette place, je me suis rendu compte que depuis tout ce temps, j'avais enseigné les bonnes choses aux mauvaises personnes.

Quand je dis « classe », je ne veux pas parler d'un truc comme les salles de classe de la communauté du renseignement ou leurs salles de réunion. La CryptoParty était organisée dans une galerie d'art d'une seule pièce, derrière un magasin de meubles et un espace de *coworking*. Pendant que j'installais le vidéoprojecteur afin de montrer grâce à des slides combien il était facile de faire tourner un serveur Tor pour aider, par exemple, les citoyens iraniens – mais aussi d'Australie, du Royaume-Uni et des États-Unis –, mes étudiants sont entrés dans la salle. Il s'agissait d'un drôle de mélange d'inconnus et de nouveaux amis que je n'avais rencontrés qu'*online*. Je dirais qu'en tout, ce soir de décembre, une vingtaine de personnes étaient venues écouter mon enseignement ainsi que celui de ma coconférencière, Runa Sandvik, une jeune Norvégienne brillante qui travaillait sur le projet Tor. (Par la suite, Runa deviendrait la directrice de la sécurité informatique du *New York Times*, ce qui lui permettrait de financer ses futures CryptoParty.) Ce qui unissait notre public n'était pas tant son intérêt pour Tor, ni même la peur d'être espionné, que le désir de recouvrer un sentiment de contrôle sur les zones privées de leur vie. Il y avait des personnes âgées qui semblaient être entrées là un peu par hasard, un journaliste local qui couvrait le mouvement Occupy hawaïen, ainsi qu'une femme qui avait été victime d'un *revenge porn*. J'avais également invité certains de mes collègues de la NSA, espérant qu'ils s'intéresseraient à ce mouvement et pour montrer aussi que je ne cachais pas à l'agence mon implication dans ce mouvement. Seul l'un d'entre eux était venu et s'était installé tout au fond de la salle, les jambes écartées, les bras croisés et un sourire suffisant aux lèvres.

J'ai commencé ma présentation en parlant de la nature illusoire de l'acte de suppression, dont l'objectif d'effacement total ne pouvait jamais être atteint. L'audience a saisi sans difficulté. J'ai continué en expliquant qu'au mieux, les données qu'ils voulaient que personne ne voie seraient écrasées (*overwritten*) plutôt qu'effacées (*unwritten*) : il s'agissait en quelque sorte de gribouiller sur le fichier avec des données aléatoires ou pseudo-aléatoires jusqu'à ce que l'original devienne illisible. Puis je les ai avertis que même cette approche avait des inconvénients : il était toujours possible que leur système d'exploitation ait secrètement dissimulé une copie du fichier qu'ils voulaient supprimer dans un quelconque recoin de stockage temporaire dont ils ne connaissaient pas l'existence.

C'est à ce moment-là que je suis passé au cryptage.

La suppression est un rêve pour celui qui surveille et un cauchemar pour celui qui est surveillé, mais le cryptage est ou devrait être une réalité pour tous. C'est la seule véritable protection contre la surveillance. Si, pour commencer, la totalité de votre disque dur est cryptée, vos adversaires ne peuvent pas y fouiller pour y trouver des fichiers supprimés ou quoi que ce soit d'autre – à moins qu'ils possèdent la clé de chiffrement. Si tous les e-mails de votre boîte mail sont cryptés, Google ne peut pas les lire pour vous profiler – à moins qu'il possède la clé de chiffrement. Si toutes vos communications qui transitent par des réseaux hostiles australiens, ou britanniques, ou américains, ou chinois ou russes sont cryptées, alors les espions ne peuvent pas les lire – à moins qu'ils possèdent la clé de chiffrement. C'est le principe premier du cryptage : celui qui a la clé a tous les pouvoirs.

Je leur ai expliqué que le cryptage fonctionnait grâce à des algorithmes. Un algorithme de cryptage peut sembler intimidant et certains le sont clairement quand ils sont rédigés, mais le concept lui-même est tout à fait élémentaire. Il s'agit d'une méthode mathématique de transformation réversible de l'information – comme vos e-mails, vos appels téléphoniques, vos photos, vos vidéos ou vos fichiers – permettant de la rendre incompréhensible à quiconque ne possède pas une copie de la clé de chiffrement. Vous pouvez imaginer un algorithme de cryptage moderne comme une baguette magique qui, agitée au-dessus d'un document, transforme chaque lettre pour former un langage que seuls vous et les personnes en qui vous avez confiance êtes capables de lire, et la clé de chiffrement comme l'unique formule magique faisant fonctionner cette baguette. Peu importe le nombre de gens qui savent que vous vous êtes servi d'une baguette magique tant que vous mettez la formule magique à l'abri des personnes en qui vous n'avez pas confiance.

Les algorithmes de cryptage sont en fait simplement des ensembles de problèmes mathématiques conçus pour être incroyablement difficiles à résoudre pour des ordinateurs. La clé de chiffrement est l'unique indice permettant à l'ordinateur de résoudre l'ensemble particulier de problèmes mathématiques utilisé. Vous placez vos données lisibles, appelées « texte en clair » à l'une des extrémités de votre algorithme de cryptage, et un charabia incompréhensible qu'on appelle « texte chiffré » en sort de l'autre côté. Quand quelqu'un veut lire le texte chiffré, il le remet dans l'algorithme accompagné – étape cruciale – de la bonne clé, et le texte en clair sort de l'autre côté. Si différents algorithmes offrent différents degrés de protection, la sécurité d'une clé dépend souvent de sa longueur, qui indique le niveau de difficulté que représente la résolution du problème mathématique sous-jacent à un algorithme spécifique. Dans les algorithmes où clés plus longues riment avec sécurité accrue, l'amélioration est exponentielle. Si l'on part de l'hypothèse qu'un assaillant a besoin d'une journée pour cracker une clé de 64 bits – qui brouille vos données de l'une des 2^{64} façons possibles (soit 18 446 744 073 709 551 616 permutations uniques) –, alors il faudra deux fois plus de temps, deux jours, pour cracker une clé de 65 bits, et quatre jours pour une clé de 66 bits. Craquer une clé de 128 bits prendrait 2^{64} fois plus de temps qu'une journée, soit cinquante millions de milliards d'années. D'ici là, qui sait, j'aurai peut-être même été gracié.

Dans mes communications avec les journalistes, j'ai utilisé des clés de 4 096 et 8 192 bits. Cela signifie que, en l'absence d'innovations majeures dans la technologie informatique ou de redéfinition fondamentale des principes par lesquels les nombres sont factorisés, tous les cryptanalystes de la NSA assistés de toute la puissance informatique du monde resteront incapables de pénétrer dans mon disque dur. C'est pour cette raison que le cryptage est notre meilleur espoir de lutter contre la surveillance sous toutes ses formes. Si toutes nos données, y compris nos communications, étaient chiffrées de cette manière, d'un bout à l'autre de la chaîne de communication (depuis l'extrémité émettrice jusqu'à l'extrémité réceptrice), alors aucun gouvernement – et tant qu'on y est, aucune entité concevable en l'état actuel de nos connaissances en physique – ne serait capable de les comprendre. Un gouvernement pourrait toujours intercepter et collecter des signaux, mais cela reviendrait à intercepter et collecter du bruit. Crypter nos communications reviendrait en fait à les effacer des souvenirs de toutes les entités avec lesquelles nous traitons. Cela supprimerait les autorisations de ceux auxquels elles n'ont en réalité jamais été accordées.

Pour tout gouvernement espérant accéder à des communications cryptées, il n'y a que deux options : essayer de trouver les clés ou bien essayer de mettre la main sur les maîtres des clés. Il peut lancer des attaques ciblées aux extrémités de la chaîne de communication, c'est-à-dire le *hardware* et le *software* qui accomplissent le cryptage ; ou bien faire pression sur les constructeurs eux-mêmes pour qu'ils vendent délibérément des produits effectuant des cryptages défectueux ; ou bien tromper des organisations internationales de normalisation afin qu'elles acceptent des algorithmes de cryptage sabotés contenant des points d'accès secrets appelés « portes dérobées » ; ou bien exploiter une vulnérabilité qu'il n'a pas créée mais simplement découverte, et s'en servir pour hacker votre clé – une technique utilisée à l'origine par des criminels mais désormais adoptée par les plus grandes puissances étatiques, même si cela signifie préserver volontairement des failles dévastatrices dans la cybersécurité d'infrastructures internationales de la plus grande importance.

Le meilleur moyen de garder nos clés à l'abri est appelé la « preuve à divulgation nulle de connaissance » (*zero knowledge*), une méthode qui garantit que n'importe quelle donnée que vous essayez de stocker de manière externe – par exemple sur le *cloud* d'une entreprise – est cryptée par un algorithme sur votre machine avant que la donnée ne soit téléchargée, si bien que votre clé n'est jamais partagée. Avec le protocole de la preuve à divulgation nulle de connaissance, les clés sont entre les mains de l'utilisateur et nulle part ailleurs. Aucune entreprise, aucune agence, aucun ennemi ne peut y accéder.

Ma clé permettant d'accéder aux secrets de la NSA allait au-delà de la preuve à divulgation nulle de connaissance : il s'agissait d'une preuve à divulgation nulle de connaissance constituée de multiples preuves à divulgation nulle de connaissance.

Imaginez ça comme ça : disons par exemple que lors de la conclusion de ma conférence à la CryptoParty, je me suis installé à la sortie de la salle, par laquelle devait passer chacun des vingts participants. Imaginez qu'à chaque fois que l'un d'entre eux passait la porte avant de s'enfoncer dans la nuit, je lui chuchotais un mot à l'oreille – un mot unique, que personne d'autre ne pouvait entendre, et qu'ils ne pouvaient répéter à haute voix qu'à la condition qu'ils soient tous à nouveau réunis dans une même pièce. C'est seulement en rassemblant ces vingt personnes et en leur faisant répéter ces mots dans l'ordre exact où je les leur avais chuchoté qu'il devenait possible de reconstituer l'incantation de vingt mots. Si quelqu'un oubliait son mot, ou qu'ils étaient récités dans un ordre un tant soit peu différent, la magie n'opérait pas.

Mes clés d'accès au disque dur sur lequel étaient stockés les secrets de la NSA ressemblaient à ce type de disposition, avec un petit truc en plus : j'avais distribué tous les mots de l'incantation sauf un, que j'avais gardé pour moi. Les morceaux de ma formule magique étaient dissimulés un peu partout, mais si je détruisais l'unique morceau que j'avais gardé, je détruisais à jamais toute possibilité d'accéder aux secrets de la NSA.

25

Le petit garçon

Ce n'est que rétrospectivement que je suis capable de mesurer à quel point j'ai eu de la chance. D'étudiant incapable de parler devant une classe, je suis devenu l'enseignant de la langue d'une nouvelle ère ; fils d'une modeste famille de la classe moyenne de la banlieue de Washington, je me suis retrouvé, adulte, à vivre sur une île et à gagner tant d'argent que les chiffres n'avaient plus aucune signification. Au cours des sept petites années qu'a duré ma carrière, je suis passé de la maintenance de serveurs locaux à l'élaboration et l'implémentation de systèmes déployés à l'échelle mondiale – de veilleur de nuit à maître des clés du palais des énigmes[1].

Il est toujours dangereux de laisser un individu, quel que soit son niveau de qualification, gravir les échelons trop vite, avant qu'il ait eu assez de temps pour devenir cynique et abandonner tout idéal. J'ai occupé l'une des positions les plus étonnamment omniscientes de la communauté du renseignement – vers le bas de la hiérarchie, et pourtant tout en haut en termes d'accès. Et tandis que j'avais la capacité phénoménale et franchement imméritée

1. Le « puzzle palace », palais des énigmes, est le surnom de la NSA. (NdT.)

d'observer la communauté du renseignement dans son sinistre ensemble, une question me taraudait toujours davantage : existait-il une limite à la portée du regard de l'agence ? Si une telle limite existait, elle ne devait pas tant découler de la loi et de la politique que des capacités impitoyables et inflexibles de ce que je savais désormais être une machine opérant à l'échelle mondiale. Existait-il une personne que cette machine ne pouvait pas surveiller ? Existait-il un lieu où elle ne pouvait pas aller ?

La seule manière de répondre à ces questions était de descendre de mon mirador, d'abandonner mon point de vue panoptique pour lui préférer la vision rétrécie d'un rôle opérationnel. Les employés de la NSA qui avaient le plus facilement accès aux informations brutes étaient ceux qui s'asseyaient à leur bureau pour taper sur leur ordinateur le nom des individus désormais considérés comme suspects, qu'ils soient citoyens des États-Unis ou non. Pour une raison ou pour une autre, ou même sans aucune raison, ces individus étaient devenus les cibles d'un examen minutieux de la part de l'agence, qui s'attelait dès lors à tout savoir de leur vie et de leurs communications. Ma destination ultime, je le savais, était le point précis de cette interface, l'endroit exact depuis lequel l'État observait l'humain sans que ce dernier en ait conscience.

Le programme qui rendait possible cet accès était appelé XKEYSCORE, que l'on pourrait décrire comme un moteur de recherche permettant à l'analyste de chercher dans tous les enregistrements de votre vie. Imaginez une sorte de Google qui, au lieu de montrer des pages de l'Internet public, proposerait des résultats issus de vos e-mails privés, de vos chats privés, de vos fichiers privés, etc. Même si j'avais lu toute la documentation existant sur le programme pour comprendre son fonctionnement, je ne m'en étais encore jamais servi et il était impératif que j'en apprenne plus à son sujet. En me mettant en quête de XKEYSCORE, je cherchais en réalité une confirmation de la profondeur de la surveillance exercée par la NSA – le genre de confirmation qui ne peut pas venir de documents mais seulement de l'expérience directe.

L'un des rares bureaux à Hawaï à offrir un accès vraiment libre à XKEYSCORE était le National Threat Operations Center (Centre des opérations de lutte contre les menaces nationales, NTOC). Le NTOC était situé dans les bureaux flambant neufs, sans âme et aménagés en *open space* que la NSA avait officiellement baptisés le Rochefort Building, en hommage à Joseph Rochefort, un cryptanalyste mythique de la Navy qui avait cracké des codes japonais pendant la Seconde Guerre mondiale. La plupart des employés avaient pris l'habitude de l'appeler le « Roach Fort » (« fort du cafard ») ou simplement le « Roach ». Quand j'ai postulé pour un boulot là-bas, des parties du Roach étaient encore en construction, ce qui m'a rappelé mon premier travail en tant que personnel habilité, au CASL : visiblement, il était écrit que je commencerais et finirais ma carrière au sein du renseignement dans des bâtiments en travaux.

Le Roach accueillait non seulement presque tous les analystes et les traducteurs travaillant pour l'agence à Hawaï mais également l'antenne locale de la division des *Tailored Acces Operations* (Opérations d'accès sur mesure, TAO). C'était l'unité de la NSA chargée de hacker à distance les ordinateurs des individus que les analystes avaient désignés comme des cibles – l'équivalent, au sein de l'agence, des bonnes vieilles équipes de cambrioleurs qui s'infiltraient dans les maisons des ennemis pour y planquer des mouchards et trouver du matériau compromettant. La mission principale du NTOC consistait quant à elle à surveiller et contrarier les activités similaires des homologues étrangers du TAO. Par le plus grand des hasards, le NTOC avait ouvert un poste par le biais d'une sous-traitance à Booz Allen Hamilton et la fiche de poste était intitulée, par euphémisme, « analyste infrastructure ». Le travail consistait à utiliser l'ensemble du spectre des outils de surveillance de masse de la NSA, dont XKEYSCORE, pour contrôler l'activité de l'« infrastructure » en question, à savoir Internet.

Même si j'allais gagner un peu plus d'argent chez Booz, autour de 120 000 dollars par an, c'était à mes yeux une rétrogradation – la première des nombreuses rétrogradations que j'allais connaître au cours de ma chute finale, me délestant peu à peu de tous mes accès, de toutes mes autorisations et de tous mes privilèges. D'ingénieur, je passais analyste, avant de finir exilé et la cible des technologies même que j'avais contrôlées par le passé. De ce point de vue, cette légère perte de prestige avait peu d'importance. D'ailleurs, de ce point de vue, tout semblait avoir peu d'importance, alors que l'arc de ma vie était en train de redescendre à toute vitesse vers la terre, vers le point d'impact qui mettrait un terme à ma carrière, à ma vie sociale, à ma liberté, et peut-être même à ma vie.

J'avais décidé de sortir mes archives du pays pour les transmettre aux journalistes que j'avais contactés, mais avant même de commencer à réfléchir à la logistique qu'impliquait ce projet, j'ai dû aller serrer quelques paluches. Je devais prendre un avion pour l'est de Washington et passer plusieurs semaines à faire des réunions et échanger des banalités avec mes nouveaux patrons et collègues, qui avaient bon espoir de pouvoir utiliser mon incomparable expertise sur l'anonymisation en ligne pour démasquer leurs cibles les plus intelligentes. C'est la dernière fois que je revenais chez moi, dans la banlieue de Washington, et sur le lieu de ma première rencontre avec une institution qui avait perdu le contrôle : Fort Meade. Et cette fois, j'étais un initié.

Le jour qui avait marqué mon passage à l'âge adulte, dix tumultueuses années plus tôt, avait non seulement profondément changé les gens qui travaillaient au quartier général de la NSA mais le lieu lui-même. Cela m'est apparu dès que je me suis fait arrêter dans ma voiture de location alors que j'essayais de quitter Canine Road pour l'un des parcs de stationnement de l'agence qui, dans mes souvenirs, résonnait encore des sirènes, des sonneries de téléphones, des coup de klaxon et de tous les bruits qui accompagnent en général la panique. Depuis le 11 Septembre, toutes les routes conduisant aux quartiers généraux de la NSA avaient été définitivement fermées à ceux qui ne possèdent pas l'un des badges spéciaux de la communauté du renseignement, comme celui qui, à ce moment précis, pendait à mon cou.

Quand je n'étais pas en train de faire des risettes à la direction du NTOC, j'essayais d'en apprendre le plus possible – je faisais du *hot desking* avec des analystes qui travaillaient sur différents programmes et différents types de cible, afin d'être capable à mon retour d'enseigner à mes collègues d'Hawaï les moyens les plus récents de se servir des outils de l'agence. C'était du moins l'explication officielle de ma curiosité, qui avait de toute façon toujours excédé ce qui était strictement nécessaire et m'avait fait gagner la gratitude des mordus d'informatique. Eux, de leur côté, étaient comme d'habitude impatients de démontrer la puissance des machines qu'ils avaient développées, et n'exprimaient pas la moindre inquiétude quant à la manière dont cette puissance était appliquée. Lors de mon séjour au quartier général, on m'a également fait passer une série d'examens sur l'utilisation correcte du système. Ça ressemblait davantage à des exercices d'obéissance aux règles ou à des façons de protéger les procédures qu'à des instructions dotées de sens. Les autres analystes m'avaient expliqué que dans la mesure où il est possible de passer cet examen autant de fois que nécessaire, je pouvais m'épargner l'apprentissage des règles : « Contente-toi de cocher des cases jusqu'à ce que ça passe. »

Dans les documents que j'ai par la suite communiqués aux journalistes, la NSA décrivait XKEYSCORE comme son outil « à la plus grande portée », utilisé pour chercher « à peu près tout ce que fait un utilisateur sur Internet ». Les spécifications techniques que j'ai étudiées détaillaient précisément le fonctionnement de cet outil – en faisant « des paquets » et en faisant « des sessions », ou en découpant les données des sessions en ligne d'un utilisateur en des paquets adaptés à l'analyse – mais rien ne m'avait préparé à le voir en action.

C'était, pour dire les choses simplement, ce que j'ai pu voir de plus proche de la science-fiction dans la science elle-même : une interface permettant de taper l'adresse, le numéro de téléphone ou l'adresse IP d'à peu près n'importe qui et de se plonger dans l'histoire récente de son activité en ligne. Dans certains cas, vous pouviez même visualiser des enregistrements de ses sessions en ligne passées, si bien que vous ne regardiez plus votre écran mais le sien, avec tout ce qui traînait sur son bureau. Vous accédiez à ses e-mails, son historique de navigation, son historique de recherche, ses posts sur les réseaux sociaux, etc. Vous pouviez activer des notifications pour être averti à chaque fois qu'une personne ou une machine qui vous intéressaient devenait actives sur Internet. Et vous pouviez regarder dans les paquets de données d'Internet pour voir apparaître les recherches d'un individu lettre par lettre, dans la mesure où de très nombreux sites transmettaient chaque caractère au fur et à mesure qu'ils étaient tapés. C'était comme de regarder un « complètement automatique » : les lettres et les mots apparaissaient un par un sur l'écran, sauf que l'intelligence à l'œuvre n'était pas artificielle mais bien humaine – c'était un « complètement humain ».

Les semaines passées à Fort Meade et mon court passage chez Booz lors de mon retour à Hawaï ont été les seules fois où j'ai vu de mes yeux les abus en train d'être commis, abus dont je ne connaissais auparavant l'existence que par ma lecture de la documentation interne. Constater ces abus m'a fait réaliser combien ma position au niveau des systèmes m'avait éloigné de l'impact réel de ces programmes et m'avait isolé du niveau zéro du dommage immédiat. Je ne pouvais qu'imaginer alors le degré d'éloignement de la direction de l'agence ou, tant qu'on y était, du président des États-Unis.

Je n'ai pas tapé le nom du directeur de l'agence ou du président américain dans XKEYSCORE, mais après avoir passé assez de temps sur le système, je me suis rendu compte que c'était possible. Toutes les communications étaient dans le système – toutes. J'avais tout d'abord eu peur de me faire très vite griller et renvoyer, voire pire, si je me mettais à chercher le nom de ceux qui étaient tout en haut de la hiérachie du pouvoir. Mais il était remarquablement simple de déguiser une requête à propos de personnes même très haut placées en codant les termes de ma recherche dans un format qui ressemblait à du charabia pour les humains mais qui était parfaitement clair pour XKEYSCORE. Si l'un des responsables de la supervision des requêtes prenait la peine de se pencher dessus, il ne verrait que des bribes de code impénétrables, alors que je serais personnellement capable de fouiner dans les activités les plus intimes d'un membre de la Cour suprême ou du Congrès.

Pour ce que j'en sais, aucun de mes nouveaux collègues n'avait jamais eu l'intention d'abuser avec tant d'hybris de ses pouvoirs, même s'il est clair que, si ça avait été le cas, ils n'en auraient pas parlé. Toujours est-il que quand les analystes pensaient à la possibilité d'abuser du système, ils étaient bien moins intéressés par son utilité professionnelle que personnelle. Cette tendance est à l'origine de la pratique connue sous le nom de LOVEINT, (un jeu de mots grossier à partir de HUMINT et SIGNINT) : les analystes utilisaient les programmes de l'agence pour surveiller leurs partenaires amoureux ou leurs ex – lire leurs e-mails, écouter leurs conversations téléphoniques et les traquer sur la toile. Les employés de la NSA savaient que seuls les analystes vraiment stupides s'étaient fait prendre la main dans le sac. Même si la loi déclarait que quiconque exerçant une surveillance de quelque type que ce soit à des fins personnelles pouvait passer plus de dix ans derrière les barreaux, personne, de toute l'histoire de l'agence, n'avait jamais passé ne serait-ce qu'une journée en prison pour ce crime. Les analystes savaient que le gouvernement ne les poursuivrait jamais publiquement en justice : il paraît quelque peu compliqué d'accuser quelqu'un d'avoir abusé de votre système secret de surveillance de masse sans accepter de reconnaître l'existence du système lui-même. L'évidence du coût d'une telle politique m'a sauté aux yeux tandis que j'étais assis contre le mur du fond de la salle sécurisée V22 du quartier général de la NSA, en compagnie de deux des plus talentueux analystes infrastructure qui avaient décoré leur poste de travail d'une image grandeur nature du célèbre wookie de *Star Wars*, Chewbacca. Je me suis rendu compte, pendant que l'un d'eux m'expliquait en détail les routines de sécurité de ses cibles, que les photos de nu interceptées faisaient office de monnaie d'échange non officielle du bureau : son camarade ne cessait de se retourner sur sa chaise pour nous interrompre en souriant : « Mate-moi celle-là », ce à quoi mon professeur répondait invaria-

blement « Extra ! » ou « Pas mal ! » La règle transactionnelle impli-
cite semblait être que si vous trouviez une photo ou une vidéo de
nu d'une cible attirante – ou de quelqu'un communiquant avec
une cible –, vous deviez la montrer aux autres gars, du moins tant
qu'il n'y avait pas de femmes alentour. C'est ainsi qu'ils savaient
qu'ils pouvaient se faire confiance les uns les autres : ils s'étaient
mutuellement confessé leurs crimes.

Une chose que vous compreniez très rapidement en utilisant
XKEYSCORE, c'est que quasiment toutes les personnes dans le
monde qui se retrouvent en ligne ont au moins deux choses en
commun : elles ont toutes maté du porno à un moment ou à un
autre et elles ont toutes stocké des vidéos et des photos de leur
famille. C'est vrai pour pratiquement tout le monde, indépendamment de votre genre, de votre race ou de votre âge – depuis le plus
vicieux des terroristes jusqu'à la plus adorable des personnes âgées,
qui peut d'ailleurs très bien être le grand-parent, le parent ou le
cousin du plus vicieux des terroristes.

Ce sont les trucs de famille qui me touchaient le plus. Je me souviens en particulier d'un gosse, un petit garçon en Indonésie. Techniquement, je n'aurais pas dû m'intéresser à ce petit garçon mais je
l'ai fait, tout simplement parce que mes employeurs s'intéressaient
à son père. J'avais lu tout le dossier partagé de la cible qu'avait
constitué un analyste « persona », c'est-à-dire quelqu'un qui passait le plus clair de son temps à passer au crible des artéfacts tels
que des historiques de discussions et des messages Gmail ou Facebook, plutôt que d'analyser le trafic Internet plus complexe et plus
obscur, généralement généré par des hackers, comme le faisaient
les analystes infrastructure.

Le père du petit garçon était, comme le mien, ingénieur – mais
contrairement à mon père, il n'était pas affilié au gouvernement ou
à l'armée. C'était juste un universitaire qui s'était retrouvé dans la
nasse de la surveillance. Je n'arrive même pas à me souvenir pourquoi et comment il avait attiré l'attention de l'agence, à part le
fait qu'il avait postulé pour faire de la recherche dans une université en Iran. Les raisons à l'origine des soupçons étaient générale-

ment fort peu documentées, voire pas du tout, et les connexions pouvaient être incroyablement ténues – « soupçonné d'être potentiellement lié à », suivi du nom d'une organisation internationale qui pouvait être n'importe quoi, depuis un organe de normalisation des télécommunications jusqu'à l'UNICEF en passant par des organisations que l'on pourrait effectivement considérer comme une menace.

Le flux du trafic Internet avait été passé au tamis et des sélections des communications de l'homme avaient été rassemblées dans un dossier – ici, c'était la copie fatale du CV qu'il avait envoyé à l'université suspecte, là, ses textes, là, l'historique de son navigateur, et là, toute sa correspondance de la semaine précédente, à la fois ce qu'il avait envoyé et ce qu'il avait reçu, le tout associé à des adresses IP. On trouvait aussi les coordonnées d'un « gardiennage virtuel » que l'analyste avait placé autour de l'homme afin d'être averti s'il s'aventurait trop loin de chez lui ou se rendait à la fameuse université pour son entretien d'embauche.

Ses photographies étaient également rassemblées, ainsi qu'une vidéo. Il était assis devant son ordinateur, exactement comme je l'étais en ce moment même. Sauf que sur ses genoux se trouvait un tout petit garçon qui portait une couche.

Le père essayait de lire quelque chose mais le gosse passait son temps à gigoter, à appuyer sur les touches du clavier et à glousser. Le micro interne de l'ordinateur captait son petit rire et j'étais là, à l'écouter avec des écouteurs. Le père a resserré sa prise sur l'enfant qui s'est redressé et, avec ses sombres yeux en demi-lune, il a regardé directement vers la webcam de l'ordinateur – je n'ai pas pu m'empêcher d'avoir le sentiment que c'était moi qu'il regardait. Je me suis soudain rendu compte que je retenais mon souffle. J'ai fermé la session, je me suis arraché à l'ordi et j'ai quitté le bureau pour gagner les toilettes dans le couloir, la tête baissée, les écouteurs toujours sur mes oreilles avec le câble qui pendouillait.

Tout, dans cet enfant, tout, dans ce père, m'évoquait mon père et moi, mon père avec qui j'avais dîné un soir lors de mon passage à Fort Meade. Je ne l'avais pas vu depuis un moment et au milieu du dîner, entre une bouchée de salade César et une gorgée de limonade, j'avais soudain pensé : « C'est la dernière fois que je vois ma famille. » Mes yeux étaient restés secs – je me contrôlais autant que possible – mais intérieurement, j'étais dévasté. Je savais que si je lui avais dit ce que je m'apprêtais à faire, il aurait appelé les flics. Ou alors il m'aurait traité de taré et m'aurait fait enfermer dans un asile psychiatrique. Il aurait fait n'importe quoi s'il avait pensé que cela suffirait à m'empêcher de commettre la plus grave des erreurs.

Je pouvais seulement espérer qu'avec le temps, la fierté l'emporterait sur la douleur.

De retour à Hawaï entre mars et mai 2013, un certain sens de l'inéluctable imprégna chacune de mes faits et gestes, et même si ces expériences en tant que telles peuvent sembler triviales, elles m'ont facilité les choses. Il était bien moins douloureux de penser que c'était la dernière fois que je m'arrêtais manger un curry à Mililani, faisais un saut au hackerspace d'une galerie d'art d'Honolulu ou bien m'allongeais sur le toit de ma voiture pour essayer d'apercevoir des étoiles filantes que d'affronter le fait qu'il ne me restait qu'un mois à vivre avec Lindsay, puis juste une semaine à dormir à ses côtés, à me réveiller à ses côtés, tout en continuant à la garder à distance de peur de craquer.

Les préparatifs que je faisais étaient ceux d'un homme qui s'apprête à mourir. J'ai vidé mes comptes bancaires et mis tout le liquide dans une vieille boîte de munitions en acier que j'ai planquée pour que Lindsay la trouve et que le gouvernement ne puisse pas mettre la main dessus. J'ai fait le tour de la maison et accompli des corvées que je repoussais depuis longtemps, comme réparer une fenêtre ou changer une ampoule. J'ai effacé et chiffré mes vieux ordinateurs, les réduisant à des enveloppes muettes témoignant de temps meilleurs. En somme, j'ai mis mes affaires en ordre pour faciliter les choses à Lindsay, ou peut-être à ma conscience qui, régulièrement, basculait de son allégeance à un monde qui ne l'avait pas mérité à sa fidélité à la femme et la famille que j'aimais, et vice-versa.

J'étais en permanence hanté par ce sentiment d'inexorabilité alors même que nulle issue ne se profilait à l'horizon et que les plans que j'avais développés étaient en train de s'effondrer. Il était difficile de convaincre les journalistes de venir à un rendez-vous, surtout sans être capable de leur dire qui serait présent, ni même, du moins pendant un certain temps, où et quand aurait lieu ce rendez-vous. Il fallait que je tienne compte de la possibilité qu'aucun d'entre eux ne vienne, ou qu'ils viennent mais laissent tomber. Finalement, j'ai décidé que si l'un de ces deux cas se produisait, j'abandonnerais le plan et retournerais au travail et à Lindsay comme si de rien n'était, en attendant une nouvelle fenêtre de tir.

Au cours de mes *wardrives* à Kunia – un trajet qui me prenait normalement vingt minutes et qui pouvait se transformer en une chasse au wifi de deux heures –, j'avais cherché dans quels pays je pourrais organiser une rencontre avec les journalistes. J'avais l'impression d'être en train de choisir ma prison, ou plutôt ma tombe. Les pays du « Five Eyes » étaient évidemment exclus. Toute l'Europe était également exclue parce qu'il était impossible de compter sur ses pays pour refuser, au nom du droit international, l'extradition face à une pression des États-Unis qui, j'en étais sûr, ne manquerait pas d'être énorme. L'Afrique et l'Amérique latine étaient également des zones interdites étant donné l'historique d'impunité des États-Unis là-bas. La Russie était exclue parce que c'était la Russie, et la Chine était la Chine : les deux étaient hors-jeu. Pour me discréditer, le gouvernement américain n'aurait qu'à pointer un doigt sur une carte. De ce point de vue, ce serait encore pire au Moyen-Orient. J'avais parfois l'impression que le hack le plus difficile de ma vie ne serait pas le pillage des secrets de la NSA mais plutôt de parvenir à trouver un lieu de rendez-vous dans un pays à la fois suffisamment indépendant pour ne pas obéir à la Maison Blanche et suffisamment libre pour ne pas interférer avec mes activités.

À la fin de ce processus d'élimination, il ne me restait que Hong Kong. En termes géopolitiques, c'était ce que je trouverais de plus proche d'un *no man's land*, mais avec une grande vitalité médiatique et une culture protestataire, sans parler de son Internet quasiment non filtré. C'était une bizarrerie, une ville mondiale raisonnablement libérale dont l'autonomie sur le papier mettrait suffisamment de distance entre la Chine et moi pour limiter la capacité de Pékin à entreprendre des actions publiques contre les journalistes ou moi – du moins de manière immédiate – mais dont l'appartenance de fait à la sphère d'influence de Pékin réduirait la possibilité d'une intervention unilatérale des États-Unis. Dans une situation où il n'existait aucune garantie de sécurité, c'était au moins la promesse d'avoir un peu de temps. De toute façon, il était probable que les choses ne se termineraient pas très bien pour moi : je pouvais au mieux espérer parvenir à communiquer mes révélations avant de me faire arrêter.

Le dernier matin où je me suis réveillé aux côtés de Lindsay, elle partait faire du camping à Kauai – une petite escapade avec des amis que j'avais fortement encouragée. Nous étions allongés dans le lit et je l'ai serrée un peu trop fort dans mes bras, et quand elle m'a demandé, surprise et à moitié endormie, pourquoi je me montrais d'un coup si tendre, je me suis excusé. Je lui ai dit à quel point j'étais désolé d'avoir été à ce point occupé ces derniers temps, et qu'elle allait me manquer – elle était la personne la plus incroyable que j'avais rencontrée de ma vie. Elle m'a souri, m'a donné un rapide baiser sur la joue et s'est levée pour faire son sac.

À la seconde où elle a passé la porte de notre maison, j'ai fondu en larmes, pour la première fois depuis des années. Je me sentais coupable de tout, à part de ce dont le gouvernement allait m'accuser, et tout particulièrement coupable de mes larmes, car je savais que ma douleur ne serait rien comparée à la peine que j'allais infliger à la femme que j'aimais, ainsi qu'à la douleur et la confusion que ressentirait ma famille.

J'avais au moins la chance de savoir plus ou moins ce qui allait se passer. Quand Lindsay reviendrait, je ne serais plus là – soi-disant parti en mission –, et ma mère serait en train d'attendre sur le seuil. Je l'avais invitée à nous rendre visite, quelque chose de si inhabituel de ma part qu'elle avait dû s'attendre à une autre sorte de surprise – par exemple l'annonce de nos fiançailles. Je me suis senti horriblement mal en pensant à ces prétextes et j'ai grimacé en imaginant sa déception, mais je continuais à me dire que tout cela était justifié. Ma mère prendrait soin de Lindsay et Lindsay prendrait soin de ma mère. Chacune aurait besoin de la force de l'autre pour tenir face à la tempête qui s'annonçait.

Le jour qui a suivi le départ de Lindsay, j'ai invoqué une urgence médicale liée à l'épilepsie pour ne pas me rendre au travail, et j'ai fait quelques valises dans lesquelles j'ai entre autres rangé quatre ordinateurs portables : un pour les communications sécurisées, un pour les communications normales, un pour servir de leurre, et un « *air gap* », c'est-à-dire un ordinateur qui n'avait jamais été et ne serait jamais en ligne. J'ai laissé mon smartphone sur le plan de travail de la cuisine, à côté d'un carnet sur lequel j'ai griffonné au stylo : « Dehors pour le taf. Je t'aime. » J'ai signé de mon surnom utilisé dans mes lettres et mes coups de fil, « Echo ». Puis je me suis rendu à l'aéroport où j'ai acheté un billet pour le prochain vol à destination de Tokyo, que j'ai payé cash. Idem à Tokyo, où j'ai acheté un autre billet en liquide, et le 20 mai, j'étais à Hong Kong, la ville où le monde a fait ma connaissance.

26

Hong Kong

L'attrait psychologique profond qu'exercent les jeux, qui ne sont en réalité rien d'autre qu'une série de défis de plus en plus difficiles, réside dans la croyance qu'il est possible de gagner la partie. Cela n'est nulle part plus vrai que dans le cas du Rubik's Cube, qui réalise un fantasme universel : si vous travaillez assez dur et envisagez toutes les possibilités, alors tout ce qui dans le monde semble embrouillé et incohérent va finalement faire « tilt » et s'aligner parfaitement ; l'ingéniosité humaine est capable de transformer le système le plus chaotique et le plus dysfonctionnel en quelque chose de logique et d'ordonné dans lequel chaque face de l'espace tridimensionnel brille d'une parfaite uniformité.

J'avais un plan – j'en avais même plusieurs – dans lequel la moindre erreur aurait entraîné ma chute, et pourtant, je l'avais fait : j'étais parvenu à sortir de la NSA, puis du pays. J'avais gagné la partie. J'avais beau retourner la situation dans tous les sens, à mes yeux, le plus dur était fait. Mais là, mon imagination m'avait fait défaut : les journalistes à qui j'avais demandé de venir n'étaient toujours pas là. Ils n'arrêtaient pas de trouver des excuses pour repousser leur venue.

Je savais que Laura Poitras – à qui j'avais déjà envoyé un certain nombre de documents et à qui j'en avais promis davantage – était prête à quitter New York dès que possible mais elle ne comptait pas venir seule. Elle essayait de convaincre Glenn Greenwald d'être de la partie, d'acheter un nouvel ordinateur portable qui ne se connecterait pas à Internet, et d'installer des programmes de chiffrement pour que nous puissions communiquer plus facilement. Et moi, j'étais tout seul à Hong Kong, à regarder l'horloge égrener les heures, les jours même, en suppliant : « S'il vous plaît, venez avant que la NSA se rende compte que cela fait un peu trop longtemps que je ne suis pas venu au boulot. » C'était dur de me dire que j'avais peut-être fait tout ce chemin pour me retrouver en plan à Hong Kong. Je m'efforçais d'éprouver un peu d'empathie pour ces journalistes qui semblaient trop occupés ou trop nerveux pour boucler leur voyage, et puis je me souvenais combien peu d'informations – pour lesquelles je risquais ma vie – seraient connues du grand public si jamais la police arrivait avant eux. Je pensais à ma famille et à Lindsay, et à quel point j'avais été idiot de mettre ma vie entre les mains de personnes qui ne connaissaient même pas mon nom.

Je me suis barricadé dans ma chambre du Mira Hotel, que j'avais choisi en raison de sa situation centrale dans un quartier d'affaires et de boutiques. J'ai mis un panneau « Ne pas déranger » sur la porte pour qu'on ne vienne pas faire la chambre. Pendant dix jours, je ne l'ai pas quittée, de peur de permettre à un espion de s'y glisser et de poser des mouchards. L'enjeu était trop élevé, je ne pouvais rien faire d'autre qu'attendre. J'avais transformé la chambre en une sorte de centre d'opération du pauvre, le cœur invisible d'un réseau de tunnels chiffrés qui me servaient à lancer des appels de plus en plus insistants aux émissaires absents de notre presse libre. Dans l'attente d'une réponse, je regardais par la fenêtre et contemplais un parc magnifique que je ne visiterais jamais. Quand Laura et Glenn sont enfin arrivés, j'avais pu goûter absolument tout ce que proposait la carte du *room service*.

Je n'ai pas pour autant passé une semaine et demie à me tourner les pouces et à écrire des messages flagorneurs. J'ai aussi essayé d'organiser le dernier briefing de ma vie – en fouillant dans les archives et en me demandant quelle était la meilleure manière d'expliquer leur contenu aux journalistes dans le temps très certainement limité dont nous allions disposer. C'était un problème intéressant : comment expliquer de façon convaincante à des gens qui ne connaissaient rien à l'informatique et qui seraient très certainement sceptiques que le gouvernement des États-Unis surveillait le monde entier et leur dévoiler ses méthodes. J'ai constitué un petit dictionnaire de certains termes du jargon informatique, comme « métadonnée » et « support de communication », ainsi qu'un glossaire des acronymes et des abréviations : CCE, CSS, DNI, NOFORN[1]. J'ai décidé de ne pas asseoir mon explication sur l'informatique et les systèmes mais sur les programmes de surveillance – en substance, sur des histoires – afin d'essayer de parler leur langage. Mais je n'arrivais pas à décider des histoires à leur raconter en premier, et je ne cessais de les intervertir pour essayer de hiérarchiser les pires des crimes et trouver le meilleur ordre possible.

Il fallait que je trouve un moyen d'aider Laura et Glenn à saisir en quelques jours seulement des choses qu'il m'avait fallu des années à appréhender. Et ce n'était pas tout : je devais aussi leur raconter qui j'étais et pourquoi j'avais pris cette décision.

Le 2 juin, Glenn et Laura sont enfin arrivés à Hong Kong. Je crois que quand ils m'ont rencontré au Mira, je les ai déçus, du moins au début. Ils me l'ont même dit à demi-mot, en tout cas Glenn : il s'était attendu à quelqu'un de plus vieux, un dépressif alcoolique enchaînant clope sur clope et atteint d'un cancer en phase terminale, qui cherchait à soulager un peu sa conscience. Il ne comprenait pas comment une personne aussi jeune que moi – il n'arrêtait pas de me demander mon âge – avait non seulement eu accès à des documents aussi sensibles, mais était en plus prêt à foutre sa vie en l'air. De mon côté, je ne comprenais pas très bien

---

1. CCE, Certified Computer Examiner. CSS : Cascading Style Sheet. DNI : Director of National Intelligence. NOFORN : No Foreign Nationals. (NdT.)

comment ils avaient pensé rencontrer un vieux étant donné les instructions que je leur avais laissées pour me rencontrer : rendez-vous dans telle alcôve du restaurant de l'hôtel, celle avec le canapé en skaï imitant une peau de crocodile, je serai le type qui tient un Rubik's Cube. Ce qui est amusant, c'est que j'avais même hésité au début à utiliser cette technique d'espionnage mais le cube était la seule chose que j'avais apportée avec moi de suffisamment unique et identifiable à une certaine distance. De plus, il m'a aidé à cacher mon stress alors que j'attendais, craignant à tout moment qu'on vienne m'arrêter.

Ce stress a atteint son apogée une dizaine de minutes plus tard quand j'ai mené Laura et Glenn jusqu'à ma chambre – la n° 1014 –, au dixième étage. Glenn, à ma demande, avait à peine eu le temps de ranger son smartphone dans le frigo du minibar que Laura a commencé à ajuster les lumières avant de sortir son caméscope numérique. Même si, lors de nos échanges de mails cryptés, j'avais accepté qu'elle filme notre rencontre, je n'étais vraiment pas prêt.

Rien n'aurait pu d'ailleurs me préparer à ce moment où elle a pointé la caméra vers moi alors que j'étais affalé sur mon lit défait, au milieu de la chambre exiguë et mal rangée que je n'avais pas quittée depuis une semaine. Je crois que tout le monde a déjà fait cette expérience : plus vous êtes conscient d'être filmé et plus vous devenez conscient de vous-même. La seule perspective que quelqu'un presse, ou puisse presser, le bouton « Enregistrer » de son smartphone avant de le pointer vers vous peut provoquer une sensation de gêne, même si cette personne est un ami. Si aujourd'hui, quasiment aucune de mes interactions n'est filmée, je ne suis toujours pas sûr de savoir quelle est, à mes yeux, l'expérience la plus aliénante : me voir à l'écran ou être filmé. J'essaye d'éviter la seconde option mais éviter la première est désormais compliqué pour tout le monde.

La situation était extrêmement tendue et je me suis figé. Le témoin rouge de la caméra de Laura, comme la visée laser d'un sniper, ne cessait de me rappeler qu'à tout moment, la porte pouvait être enfoncée et que je pouvais disparaître pour toujours. Quand je n'étais pas obnubilé par cette possibilité, je pensais à l'effet que ferait cette vidéo quand elle serait montrée dans une cour de justice. Je me suis rendu compte qu'il y avait une quantité de choses que j'aurai dû faire avant, comme me raser et mieux m'habiller. Des ordures et des plateaux de *room service* s'étaient accumulés dans toute la chambre. Sur le sol traînaient des boîtes de nouilles vides, des burgers à moitié mangés, des piles de linge sale et des serviettes humides.

C'était une situation surréaliste. Non seulement je n'avais jamais rencontré de réalisateur ou de réalisatrice avant que l'une d'entre elles ne me filme, mais je n'avais jamais non plus rencontré de journalistes avant de devenir une de leur source. La première fois que je parlais à haute voix à quelqu'un du système de surveillance de masse du gouvernement américain, je m'adressais aussi à tous les habitants de la planète disposant d'une connexion Internet. Au bout du compte, en dépit de mon air négligé et mal à l'aise, la captation de Laura a été indispensable parce qu'elle a montré au monde ce qu'il s'était exactement passé dans cette chambre d'hôtel avec une précision dont un article de journal aurait été bien incapable. Les images qu'elle a prises au cours de ces journées passées ensemble à Hong Kong ne peuvent pas être déformées. Leur existence constitue non seulement un hommage à son professionnalisme en tant que documentariste, mais également à sa prévoyance.

Entre le 3 et le 9 juin, j'ai passé une semaine cloîtré dans cette chambre avec Glenn et son collègue du *Guardian*, Ewen MacAskill, qui nous avait rejoints un peu plus tard le premier jour. Nous avons parlé pendant des heures et des heures, passant en revue les différents programmes de la NSA, pendant que Laura filmait. Comparées à la frénésie des jours, les nuits semblaient bien mornes et vides. Glenn et Ewen se retiraient dans leur propre hôtel, le W, tout proche, pour relater leurs découvertes dans leurs articles. Laura disparaissait à son tour pour monter ses rushs et faire son compte rendu à Bart Gellman, du *Washington Post*, qui n'était pas parvenu à venir à Hong Kong mais travaillait à distance avec les documents que Laura lui envoyait.

Je dormais ou j'essayais de dormir, ou alors j'allumais la télé, je mettais une chaîne anglophone comme la BBC ou CNN, et j'observais les réactions internationales. Le 5 juin, le *Guardian* a publié le premier article de Glenn sur l'amendement du FISA qui avait autorisé la NSA à collecter des informations auprès de l'opérateur télécom Verizon concernant tous les appels téléphoniques qu'il gérait. Le 6 juin a paru l'article de Glenn sur PRISM, quasiment en même temps qu'un article similaire de Laura et Bart dans le *Washington Post.* Je savais, et je crois qu'on le savait tous, que plus le nombre d'articles augmentait, plus il devenait probable que je sois identifié, tout particulièrement depuis que mon bureau avait commencé à m'envoyer des e-mails pour savoir où j'en étais et que je m'étais abstenu de leur répondre. Mais même si Glenn, Ewen et Laura étaient parfaitement conscients que j'étais assis sur une bombe à retardement et faisaient preuve d'une grande compassion à mon égard, ils n'ont jamais laissé cette compassion prendre le pas sur leur désir de servir la vérité. Sur ce point, je leur ai emboîté le pas.

Il existe une limite à ce que le journalisme et le film documentaire peuvent révéler. Il est intéressant de penser à ce qu'un média est obligé d'omettre, à la fois pour des raisons de conventions et de technologie. La prose de Glenn, surtout dans le *Guardian*, est un constat extrêmement concentré, débarrassé de l'acharnement passionné qui le caractérise dans la vraie vie. La prose d'Ewen est davantage à l'image de son caractère : sincère, bienveillante, patiente et juste. De son côté, Laura, qui avait tout vu et que l'on voyait peu, faisait preuve de l'esprit sardonique ainsi que de la réserve de ceux qui en savent long – moitié maîtresse espionne, moitié maîtresse artiste.

Tandis que les révélations faisaient la une de toutes les chaînes de télé et de tous les sites d'info, il est devenu clair que le gouvernement américain avait sorti la grosse artillerie pour identifier la source. Il était également évident que quand il y parviendrait, il ne manquerait pas d'utiliser le visage qu'il trouverait – le mien –

pour se défausser de sa responsabilité : au lieu de répondre aux questions posées par les révélations, il contesterait la crédibilité et les motivations du « fuiteur ». Étant donné l'enjeu, il fallait que je prenne l'initiative avant qu'il ne soit trop tard. Si je n'expliquais pas mes actions et mes intentions, le gouvernement s'en chargerait à ma place, et d'une manière qui détournerait l'attention de ses méfaits.

Le seul espoir que j'avais de riposter était de sortir du bois en premier et de m'identifier. Je comptais donner aux médias juste assez de détails personnels pour satisfaire leur curiosité croissante, tout en insistant clairement sur le fait que ce n'était pas ma personne qui comptait mais bien plutôt la subversion de la démocratie américaine. Puis je disparaîtrais aussi soudainement que j'étais apparu. C'était du moins le plan.

Ewen et moi avons décidé qu'il écrirait un papier sur ma carrière dans la communauté du renseignement et Laura a proposé de filmer une déclaration vidéo pour accompagner le papier du *Guardian*. Dans cette vidéo, je revendiquais la responsabilité pleine et entière en tant que source à l'origine des informations sur la surveillance de masse à l'échelle mondiale. Même si Laura m'avait filmé toute la semaine (une grande partie de ces images seraient par la suite utilisée dans son documentaire, *Citizenfour*), nous n'avions pas le temps de passer en revue tous ses rushs pour trouver quelques bribes me montrant en train de parler de manière cohérente tout en regardant la caméra. Elle a proposé d'enregistrer ma première véritable déclaration et s'est mise à filmer sur-le-champ – c'est celle qui commence par « Euh, je m'appelle Ed Snowden. J'ai, heu, vingt-neuf ans. »

Coucou tout le monde !

Même si je n'ai jamais regretté d'avoir tombé le masque et révélé mon identité, j'aurais aimé le faire avec une meilleure élocution et un meilleur plan en tête pour la suite. Mais je n'avais aucun plan. Je n'avais pas beaucoup réfléchi à ce que je ferais une fois la partie terminée, principalement parce qu'une conclusion heureuse m'avait toujours paru hautement improbable. Tout ce qui m'importait, c'était que le public connaisse les faits : je m'étais dit qu'en dévoilant ces documents, je me mettais en quelque sorte à la merci du public. Il ne pouvait pas exister une seule stratégie de sortie dans la mesure où n'importe quelle précaution que j'aurais alors pu prendre pour préparer ma sortie risquait de mettre en péril mes révélations elles-mêmes.

Si par exemple je m'étais arrangé pour m'envoler pour un pays précis et y demander l'asile, je me serais automatiquement fait traiter d'agent de ce pays. Et si je retournais dans mon propre pays, le mieux que je pouvais espérer était d'être arrêté à l'atterrissage et inculpé pour violation de l'*Espionage Act*. S'ensuivrait un procès spectacle dans lequel je serais privé d'une défense digne de ce nom, un simulacre duquel toute discussion des faits véritablement importants aurait été bannie.

L'entrave principale à la justice résidait dans le défaut principal de la loi, un défaut créé à dessein par le gouvernement. Quelqu'un dans ma position ne serait même pas autorisé à soutenir devant une cour de justice que les révélations faites aux journalistes étaient bénéfiques pour la société civile. Même aujourd'hui, des années après, je ne serais pas autorisé à soutenir que les rapports des journalistes basés sur mes révélations ont poussé le Congrès à changer certaines lois qui concernent la surveillance, ou ont convaincu les cours de justice de juger illégal tel programme de surveillance, ou ont poussé le procureur général et le président des États-Unis à admettre qu'il était crucial qu'un débat public sur la surveillance de masse ait lieu, un débat dont le pays sortirait plus fort. Toutes ces affirmations seraient non seulement jugées hors de propos mais également inadmissibles dans le genre de procédures judiciaires que j'allais devoir affronter pour peu que je rentre à la maison. La seule chose que le gouvernement aurait à prouver au juge, c'est que j'avais divulgué des informations classifiées à des journalistes, ce qui est un fait que personne ne peut contester. C'est pourquoi quiconque soutient que je dois revenir aux États-Unis pour y être jugé soutient en réalité que je dois revenir aux États-Unis pour y être condamné, sachant qu'il ne fait aucun doute, aujourd'hui comme hier, que cette condamnation serait exemplaire. La peine encourue pour la divulgation de documents secrets, que ce soit à des espions étrangers ou à des journalistes américains, va jusqu'à dix ans de prison par document.

À la seconde où la vidéo de Laura a été postée sur le site du *Guardian* le 9 juin, je suis devenu une cible ambulante. Je savais que les institutions que je couvrais de honte ne seraient pas satisfaites avant que je sois enchaîné, un sac sur la tête. Et jusqu'à cet instant, et peut-être même ensuite, elles harcèleraient mes proches et saliraient mon image, fouillant les moindres recoins de ma vie professionnelle et de ma vie privée à la recherche d'informations (ou plutôt d'opportunités de désinformation) à même de me salir. J'étais relativement familier du processus car j'avais non seulement lu des dossiers classifiés sur ce type d'affaires au sein de la communauté du renseignement mais aussi étudié le cas d'autres fuiteurs et lanceurs d'alerte. Je connaissais l'histoire des héros comme Daniel Ellsberg et Anthony Russo, ainsi que celle d'opposants plus récents aux secrets d'État, à l'instar de Thomas Tamm, un avocat du département juridique de l'Office of Intelligence Policy and Review, qui avait servi de source pour la plus grande partie des infos sur les mises sur écoute sans mandat, au milieu des années 2000. Il y avait aussi Drake, Binney, Wiebe et Loomis, les successeurs à l'époque numérique de Perry Fellwock, qui, en 1971, avait révélé dans la presse l'existence d'une agence fédérale jusque-là inconnue, la NSA, ce qui avait poussé la Commission Church (l'ancêtre du Senate Select Committee on Intelligence) à essayer de garantir le fait que la mission de l'agence se limitait au renseignement étranger et non intérieur. Et puis il y avait la soldate Chelsea Manning qui, pour avoir exposé les crimes de guerre américains, fut jugée par une cour martiale et condamnée à trente-cinq ans de prison, sur lesquels elle en purgea sept, avant que sa peine ne se voie commuer à la suite du scandale international provoqué par les traitements qu'on lui infligea durant son placement en isolement.

Toutes ces personnes, qu'elles aient ou non fait de la prison, furent confrontées à une vive réaction, le plus souvent d'une grande violence et nourrie par l'abus même qu'elles avaient contribué à dénoncer : la surveillance. S'il leur était arrivé d'exprimer de la colère lors d'une conversation privée, elles étaient « aigries ». Si elles avaient déjà consulté un psychiatre ou un psychologue, ou même seulement emprunté des livres sur le sujet à la bibliothèque, elles avaient des « troubles mentaux ». Si elles avaient été ivres, ne serait-ce qu'une seule fois, elles étaient bien évidemment « alcooliques ». Et si elles avaient eu une aventure extraconjugale, elles étaient sexuellement déviantes. Plus d'une d'entre elles avait perdu sa maison et s'était retrouvée endettée. Il est plus facile pour une institution de ternir une réputation que d'affronter un dissident déterminé sur le terrain des principes – pour la communauté du renseignement, il suffit de consulter les dossiers, d'amplifier les preuves disponibles, ou simplement d'en fabriquer s'il n'en existe pas.

Si je n'avais aucun doute quant à l'intensité de l'indignation de mon gouvernement, j'étais tout aussi confiant dans le soutien de ma famille, ainsi que dans celui de Lindsay, qui, je le savais, comprendrait – ne pardonnerait peut-être pas, mais au moins comprendrait – les raisons de mon comportement. Je trouvais un certain réconfort à me souvenir de leur amour : il m'aidait à affronter le fait que je n'avais plus rien à faire, plus aucun projet. Je pouvais seulement étendre, de manière sans doute idéaliste, la confiance que j'avais en ma famille et en Lindsay à l'ensemble de mes concitoyens, et entretenir l'espoir qu'une fois qu'ils auraient pris la mesure de l'étendue de la surveillance de masse du gouvernement américain, ils se mobiliseraient et demanderaient justice. Ils auraient alors le pouvoir d'obtenir cette justice par eux-mêmes, et c'est au cours de ce processus que se déciderait mon destin personnel. C'était là mon ultime acte de foi, d'une certaine manière : je ne pouvais faire confiance à personne, il fallait donc que je fasse confiance à tous.

Quelques heures après la mise en ligne de la vidéo du *Guardian*, l'un des lecteurs réguliers de Glenn à Hong Kong l'a contacté et lui a proposé de me mettre en relation avec Robert Tibbo et Jonathan Man, deux avocats locaux qui s'étaient portés volontaires pour me défendre. Ce sont eux qui m'ont aidé à sortir du Mira quand la presse a fini par me localiser et a commencé à faire le siège de l'hôtel. Glenn a fait diversion en sortant par la porte principale, où il a immédiatement été pris d'assaut par une armée de caméras et de micros. Pendant ce temps, on m'a exfiltré par l'une des nombreuses autres sorties du Mira, qui reliait l'hôtel à un centre commercial grâce à une passerelle.

J'aime Robert – être son client, c'est être son ami pour la vie. C'est un idéaliste, un croisé, un infatigable champion des causes perdues. S'il existe quelque chose de plus impressionnant que ses talents d'avocat, c'est la créativité dont il fait preuve pour trouver des planques. Pendant que les journalistes fouillaient tous les hôtels cinq étoiles de Hong Kong, il m'a emmené dans l'un des quartiers les plus pauvres de la ville et m'a présenté à des clients à lui, quelques-uns des quelque 12 000 réfugiés oubliés à Hong Kong – sous la pression chinoise, la ville a maintenu le taux lamentable de 1 % d'approbation pour les demandes de statut de résident permanent. Normalement, je n'aurais pas donné leur nom, mais puisqu'ils se sont depuis courageusement identifiés devant la presse, je le fais : Vanessa Mae Bondalian Rodel, des Philippines, et Ajith Pushpakumara, Supun Thilina Kellapatha et Nadeeka Dilrukshi Nonis, du Sri Lanka.

Ces personnes à la gentillesse et à la générosité sans failles m'ont accueilli avec beaucoup de grâce et un grand sens de l'hospitalité. La solidarité dont elles ont fait preuve n'était pas politique. Elle était tout simplement humaine, et je serai pour toujours leur débiteur. Elles ne se souciaient pas de qui j'étais ou des dangers auxquels elles s'exposaient en me venant en aide : la seule chose qui comptait, c'était que j'étais une personne qui avait besoin d'aide. Elles ne savaient que trop bien ce que cela signifiait d'être forcé à fuir comme un dératé une menace mortelle, ayant elles-mêmes connu des épreuves bien pires que celles que j'avais affrontées : la torture par les militaires, les sévices sexuels, le viol. Elles ont accueilli un étranger épuisé dans leur maison – et quand elles ont vu mon visage à la télé, elles n'ont même pas sourcillé. À la place, elles ont souri, et en ont profité pour me redire que j'étais le bienvenu.

Même si leurs ressources étaient limitées – Supun, Nadeeka, Vanessa et deux petites filles vivaient dans un appartement exigu et en ruine plus petit que ma chambre au Mira –, ils ont partagé tout ce qu'ils possédaient avec moi, leur générosité était sans limite, et ils refusaient avec tant d'ardeur mes propositions de les rembourser que je n'ai eu d'autre choix que de planquer de l'argent dans la pièce pour les forcer à l'accepter. Ils me nourrissaient, me laissaient me laver et dormir, et me protégeaient. Je ne serais jamais capable d'expliquer ce que cela a signifié pour moi de recevoir tant de ceux qui avaient si peu, d'être accepté par eux sans le moindre jugement alors que je me juchais le plus haut possible dans les coins de la pièce pour hacker le wifi de lointains hôtels à l'aide d'une antenne spéciale que les enfants adoraient.

Leur accueil et leur amitié ont été un don du ciel, le seul fait qu'il existe des personnes comme eux est un don, et je regrette énormément que des années plus tard, les situations d'Ajith, de Supun, de Nadeeka et de sa fille ne soient pas encore régularisées. L'admiration que j'éprouve pour ces personnes n'a d'égal que la colère que m'inspirent les bureaucrates de Hong Kong, qui continuent à leur refuser la dignité fondamentale du droit d'asile. Si des individus aussi profondément honnêtes et désintéressés ne sont pas jugés dignes de la protection de l'État, c'est parce que l'État lui-même est indigne. Ce qui me donne de l'espoir, toutefois, c'est qu'au moment même où ce livre part à l'impression, Vanessa et sa fille ont obtenu le droit d'asile au Canada. J'attends avec impatience le jour où il me sera possible de rendre visite à mes vieux amis de Hong Kong dans leurs nouvelles maisons, où que ce soit, et de créer avec eux des souvenirs plus heureux, dans la liberté.

Le 14 juin, le gouvernement des États-Unis m'a inculpé pour violation de l'*Espionage Act* dans une plainte scellée et, le 21 juin, il a officiellement demandé mon extradition. Je savais qu'il était temps de partir. C'était accessoirement le jour de mon trentième anniversaire.

Pile au moment où le département d'État des États-Unis a envoyé sa demande, mes avocats ont reçu une réponse à ma demande d'aide effectuée auprès du Haut-Commissariat des Nations unies pour les réfugiés : ils ne pouvaient rien faire pour moi. Le gouvernement de Hong Kong, peut-être sous la pression chinoise, avait contrecarré tous les efforts des Nations unies pour me permettre de bénéficier d'une protection internationale sur son territoire, et a même affirmé qu'il allait en premier lieu prendre en considération les demandes du pays dont j'étais citoyen. En d'autres termes, Hong Kong me disait de rentrer chez moi et de discuter avec les Nations unies depuis ma prison. Je n'étais pas seulement abandonné à moi-même : je n'étais pas le bienvenu. Si je voulais quitter librement le pays, il fallait que je parte maintenant. J'ai effacé l'intégralité de ce qu'il y avait sur mes ordinateurs portables et j'ai détruit la clé cryptographique, ce qui signifiait que je ne pouvais plus accéder à aucun des documents, même sous la contrainte. Puis j'ai fourré les quelques vêtements que je possédais dans un sac et je suis parti. Je ne pouvais plus espérer trouver de sécurité dans le « port aux parfums ».

27

Moscou

Pays côtier situé à la limite nord-ouest de l'Amérique du Sud et aux antipodes de Hong Kong, l'Équateur n'en demeure pas moins au centre du monde – ce n'est d'ailleurs pas pour rien qu'il porte ce nom. La plupart de mes concitoyens nord-américains diraient à raison qu'il s'agit d'un petit pays, et certains en sauraient même suffisamment pour se rappeler qu'il fut historiquement opprimé. Mais ils seraient bien ignorants de penser que c'est un coin paumé. Quand Rafael Correa est devenu président en 2007, en même temps que la vague de leaders prétendument démocrates et socialistes qui raflèrent quasiment toutes les élections à la fin des années 1990 et au début des années 2000 en Bolivie, en Argentine, au Brésil, au Paraguay et au Venezuela, il se lança dans une série de réformes politiques destinées à contrecarrer et à inverser les effets de l'impérialisme américain dans la région. L'une de ces mesures, qui rappelait qu'avant de devenir président, Correa avait fait carrière comme économiste, a été l'annonce que l'Équateur considérait dorénavant sa dette nationale comme illégitime – techniquement, elle entrait désormais dans la catégorie des « dettes odieuses », les dettes contractées par un régime despotique ou découlant de politiques commerciales impérialistes et despotiques. Le remboursement d'une dette odieuse n'est pas exigible. Grâce à cette annonce, Correa a libéré son peuple de décennies de servage économique, même s'il s'est fait au passage plus d'un ennemi dans la classe des financiers qui décident en grande partie de la politique étrangère américaine.

L'Équateur, du moins en 2013, se montrait très attaché à l'institution de l'asile politique. Illustration célèbre de cette position, l'ambassade équatorienne à Londres était devenue sous Correa le havre de paix et la forteresse de Julian Assange. Je n'avais aucun désir de vivre dans une ambassade, peut-être parce que j'avais déjà travaillé dans l'une d'entre elles. Toujours est-il que mes avocats de Hong Kong tombèrent d'accord sur le fait qu'étant donné les circonstances, l'Équateur semblait le pays le plus susceptible à la fois de défendre mon droit d'asile et de ne pas se laisser intimider par la colère de la puissance hégémonique qui régnait sur cet hémisphère. Tous les membres de mon équipe improvisée et chaque jour un peu plus nombreuse étaient d'accord, qu'ils soient avocats, journalistes, informaticiens ou militants. Mon espoir était d'arriver sans encombre en Équateur.

Comme mon gouvernement avait décidé de m'inculper pour violation de l'*Espionage Act*, j'étais accusé d'un crime politique, c'est-à-dire d'un crime dont la victime est un État et non un individu. En vertu du droit humanitaire international, ceux qui sont accusés de ce type de crimes échappent en général à l'extradition parce que les accusations de crime politique ne sont le plus souvent rien d'autre qu'une tentative autoritaire de se débarrasser d'un dissident politique légitime. En théorie, cela signifie que les lanceurs d'alerte qui dénoncent leur propre gouvernement devraient être presque partout protégés contre l'extradition. En pratique, bien évidemment, c'est rarement le cas, surtout quand le gouvernement qui s'estime lésé est celui des États-Unis – un pays qui prétend développer la démocratie à l'étranger tout en maintenant dans le plus grand secret des flottes d'avions privés destinées à accomplir cette forme d'extradition illégale appelée « restitution » (*rendition*), ou plus clairement « kidnapping ».

L'équipe qui me soutenait était entrée en contact avec des fonctionnaires du monde entier, de l'Islande à l'Inde, pour leur demander s'ils respecteraient l'interdiction d'extradition des individus accusés de crime politique et s'ils étaient prêts à s'engager à ne pas interférer avec mon voyage éventuel. Il est vite devenu évident que même les démocraties les plus avancées avaient peur d'encourir le courroux du gouvernement américain. Ils étaient heureux de pouvoir m'exprimer leur sympathie à titre privé mais se montraient réticents à l'idée de m'offrir ne serait-ce que des garanties non officielles. Le dénominateur commun des conseils que l'on m'a fait remonter était de n'atterrir que dans des pays refusant l'extradition et d'éviter toutes les routes qui me feraient pénétrer dans l'espace aérien d'un pays ayant déjà coopéré ou obéi à l'armée américaine par le passé. Un fonctionnaire, français je crois, m'a suggéré que je pouvais significativement augmenter mes chances que mon transit se fasse sans encombre en obtenant un « laissez-passer », un document de voyage à sens unique reconnu par les Nations unies permettant de passer les frontières en toute sécurité – mais en obtenir un était plus facile à dire qu'à faire.

C'est là qu'est entrée en scène Sarah Harrison, journaliste et éditrice pour WikiLeaks. À la seconde où il a été annoncé qu'un Américain avait démasqué un système global de surveillance de masse, elle a pris le premier vol pour Hong Kong. Grâce à son expérience à WikiLeaks et tout particulièrement en raison de ce qui était arrivé à Assange, elle possédait l'une des meilleures expertises du monde sur la question du droit d'asile. Et qu'elle entretienne des liens familiaux avec des membres de la communauté juridique de Hong Kong ne pouvait évidemment pas faire de mal.

On a longtemps attribué des motivations égoïstes au désir d'Assange de me venir en aide mais je crois qu'il avait authentiquement à cœur de m'aider à ne pas me faire arrêter. Que cela implique de faire enrager le gouvernement des États-Unis n'était qu'un bonus pour lui, un bénéfice subsidiaire, mais pas un objectif en soi. Il est vrai qu'Assange peut être égocentrique et vaniteux, soupe au lait, et même tyrannique – nous avons eu un violent désaccord un mois seulement après notre toute première discussion par écrit, et je n'ai plus jamais communiqué avec lui par la suite –, mais il se considère également sincèrement comme le combattant d'une bataille historique pour le droit du public à savoir, une bataille pour laquelle il est prêt à absolument tout. C'est pour cette raison qu'il me paraît trop réducteur d'interpréter son aide comme résultant uniquement de son goût pour l'intrigue et l'auto-promotion. Je pense qu'il était surtout important pour lui d'établir un contre-exemple au cas de la plus célèbre des sources de Wiki-Leaks, la soldate américaine Chelsea Manning, dont la condamnation à 35 ans de prison n'avait pas de précédent historique, ce qui avait calmé les ardeurs de tous les apprentis lanceurs d'alerte de la planète. Même si je n'ai jamais été et ne serai jamais une source d'Assange, ma situation lui offrait l'occasion de combattre une injustice. Il n'avait rien pu faire pour sauver Manning et il semblait bien décidé à faire tout ce qui lui serait possible, par l'intermédiaire de Sarah, pour me sauver moi.

Cela dit, au début, je me suis montré méfiant à l'idée que Sarah s'implique, jusqu'à ce que Laura me dise qu'elle était sérieuse, compétente et, le plus important, indépendante : elle faisait partie des rares personnes de WikiLeaks à oser exprimer publiquement son désaccord avec Assange. Malgré ma prudence, il me fallait bien admettre que j'étais dans une position délicate et, comme l'a écrit Hemingway, le seul moyen de découvrir si une personne est digne de confiance, c'est de lui faire confiance.

Laura m'a informé de la présence de Sarah à Hong Kong un jour ou deux seulement avant qu'elle ne me contacte sur un canal crypté, et trois ou quatre jours avant que nous nous rencontrions en chair et en os – je suis désolé si je suis un peu flou sur les dates : ces journées frénétiques se confondent dans ma tête. Sarah n'avait apparemment pas chômé depuis son arrivée à Hong Kong. Même si elle n'était pas avocate, elle avait une immense expertise de ce que j'appellerais les nuances interpersonnelles et sous-officielles permettant d'échapper à l'extradition. Elle avait rencontré des avocats de Hong Kong spécialisés dans la défense des droits humains afin de recueillir plusieurs opinions indépendantes, et j'ai été profondément impressionné à la fois par la prudence dont elle avait fait preuve et par son rythme de travail. Grâce à ses connexions WikiLeaks et à l'extraordinaire courage du consul de l'Équateur à Londres, Fidel Narváez, j'ai obtenu un « laissez-passer » à mon nom. Ce « laissez-passer », qui devait me permettre de me rendre en Équateur, avait été délivré en urgence par le consul dans la mesure où nous n'avions pas le temps d'attendre que son gouvernement approuve officiellement sa délivrance. Dès que je l'ai eu entre les mains, Sarah a loué un van pour nous emmener à l'aéroport.

C'est comme ça que je l'ai rencontrée – en mouvement. J'aimerais pouvoir dire que la première chose que j'ai faite à ce moment-là a été de la remercier, mais la vérité est que j'ai dit : « Mais quand avez-vous dormi pour la dernière fois ? » Elle était aussi débraillée que moi. Elle a regardé par la fenêtre, comme si elle essayait de se souvenir de la réponse, et puis a juste secoué la tête : « J'en sais rien. »

Nous avions tous les deux attrapé la crève et notre conversation était entrecoupée d'éternuements et de quintes de toux. Elle m'a expliqué que ce qui l'avait motivée pour venir m'aider était bien plus une forme de loyauté envers sa propre conscience qu'envers les exigences idéologiques de son employeur. Et il était clair que son positionnement politique semblait moins être le fruit de l'opposition féroce d'Assange à tout pouvoir central que de sa conviction qu'une trop grande partie de ce qui passait pour du journalisme contemporain servait d'avantage les intérêts du gouvernement qu'il ne les remettait en question. Nous avons foncé à l'aéroport, nous nous sommes enregistrés, et nous avons passé la douane pour embarquer à bord de ce qui devait être le premier de trois vols, et, à tout moment, je m'attendais à ce qu'elle me demande quelque chose – n'importe quoi, même de faire une toute petite déclaration au nom d'Assange ou de WikiLeaks. Mais non, elle ne m'a rien demandé et s'est contentée de me faire joyeusement savoir que j'avais été complètement idiot d'accorder ma confiance aux conglomérats médiatiques pour faire l'interface entre le grand public et la vérité. C'est pour ce type de franc-parler et d'honnê-teté que j'admirerai toujours Sarah.

Nous faisions route pour Quito, en Équateur, *via* Moscou, La Havane et Caracas, pour la bonne raison que c'était le seul itiné-raire sûr. Il n'existait aucun vol direct entre Hong Kong et Quito, et tous les autres vols passaient à un moment ou à un autre par l'espace aérien américain. La longueur de l'escale en Russie m'inquiétait – nous devions attendre presque 20 heures avant d'embarquer pour La Havane –, mais j'appréhendais surtout l'étape suivante, parce que voyager de la Russie à Cuba impliquait de traverser l'espace aérien de l'OTAN. Je n'avais pas particulièrement envie de survoler un pays comme la Pologne qui avait tout fait pour plaire au gouvernement américain, y compris en accueillant sur son territoire des prisons secrètes de la CIA où mes collègues faisaient subir aux prisonniers des « techniques d'interrogatoire renforcées », un autre euphémisme de l'ère Bush pour désigner la torture.

J'ai baissé mon chapeau sur mes yeux pour ne pas être reconnu et Sarah a remplacé mes yeux. Elle m'a pris par le bras et m'a mené jusqu'à la porte d'embarquement où nous avons attendu de monter à bord. C'était sa dernière chance de changer d'avis, et je lui ai dit :

« – Vous n'êtes pas obligée de faire ça, vous savez ?

– Faire quoi ?

– Me protéger comme vous le faites.

Sarah s'est raidie.

– Que les choses soient bien claires, a-t-elle dit pendant que nous embarquions. Je ne vous protège pas. Personne ne peut vous protéger. Si je suis là, c'est pour rendre toute interférence un peu plus compliquée. Pour garantir que tout le monde se comporte correctement.

– Donc vous êtes une sorte de témoin, c'est ça ?

Elle s'est fendue d'un sourire légèrement désabusé.

– Il faut bien que quelqu'un soit la dernière personne à vous avoir vu vivant. Alors, pourquoi pas moi ? »

Même si les trois étapes où il était le plus probable que je me fasse attraper étaient désormais derrière moi (l'enregistrement, la douane, et l'embarquement), je ne me sentais pas en sécurité à bord de l'avion. Je ne voulais pas baisser ma garde. Je me suis assis près du hublot et Sarah à côté de moi afin de me masquer aux autres passagers de notre rangée. Après ce qui m'a semblé une éternité, les portes se sont fermées, la passerelle a été enlevée et, enfin, l'avion a commencé à rouler. Mais juste avant qu'il ne quitte le tarmac pour s'engager sur la piste de décollage, il s'est arrêté brusquement. J'étais nerveux. Pressant les bords de mon chapeau contre la vitre du hublot, je m'attendais à tout moment à entendre le hurlement des sirènes ou à voir les flashs bleus des voitures de police. L'attente était interminable. Enfin, l'avion s'est remis en branle, a tourné lentement, et j'ai compris que nous nous apprêtions à décoller.

Quand les roues se sont arrachées au sol, j'ai été libéré d'un énorme poids mais il restait difficile de croire que j'étais sorti d'affaire. Une fois en l'air, j'ai desserré les mains de mes cuisses et j'ai ressenti le besoin urgent de sortir mon Rubik's Cube de mon sac. Mais je devais éviter de succomber à cette tentation car rien n'aurait pu me rendre plus suspect. Je me suis rassis bien au fond de mon siège, j'ai abaissé mon chapeau et, les yeux mi-clos, j'ai fixé l'écran incrusté dans le siège devant moi, suivant notre course pixélisée à travers la Chine, la Mongolie et la Russie – aucun de ces trois pays n'était particulièrement enclin à faire des faveurs au département d'État américain. Il n'y avait cependant aucun moyen de savoir ce que ferait le gouvernement russe une fois que nous aurions atterri, à part bien sûr nous retenir pour procéder à la fouille de mon sac vide et de mes ordinateurs heureusement tout aussi vides. J'espérais qu'un traitement plus invasif nous serait épargné du fait que le monde entier avait les yeux rivés sur nous et que mes avocats, comme ceux de WikiLeaks, avaient connaissance de notre itinéraire.

C'est seulement une fois entré dans l'espace aérien chinois que je me suis rendu compte que je serais tout simplement incapable de me détendre tant que je n'aurais pas posé explicitement cette question à Sarah : « Pourquoi m'aidez-vous ? »

D'un ton neutre comme si elle essayait de maîtriser ses sentiments, et m'a dit qu'elle voulait que je m'en sorte mieux. Elle n'a pas dit mieux que quoi ou que qui, et je ne pouvais qu'interpréter cette réponse comme un signe à la fois de sa discrétion et de son respect.

J'étais rassuré, du moins assez pour pouvoir enfin dormir un peu.

Nous avons atterri à Chérémétiévo le 23 juin pour ce qui devait en théorie être une escale de 24 heures. Cette escale dure depuis bientôt six ans. L'exil est une escale sans fin.

Dans la communauté du renseignement, et tout particulièrement à la CIA, vous êtes formé à éviter les problèmes aux douanes. Vous devez penser à vos vêtements, votre comportement. Vous devez penser à ce que vous avez dans votre sac, à ce que vous avez dans vos poches et aux histoires que ces objets racontent sur vous. Votre but est d'être la personne la plus ennuyeuse de toute la file, avec le visage qu'on oublie le plus vite. Mais rien de tout cela n'est efficace quand le nom qui est inscrit sur votre passeport est en une de tous les journaux.

J'ai tendu mon petit livret bleu au type barbu dans sa cabine de contrôle des passeports, qui l'a scanné et en a scruté chaque page. Sarah se tenait derrière moi, solide. J'avais pris soin d'évaluer le temps qu'il fallait aux personnes nous précédant dans la file pour passer la douane, et mon tour était beaucoup trop long. Puis le type a décroché son téléphone, grommelé quelques mots en russe et, presque immédiatement – bien trop rapidement –, deux agents de sécurité en uniforme se sont approchés. Ils devaient m'attendre. L'un des agents a pris mon petit livret bleu au type de la cabine et s'est penché vers moi : « Il y a problème avec passeport. S'il vous plaît, venez. »

Sarah s'est immédiatement avancée à mes côtés et a débité comme une mitraillette en anglais : « Je suis sa conseillère juridique. Où il va, je vais. Je viens avec vous. En vertu des…»

Mais avant même qu'elle ait pu citer les protocoles additionnels à la Convention de Genève et les traités de l'ONU concernés, l'officier a levé sa main, jeté un coup d'œil à la file, et a lâché : « OK, d'accord, OK. Vous venez. »

Je ne sais pas si l'officier avait compris un traître mot de ce qu'avait raconté Sarah. Mais ce qui est sûr, c'est qu'il voulait éviter un esclandre.

Les deux agents de sécurité nous ont escortés à vive allure vers ce que j'imaginais être une pièce spéciale destinée à l'inspection approfondie mais qui s'est en fait révélée un somptueux salon d'affaires de l'aéroport de Chérémétiévo – une sorte de zone *business class* avec quelques passagers se prélassant dans d'immenses fauteuils. Sarah et moi les avons dépassés et, au fond d'un couloir, nous sommes entrés dans une sorte de salle de réunion remplie d'hommes en costume gris assis autour d'une table. Ils étaient une demi-douzaine à peu près, tous avec une coupe militaire. L'un des types était assis à l'écart et avait un stylo à la main. C'était celui qui prenait des notes, une sorte de secrétaire, enfin c'est ce que j'imaginais. Le dossier était devant lui avec un bloc de papier. Sur la couverture du dossier se trouvait un insigne monochrome et je n'avais pas besoin de lire le russe pour en comprendre la signification : l'insigne représentait une épée et un bouclier, le symbole du principal service de renseignement de Russie, le Service fédéral de sécurité (FSB). Comme le FBI aux États-Unis, le FSB ne se contente pas d'espionner et d'enquêter mais procède également aux arrestations.

Au centre de la table était assis un homme plus âgé dans un costume plus élégant que ceux de ses voisins. Le blanc de ses cheveux brillait comme un halo d'autorité. Il nous a fait signe de nous asseoir en face de lui, avec un geste plein d'assurance et un sourire qui indiquait qu'il était l'équivalent russe d'un officier traitant chevronné. Les services secrets du monde entier fourmillent de ce genre de personnages – des acteurs aguerris capables de jouer sur toutes sortes d'émotions jusqu'à ce qu'ils obtiennent la réponse désirée.

Il s'est raclé la gorge et, dans un anglais correct, il m'a offert ce que la CIA appelle un « *cold pitch* », en gros une offre d'engagement par un service de renseignement étranger qui peut se résumer à « venez bosser avec nous ». En échange de leur coopération, on fait miroiter aux étrangers des faveurs qui peuvent aller de montagnes de cash à une carte « vous êtes libéré de prison » valant pour quasiment tout, depuis la simple fraude jusqu'au meurtre. Le truc, bien sûr, c'est qu'ils espèrent toujours une contrepartie d'une valeur égale ou supérieure.

Mais cela ne démarre jamais par une transaction claire et sans ambiguïté. Quand j'y pense, il est même amusant d'appeler ça un « *cold pitch* » (« argumentaire de vente froid »), parce que la personne qui le fait commence toujours avec chaleur, légèreté et bienveillance, un large sourire aux lèvres.

Je savais qu'il fallait que je coupe court à cette conversation le plus vite possible. Si vous ne mettez pas immédiatement un terme à cette discussion, ils peuvent détruire votre réputation rien qu'en faisant fuiter un enregistrement de vous en train de considérer la proposition. Tandis que l'homme s'excusait pour la gêne occasionnée, j'ai donc imaginé les caméras cachées et j'ai choisi mes mots avec soin :

« Écoutez, je comprends qui vous êtes, et ce que vous êtes en train de faire. Permettez-moi d'être clair sur le fait que je n'ai aucune intention de coopérer avec un service de renseignement, quel qu'il soit. Je ne veux pas me montrer irrespectueux mais je vous préviens que ce ne sera pas l'objet de cette discussion. Si vous voulez fouiller mon sac, il est juste là.

Tandis que je parlais, le visage de l'homme s'est transformé. Il a commencé par faire semblant d'être blessé par mes propos.

— Mais enfin, a-t-il dit, qu'est-ce que vous allez imaginer, nous ne ferions jamais ça. S'il vous plaît, croyez-moi, nous voulons seulement vous aider.

Sarah s'est éclairci la voix et est descendue dans l'arène.

— C'est très gentil de votre part mais j'espère que vous comprenez que tout ce que nous voulons, c'est prendre notre correspondance.

Un très court instant, la tristesse feinte de l'homme a laissé transparaître de l'irritation.

— Vous êtes son avocate ?

— Je suis sa conseillère juridique, a répondu Sarah.

L'homme m'a alors demandé :

– Donc vous n'êtes pas venus en Russie pour y rester ?

– Non.

– Dans ce cas, puis-je vous demander où vous comptez aller ? Quelle est votre destination finale ?

– Quito, Équateur, en passant par Caracas et La Havane, ai-je répondu, même si je savais parfaitement qu'il le savait déjà. Il avait certainement une copie de notre itinéraire, puisque Sarah et moi étions venus de Hong Kong à bord d'un avion d'Aeroflot, la plus importante compagnie aérienne de Russie.

Jusqu'à ce moment-là, nous avions tous deux scrupuleusement respecté le script classique, mais soudain, la discussion a bifurqué.

– Vous n'êtes pas au courant ?, m'a-t-il demandé.

Il s'est levé et m'a regardé comme s'il s'apprêtait à m'annoncer la mort d'un membre de ma famille.

– Je suis au regret de vous informer que votre passeport n'est malheureusement plus valide.

J'étais tellement surpris que j'ai seulement pu bégayer :

– Je suis désolé mais j…, je ne vous crois pas.

L'homme s'est penché au-dessus de la table.

– Non, c'est vrai. Croyez-moi. C'est une décision de votre ministre, John Kerry. La validité de votre passeport a été annulée par votre gouvernement et les compagnies aériennes ont reçu l'ordre de ne pas vous laisser monter à bord.

J'étais sûr qu'il s'agissait d'un piège mais j'avais du mal à en comprendre la finalité.

– Accordez-nous une minute, s'il vous plaît, ai-je dit, et avant que j'aie eu le temps d'ajouter quoi que ce soit, Sarah avait déjà sorti son ordinateur portable pour se connecter au wifi de l'aéroport.

– Bien évidemment, vous pouvez vérifier, a dit l'homme avant de se tourner vers ses collègues et de discuter aimablement avec eux, comme s'il avait tout le temps du monde.

L'info était sur tous les sites que Sarah consultait. Dès qu'il avait appris que j'avais quitté Hong Kong, le département d'État des États-Unis avait annulé la validité de mon passeport. Il avait révoqué mon document de voyage alors que j'étais dans les airs.

Je n'en revenais pas : mon propre gouvernement m'avait coincé en Russie. La décision du département d'État pouvait bien être le fruit d'une procédure bureaucratique – après tout, quand on essaye d'attraper un fugitif, créer une alerte Interpol et annuler la validité de son passeport sont des procédures on ne peut plus standards. Mais au final, les États-Unis s'étaient infligés tout seuls une cuisante défaite en offrant ainsi à la Russie une telle victoire de sa propagande.

– C'est vrai, a dit Sarah en hochant la tête.

– Donc qu'est-ce que vous allez faire ?, m'a demandé l'homme en contournant la table pour se rapprocher de nous.

Avant que je n'aie pu sortir de ma poche mon *laissez-passer* pour l'Équateur, Sarah a dit :

– Je suis désolée, mais je vais devoir conseiller à M. Snowden de cesser de répondre à vos questions.

L'homme m'a pointé du doigt :

– Vous allez venir.

Il m'a fait signe de le suivre jusqu'à l'autre bout de la salle de réunion, devant une fenêtre. Je me suis posté à côté de lui et j'ai regardé. Trois ou quatre étages plus bas, au niveau de la rue, se trouvait la plus grande mêlée médiatique que j'avais jamais vue, une immense armée de journalistes brandissant caméras et micros.

C'était un spectacle impressionnant, peut-être chorégraphié par le FSB, peut-être pas, sans doute moitié-moitié. Tout, en Russie, est moitié-moitié. Mais au moins je savais pourquoi Sarah et moi avions été emmenés dans ce salon.

Je suis retourné à ma chaise mais ne me suis pas rassis.

L'homme s'est détourné de la fenêtre pour me faire face :

– La vie d'une personne dans votre situation peut être très difficile sans amis pour l'aider, a-t-il lancé en s'attardant sur chaque mot.

Ça y est, on y est, me suis-je dit – la sollicitation directe.

– Y a-t-il quelques informations, peut-être, des petites choses, que vous pourriez partager avec nous ? a-t-il demandé.

– On va se débrouiller tout seuls, ai-je répondu. Sarah s'est levée à côté de moi.

L'homme a soupiré. Il s'est retourné pour marmonner quelque chose en russe et ses camarades ont quitté la pièce.

– J'espère que vous ne regretterez pas votre décision, m'a-t-il lancé avant de s'incliner légèrement et de sortir à son tour, juste au moment où entraient deux agents administratifs de l'aéroport. »

J'ai demandé l'autorisation de me rendre à la porte d'embarquement de mon vol pour La Havane mais ils ont tout simplement ignoré ma demande. J'ai finalement sorti de ma poche et brandi mon « laissez-passer » pour l'Équateur, sans plus de succès.

En tout, nous sommes restés coincés dans l'aéroport pendant la durée biblique de 40 jours et 40 nuits. Pendant cette période, j'ai demandé l'asile politique à un total de 27 pays. Pas un seul n'était prêt à subir les foudres des États-Unis. Certains refusaient immédiatement tandis que d'autres déclaraient qu'ils ne pouvaient pas prendre ma demande en considération tant que je n'étais pas sur leur territoire – ce qui m'était par définition impossible. Au bout du compte, le seul chef d'État qui a manifesté un peu de sympathie pour ma cause, c'est Burger King (« Le Roi du hamburger »), qui ne m'a jamais refusé le moindre Whopper (sans tomates ni oignons, merci).

Ma présence dans l'aéroport est vite devenue un spectacle mondial. Les Russes ont fini par trouver ça pénible. Le 1er juillet, le président bolivien Evo Morales a quitté un autre aéroport à Moscou, Vnoukovo, à bord d'un avion de la flotte gouvernementale après avoir assisté au FPEG, le Forum des pays exportateurs de gaz. Le gouvernement américain, qui soupçonnait ma présence à bord pour la seule raison que le président Morales avait exprimé sa solidarité à mon égard, a fait pression sur les gouvernements italien, français, espagnol et portugais pour qu'ils refusent à l'avion l'accès à leur espace aérien, et a réussi à le détourner pour l'obliger à atterrir à Vienne, en Autriche. Là-bas, l'avion a été fouillé de fond en comble et n'a été autorisé à redécoller que quand on a été sûr et certain que je n'étais pas planqué quelque part à bord. Il s'agissait d'une violation flagrante de la souveraineté bolivienne, ce que n'a pas manqué de souligner l'ONU. L'incident a été un affront pour la Russie, qui n'avait pas pu garantir à un chef d'État en visite de pouvoir rentrer chez lui en toute sécurité. Au passage, l'incident a apporté la confirmation, à la Russie comme à moi, que n'importe quel vol sur lequel les États-Unis suspecteraient ma présence risquait d'être de la même manière détourné et forcé à atterrir.

Le gouvernement russe a alors probablement décidé que la vie serait plus facile si moi et la nuée médiatique qui me suivait à la trace cessions de saturer le plus grand aéroport du pays. Le 1er août, il m'a accordé un droit d'asile temporaire. Sarah et moi avons été autorisés à quitter l'aéroport de Chérémétiévo mais seul l'un d'entre nous devait au final rentrer à la maison. Le temps que nous avons passé ensemble dans cet aéroport a fait de nous des amis pour la vie. Je lui serais toujours reconnaissant pour les semaines qu'elle a passées à mes côtés, pour son intégrité et sa force d'âme.

28

Extraits du journal intime de Lindsay Mills

J'avais beau être loin de la maison, je pensais à Lindsay en permanence. J'ai beaucoup hésité à raconter son histoire – ce qui lui est
arrivé quand j'ai disparu : les interrogatoires du FBI, la surveillance, l'attention permanente des médias, le harcèlement sur Internet, la confusion, la douleur, la colère et la tristesse. Finalement, je
me suis rendu compte que seule Lindsay elle-même pouvait raconter
cette période. Par chance, elle tient un journal depuis son adolescence,
où elle consigne aussi bien sa vie que des réflexions sur son art. Elle
a généreusement accepté que j'en reproduise ici quelques pages. Dans
les extraits qui suivent, tous les noms ont été changés (à part ceux des
membres de la famille), quelques coquilles ont été corrigées et quelques
tournures reprises. Sinon, rien n'a été retouché, il s'agit d'une retrans-
cription fidèle de son journal à partir du moment où j'ai quitté Hawaï.

22 mai 2013

Je me suis arrêtée au K-mart acheter un *lei*. J'essaye d'accueillir
Wendy avec un état d'esprit véritablement *aloha* mais je suis vénère.
Ed a planifié la visite de sa mère depuis des semaines. C'est lui qui l'a

invitée. J'espérais qu'il serait là quand je me suis réveillée ce matin. Sur la route entre l'aéroport et Waipahu, Wendy était inquiète. Elle n'a pas l'habitude qu'il parte comme ça, aussi vite. J'ai essayé de lui faire comprendre que c'était normal. Mais ça l'était quand on vivait à l'étranger, pas à Hawaï, et je ne me souviens pas d'une autre fois où Ed s'est absenté sans donner aucune nouvelle. On s'est fait un bon resto pour se distraire et Wendy m'a dit qu'elle croyait qu'Ed était en arrêt maladie. Ça lui semblait absurde qu'il soit à l'extérieur pour le travail alors qu'il était arrêté. Wendy est allée se coucher dès qu'on est arrivées à la maison. J'ai vérifié mon téléphone et j'ai vu que j'avais reçu trois appels en absence de numéros inconnus, et un appel manqué d'un très long numéro en provenance de l'étranger. Pas de message. J'ai googlé le numéro. Ed doit être à Hong Kong.

24 mai 2013

Wendy a passé toute la journée seule à la maison, à ruminer. Je me sens mal pour elle et je ne me console qu'en pensant à la manière dont Ed aurait géré ma propre mère dans la même situation. Pendant le dîner, Wendy n'a pas arrêté de poser des questions sur la santé d'Ed, ce qui est j'imagine compréhensible étant donné son propre passé d'épileptique. Elle a dit qu'elle avait peur qu'il ait eu une autre crise puis elle s'est mise à pleurer, et j'ai fait comme elle. Je me rends compte seulement maintenant que moi aussi je suis inquiète. Mais je ne pense pas à l'épilepsie, je me demande plutôt s'il n'a pas une aventure. Mais avec qui ? Il faut juste qu'on essaye de s'amuser et que je tienne jusqu'à la fin de cette visite. Prendre un petit avion jusqu'à Big Island. Puis Kilauea, le volcan, comme prévu. Quand Wendy sera partie, je réexaminerai tout ça.

3 juin 2013

J'ai raccompagné Wendy à l'aéroport, pour son vol retour pour le Maryland. Elle ne voulait pas rentrer mais elle a du travail. Je l'ai accompagnée aussi loin que possible et je l'ai serrée dans mes bras. Je ne voulais plus la lâcher. Puis elle s'est mise dans la queue pour passer la sécurité. Je suis rentrée et j'ai découvert qu'Ed avait changé son statut Skype : « Désolé, il fallait que ça soit fait. » Je ne sais pas quand il l'a changé. Peut-être aujourd'hui, peut-être il y a un mois. Je viens de me connecter à Skype et de le remarquer, et je suis assez folle pour croire qu'il m'envoie un message.

7 juin 2013

J'ai été réveillée par un appel de l'agent spécial de la NSA, Megan Smith, qui m'a demandé de la rappeler pour parler d'Ed. Je me sens toujours malade, fiévreuse. J'ai dû laisser ma voiture au garage et Tod m'a ramenée avec sa Ducati. Quand on est arrivés dans ma rue, j'ai vu un véhicule blanc du gouvernement garé dans l'allée et des agents du gouvernement parler avec les voisins. Je n'ai jamais rencontré les voisins. Je ne sais pas pourquoi mais ma réaction instinctive a été de dire à Tod de continuer. J'ai baissé la tête en faisant semblant de chercher un truc dans mon sac. On est allés au Starbucks, où Tod m'a montré un truc dans le journal qui parlait de la NSA. J'ai essayé de lire les gros titres et je me suis payé une grosse montée de parano. C'était pour ça que le SUV blanc était garé dans mon allée ? Est-ce que c'est le même, juste là, dehors, sur le parking du Starbucks ? Est-ce que ce n'est pas dangereux d'écrire ce que je suis en train d'écrire ? Je suis rentrée à la maison et le SUV était parti. J'ai pris des médocs et je me suis rendue compte que je n'avais pas déjeuné. Au milieu du repas, des flics se sont pointés devant la fenêtre de la cuisine. Je les ai entendus dire dans leur radio que quelqu'un était à l'intérieur de la résidence. Ce quelqu'un, c'était moi. J'ai ouvert la porte principale à deux agents et un officier du département de la police d'Hawaï. Ils étaient flippants. L'officier s'est mis à fouiller la maison tandis que l'agent Smith m'a posé des questions à propos d'Ed, qui était censé avoir repris le travail le 31 mai. L'officier a dit que c'était toujours suspect quand c'est le lieu de travail qui déclare une disparition et non la compagne ou l'épouse du disparu. Il me regardait comme si j'avais tué Ed. Il a cherché autour de la maison pour trouver son cadavre. L'agent Smith m'a demandé si elle pouvait voir les ordinateurs de la maison et ça m'a mise en colère. Je lui ai dit qu'il lui fallait un mandat. Ils ont quitté la maison mais se sont s'installés au coin de la rue.

San Diego, 8 juin 2013

J'ai eu un peu peur que la TSA (l'Administration de la sécurité des transports), ne me laisse pas quitter l'île. À la télé, à l'aéroport, on ne parlait que de la NSA. Une fois à bord de l'avion, j'ai envoyé un e-mail à l'agent Smith et à l'inspecteur du service de police d'Hawaï chargé des personnes disparues pour leur dire que ma grand-mère allait subir une opération à cœur ouvert et que je serais absente de l'île quelques semaines. L'opération n'était pas prévue avant la fin du mois et devait avoir lieu en Floride et non à San Diego, mais c'est la seule excuse qui m'est venue à l'esprit pour rejoindre le continent. C'était toujours mieux que de dire, « j'ai juste envie d'être avec ma copine Sandra et en plus, c'est son anniversaire ». Quand les roues ont quitté le sol, j'étais si soulagée que tous mes nerfs ont lâché. À l'atterrissage, j'étais terriblement fébrile. Sandra est venue me chercher. Je ne lui avais encore rien dit car ma paranoïa était à son maximum, mais elle a bien vu que quelque chose clochait et que je ne lui rendais pas uniquement visite pour fêter son anniversaire. Elle m'a demandé si Ed et moi avions rompu. J'ai répondu « peut-être ».

9 juin 2013

J'ai reçu un appel de Tiffany. Elle m'a demandé comment j'allais et a dit qu'elle se faisait du souci pour moi. Je n'ai pas compris. Elle a gardé le silence, puis m'a demandé si j'avais regardé les infos. Elle m'a dit qu'Ed avait fait une vidéo et qu'elle était sur la page d'accueil du *Huffington Post*. Sandra a connecté son ordinateur portable. J'ai calmement attendu que la vidéo YouTube de 12 minutes se charge. Et puis il est apparu. En vrai. Vivant. J'étais sous le choc. Il avait l'air un peu maigre mais la voix, c'était bien lui, l'Ed d'avant. Ce bon vieux Ed, fort et sûr de lui. Un peu comme il était avant cette sale dernière année. À l'écran, c'était l'homme que j'aimais, pas le fantôme froid et distant avec qui j'avais vécu ces derniers temps. Sandra m'a prise dans ses bras, je ne savais pas quoi dire. On est restées comme ça, en silence. On a pris la voiture pour nous rendre à son barbecue d'anniversaire dans la maison de son cousin, sur une jolie colline au sud de la ville, juste à côté de la frontière mexicaine. Un endroit magnifique dont j'ai été parfaitement incapable de profiter. Je perdais pied. Je ne savais même pas par quel bout commencer pour analyser la situation. On est arrivées et tous ces visages amicaux n'avaient aucune idée de ce que je vivais. Ed, qu'est-ce que t'as foutu ? Comment tu vas te sortir d'un truc pareil ? J'ai à peine discuté avec les autres. Mon téléphone était à deux doigts d'exploser à force de recevoir des messages et des appels. Papa. Maman. Wendy. Pour rentrer à San Diego après le barbecue, j'ai pris la Durango du cousin de Sandra, dont elle avait besoin cette semaine pour déménager. Pendant qu'on conduisait, un SUV noir du gouvernement nous a suivies et une voiture de police à demandé à la voiture de Sandra de s'arrêter, celle dans laquelle j'étais montée à l'aller. J'ai continué à conduire la Durango en espérant ne pas trop me tromper de chemin parce que mon téléphone était mort à cause de tous les appels.

10 juin 2013

Je savais qu'Eileen[1] était une figure importante de la politique locale mais j'ignorais en revanche à quel point c'était une *badass*.

---

1. La mère de Sandra.

Elle s'est occupée de tout. Pendant qu'on attendait que ses contacts nous recommandent un avocat, j'ai reçu un coup de fil du FBI. Un agent du nom de Chuck Landowski m'a demandé ce que je faisais à San Diego. Eileen m'a dit de raccrocher. L'agent a rappelé et j'ai répondu, même si Eileen pensait que c'était une mauvaise idée. L'agent Chuck a dit qu'il ne voulait pas se pointer à la maison sans s'annoncer et qu'il appelait donc « par courtoisie », pour nous prévenir que des agents étaient en route. Eileen est passée à la vitesse supérieure. C'est une sacrée dure à cuire, c'est incroyable. Elle m'a demandé de laisser mon téléphone à la maison et on a pris sa voiture pour prendre le temps de réfléchir. Eileen a reçu un sms d'un ami lui recommandant un avocat, un type appelé Jerry Farber. Elle m'a tendu son téléphone et m'a forcée à l'appeler. Une secrétaire m'a répondu, je lui ai dit que mon nom était Lindsay Mills, que j'étais la petite amie d'Edward Snowden et que j'avais besoin d'être représentée. La secrétaire m'a dit : « Oh ! Je vous le passe directement. » C'était amusant d'entendre à son ton qu'elle savait qui j'étais.

Jerry a pris l'appel et m'a demandé en quoi il pouvait m'être utile. Je lui ai parlé du coup de fil du FBI et il m'a demandé le nom de l'agent, pour qu'il puisse parler aux fédéraux. Pendant qu'on attendait des nouvelles de Jerry, Eileen a suggéré qu'on trouve des *burners*[2], un pour la famille et les amis et un autre pour Jerry. Une fois la question des téléphones réglée, Eileen m'a demandé quelle était ma banque. Nous avons conduit jusqu'à la succursale la plus proche et retiré toutes mes économies au cas où les fédéraux décideraient de geler mes comptes. Je me suis retrouvée avec les économies de toute une vie, moitié en liquide, moitié en chèques de banque. Eileen a insisté pour que je répartisse l'argent ainsi et je me suis contentée de suivre ses instructions. Le responsable de la banque m'a demandé pourquoi j'avais besoin de tout cet argent liquide et j'ai répondu « pour la vie ». J'avais envie de lui répondre d'aller se faire foutre mais je me suis dit qu'on m'oublierait plus

---

2. Téléphone portable prépayé pour être utilisé pendant une courte période seulement, afin d'échapper à toute surveillance. (NdT.)

facilement si je restais polie. J'avais peur que les gens me reconnaissent car mon visage apparaissait à côté de celui d'Ed aux infos. Quand on est sorties de la banque, j'ai demandé à Eileen comment elle avait acquis une telle expertise sur quoi faire quand on est dans la merde. Elle m'a dit très froidement : « On apprend ce genre de choses en devenant une femme. Par exemple, toujours retirer son argent de la banque quand tu vas divorcer. » On a acheté du vietnamien à emporter que l'on a mangé à même le sol, de retour chez Eileen, dans le couloir de l'étage. Eileen et Sandra ont branché leurs sèche-cheveux et les ont laissés allumés pour faire du bruit pendant que nous chuchotions, au cas où on aurait été sur écoute.

Jerry, l'avocat, a appelé pour nous dire qu'on devait rencontrer le FBI aujourd'hui même. Eileen nous a conduites à son cabinet et, sur le chemin, elle a remarqué qu'on était suivies. Ça n'avait aucun sens. On se rendait à un rendez-vous avec les fédéraux et les mêmes fédéraux nous avaient pris en filature, deux SUV et une Honda Accord sans plaque d'immatriculation. Eileen s'est dit que ce n'était peut-être pas le FBI. Elle pensait qu'il s'agissait peut-être d'une autre agence, ou même d'un gouvernement étranger qui voulait me kidnapper. Elle s'est mise à rouler très vite et de façon erratique pour les semer mais tous les feux passaient au rouge dès qu'on s'en approchait. Je lui ai dit qu'elle était tarée et qu'il fallait qu'elle ralentisse. Il y avait un agent en civil à l'entrée de l'immeuble de Jerry, il y avait littéralement écrit « service secret » sur son front. On est entrées dans l'ascenseur et quand la porte s'est ouverte, trois hommes nous attendaient : deux d'entre eux étaient des agents, et le troisième, Jerry. C'est le seul qui m'a serré la main. Jerry a dit à Eileen qu'elle ne pouvait pas venir avec nous dans la salle de réunion. Il l'appellerait quand on aurait fini. Eileen a insisté pour attendre. Elle s'est assise dans le hall avec l'air de quelqu'un prêt à attendre des millions d'années. Sur le chemin de la salle de réunion, Jerry m'a prise à part et m'a dit qu'il comptait négocier une « immunité limitée », ce à quoi j'ai répondu que ça ne voulait pas dire grand-chose. Il ne m'a pas contredite sur ce point. Il m'a dit de ne jamais mentir et que si je ne savais pas quoi répondre, il fallait dire « je ne sais pas » et le laisser parler. L'agent Mike avait un sourire un peu trop gentil, tandis que l'agent Leland me regardait comme si j'étais le sujet d'une expérience et qu'il étudiait la moindre de mes réactions. Les deux me foutaient les jetons. Ils ont commencé à me poser des questions tellement simples que j'avais l'impression qu'ils voulaient seulement me montrer qu'ils savaient déjà tout sur moi. Bien sûr qu'ils le savaient. C'était justement de ça dont parlait Ed. Le gouvernement sait toujours tout. Ils m'ont fait parler des deux derniers mois, deux fois, et quand j'en ai eu fini avec la « chronologie », l'agent Mike m'a demandé de tout recommencer depuis le début. J'ai dit : « Le début de quoi ? » Il m'a répondu : « Racontez-moi comment vous vous êtes rencontrés. »

11 juin 2013

Je suis sortie de l'interrogatoire complètement épuisée, tard dans la nuit, avec en plus la perspective de plusieurs journées d'interrogatoire devant moi. Ils n'ont pas voulu me dire combien exactement. Eileen a conduit pour qu'on retrouve Sandra pour manger un morceau dans un *diner* et, en quittant le centre-ville, on a remarqué qu'on était toujours suivies. Eileen a essayé de les semer en accélérant et en faisant à nouveau des virages à 180 degrés, et je l'ai à nouveau suppliée d'arrêter. Je me disais que le fait qu'elle conduise comme ça nous donnait l'air encore plus louche. Mais Eileen était aussi bornée qu'une maman ours. Sur le parking du *diner*, elle a cogné aux fenêtres du véhicule de surveillance en hurlant que je coopérais et qu'il n'y avait donc aucune raison de nous suivre. J'étais un peu embarrassée, un peu comme quand votre mère prend votre défense à l'école, mais j'étais surtout impressionnée. Le cran qu'il fallait pour engueuler des fédéraux planqués dans leur véhicule... Sandra était assise à une table au fond de la salle, on a commandé, et on a parlé d'« exposition médiatique ». J'étais partout aux infos.

Alors qu'on en était à la moitié du dîner, deux hommes sont venus à notre table. Un grand type avec une casquette de base-ball et des bretelles, et l'autre habillé comme s'il s'apprêtait à sortir en boîte. Le grand type s'est présenté comme l'agent Chuck, celui qui m'avait appelée plus tôt. Il voulait parler avec moi de notre « comportement au volant » après le dîner. Au moment où il a dit ça, on a décidé que, justement, on avait fini de dîner. Les agents nous ont attendus à l'extérieur, devant le restaurant. Chuck m'a montré son badge et m'a pécisé que son principal objectif était de me protéger. Il a dit que j'étais peut-être en danger de mort. Il a tapoté sa veste et m'a dit aussi que s'il y avait le moindre danger, il s'en occuperait lui-même car il faisait partie de « l'équipe armée ». C'était une tentative incroyablement macho pour gagner ma confiance en me faisant me sentir vulnérable. Il a continué en disant que j'allais être surveillée et suivie par le FBI 24 heures sur 24, 7 jours sur 7, pendant une période indéterminée. Par ailleurs, la conduite folle d'Eileen ne serait plus tolérée. Il a dit que les agents n'étaient jamais supposés parler à leur cible, mais qu'il avait l'impression, étant donné les circonstances, qu'il « devait entraîner toute l'équipe dans la même direction, pour la sécurité de chacun ». Il m'a tendu une carte de visite et m'a dit qu'il serait garé devant la maison d'Eileen toute la nuit, et que je ne devais pas hésiter à l'appeler si j'avais besoin de lui ou si j'avais besoin de quoi que ce soit, peu importe la raison. Il m'a dit que j'étais libre d'aller où je le désirais (« T'as raison, mon gars ! », j'ai pensé), mais que quand je décidais d'aller quelque part, je devais lui envoyer un texto. Il a dit : « Une communication transparente rendra tout plus simple, pour tout le monde. » Il a ajouté : « Plus vous nous aiderez et plus vous serez en sécurité, je vous le promets. »

16 juin 2013 – 18 juin 2013

Cela fait des jours que je n'ai rien écrit. Je suis tellement en colère que je dois respirer à fond et me demander contre qui, exactement, je suis en colère, parce que là, tout se mélange dans ma tête. Putains de fédéraux ! Il y a les interrogatoires épuisants où ils me traitent comme si j'étais coupable, il y a le fait qu'ils me suivent partout, mais le pire, c'est qu'ils ont foutu en l'air mes habitudes. En général, je vais dans la forêt pour filmer ou écrire mais maintenant, j'ai un public partout où je vais. C'est comme si en m'arrachant mon énergie, mon temps et mon désir d'écrire, ils m'avaient arraché le dernier petit bout de vie privée qu'il me restait. Je dois me souvenir de tout ce qu'il s'est passé. Tout d'abord, ils m'ont forcée à leur apporter mon ordinateur portable et ils ont copié mon disque dur. Ils en ont certainement profité pour y planquer des mouchards. Puis ils ont fait imprimer tous mes e-mails et tous mes chats, et ils ont commencé à lire à haute voix des choses que j'avais écrites à Ed ou qu'Ed m'avait écrites en me demandant de leur expliquer ce que cela signifiait. Le FBI prend tout pour un code. Et, bien sûr, hors contexte, les messages de n'importe qui ont l'air bizarre. Mais c'est comme ça que les gens qui sont ensemble depuis huit ans communiquent, putain ! Ils se comportent comme s'ils n'avaient jamais été en couple ! Ils m'ont posé des questions destinées à m'épuiser émotionnellement, pour que je change mes réponses quand on retournait à la « chronologie ». Ils refusent d'accepter que je ne sais rien. On ne cesse de revenir encore et encore à la « chronologie », avec l'ensemble de mes e-mails, de mes chats et de mon calendrier en ligne imprimés et étalés devant nous.

Je m'étais attendue à ce que des types qui bossent pour le gouvernement comprennent qu'Ed se soit toujours montré secret sur son travail, et qu'accepter ce secret était le prix à payer pour être avec lui, mais non. Ils refusent. Au bout d'un moment, j'ai fini par fondre en larmes, et la session s'est terminée plus tôt que prévu. L'agent Mike et l'agent Leland m'ont proposé de me raccompagner chez Eileen et avant que je parte, Jerry m'a prise à part pour m'expliquer que le FBI semblait bienveillant à mon égard : « On dirait qu'ils t'aiment bien. Surtout Mike. » Il m'a dit de faire attention tout de même à ne pas être trop à l'aise pendant le voyage retour. « Ne réponds à aucune de leurs questions. » Dès que la voiture a démarré, Mike m'a lancé : « Je suis sûr que Jerry vous a dit de ne répondre à aucune question, mais j'en ai seulement quelques-unes. » Puis il s'est mis à me parler et m'a dit qu'au bureau du FBI de San Diego, ils avaient fait un pari. Apparemment, les agents avaient parié sur le temps qu'il faudrait aux médias pour me trouver. Le gagnant aurait un Martini gratuit. Plus tard, Sandra m'a dit qu'elle avait des doutes. « Connaissant les hommes, je suis sûre que le pari est à propos d'autre chose. »

19 juin 2013 – 20 juin 2013

Pendant que le reste du pays est en train de digérer le fait que sa vie privée a été violée, je suis dépouillée de la mienne à un tout autre niveau. Il faut remercier Ed pour les deux. Je déteste envoyer à Chuck des « notifications de départ », et je me déteste de ne pas avoir le cran de ne pas les envoyer. Le pire, ça a été la nuit où j'ai envoyé une « notification de départ » pour signaler que j'allais retrouver Sandra, mais que je me suis perdue en route et que je n'ai pas voulu m'arrêter pour demander de l'aide aux agents qui me filaient, donc je leur ai juste fait faire des tours. Je me suis dit qu'ils avaient peut-être mis des mouchards dans la voiture d'Eileen, donc je me suis mise à parler à voix haute en espérant que peut-être ils m'entendraient. En réalité, je ne parlais pas : je les insultais. Je devais payer Jerry, et après l'avoir fait, la seule chose à laquelle je parvenais à penser, c'était à tous les impôts qui étaient claqués bêtement pour qu'on me file jusqu'au cabinet de mon avocat ou à la salle de sport. Après les deux premiers jours de réunion, je n'avais déjà plus rien de correct à me mettre, donc je me suis rendue chez Macy's. Les agents m'ont suivie dans le département femmes du magasin. Je me suis demandé s'ils iraient aussi dans la cabine d'essayage pour me dire ce qui m'allait, ce qui ne m'allait pas, ou que le vert n'était définitivement pas ma couleur. À l'entrée de la cabine d'essayage, une télé beuglait des infos et je me suis pétrifiée quand j'ai entendu le présentateur dire « la petite amie d'Edward Snowden ». Je me suis plantée juste devant l'écran et j'ai regardé les photos de moi passer. J'ai sorti mon téléphone et j'ai fait l'erreur de me googler. Une déferlante de commentaires m'identifiaient à une stripteaseuse ou à une pute. Je ne suis ni l'une ni l'autre. Tout comme les fédéraux, ils avaient déjà décidé qui j'étais.

22 juin 2013 – 24 juin 2013

Les interrogatoires sont terminés pour l'instant. Mais la filature, elle, continue. J'ai quitté la maison, ravie de me rendre au studio de pole-dance. Arrivée là-bas, je ne trouvais pas de place pour me garer, contrairement à celui qui me filait. Alors j'ai continué à conduire et il a été bien obligé de me suivre, si bien que j'ai fait le tour et que je me suis garée à sa place. J'ai eu Wendy au téléphone et nous nous sommes dit que même si Ed nous avait profondément blessées, il avait fait le bon choix en s'assurant que nous serions ensemble une fois qu'il serait parti. C'est pour ça qu'il l'avait invitée, qu'il avait tant insisté pour qu'elle vienne. Il avait voulu que nous soyons ensemble à Hawaï quand l'affaire sortirait, pour qu'on se tienne compagnie, qu'on se réconforte et qu'on se donne mutuellement de la force. C'est très dur d'être en colère contre quelqu'un que vous aimez. Et c'est encore plus dur d'être en colère contre quelqu'un que non seulement vous aimez mais que vous respectez pour avoir fait le bon choix. Wendy et moi étions toutes les deux en larmes, puis on s'est calmées. Je pense qu'on a pensé la même chose, au même moment : comment parler normalement quand on sait qu'on est sur écoute ?

25 juin 2013

De l'aéroport international de Los Angeles à celui d'Honolulu. J'ai porté une perruque cuivrée jusqu'à l'aéroport, pendant les contrôles de sécurité et pendant le vol. Sandra est venue avec moi. On a bouffé un repas dégueulasse avant le vol dans l'espace restauration. De plus en plus de télés, toutes branchées sur CNN, continuent à montrer Ed, ce qui est toujours aussi surréaliste, mais j'imagine que c'est ce qui fait office de réalité de nos jours, non ? J'ai reçu un texto de l'agent Mike me demandant de venir le voir avec Sandra à la porte 73. Sérieusement ? Il était venu à LA depuis San Diego ? La porte 73 était vide et barrée au public. Mike nous attendait, assis au milieu d'une rangée de sièges. Il a croisé les jambes, nous montrant ainsi qu'il portait un pistolet à la cheville. Encore de l'intimidation macho à deux balles. Il avait des documents à me faire signer pour que le FBI me confie les clés de la voiture d'Ed à Hawaï. Il m'a dit que deux agents nous attendraient à Honolulu avec la clé. D'autres agents seraient à bord de l'avion. Puis il s'est excusé de ne pas pouvoir m'accompagner personnellement. Beurk.

29 juin 2013

Je fais des cartons à la maison depuis plusieurs jours maintenant, avec à peine quelques interruptions du FBI qui est venu pour me faire signer d'autres formulaires. C'est une véritable torture d'être confrontée à tout ça, de tomber sur toutes ces petites choses qui ne cessent de me rappeler Ed. Je me comporte comme une folle, je nettoie, puis je me fige et je reste là à fixer le côté de son lit. Le plus souvent, cela dit, je découvre ce qui manque. Ce que le FBI a pris. Le matériel informatique, bien sûr, mais aussi des livres. Ils ont en revanche laissé leurs empreintes de pas, les éraflures sur les murs et de la poussière.

30 juin 2013

Vide-garage à Waipahu. Trois hommes ont répondu à l'annonce de Sandra sur Craiglist : « Tout doit disparaître, prix à débattre. » Ils sont venus fouiller dans la vie d'Ed, son piano, sa guitare, ses haltères. Tout ce avec quoi je ne supporte plus de vivre ou que je ne peux pas me permettre d'expédier sur le continent. Les hommes ont rempli à ras bord leur pick-up et sont revenus pour un deuxième chargement. À ma grande surprise, et également à celle de Sandra, je crois, je n'ai pas été trop affectée par leur attitude de charognards. Mais à la seconde où ils sont partis, j'ai pété un câble.

2 juillet 2013

Tout a été expédié aujourd'hui, à part les futons et le canapé, que je bazarde. Tout ce qui reste des affaires d'Ed après la descente du FBI tient dans un petit carton. Quelques photos, des habits, beaucoup de chaussettes dépareillées. Rien qui puisse être utilisé comme une preuve devant une cour de justice, juste des preuves de notre vie commune. Sandra a rapporté un peu d'essence à briquet et une poubelle en métal sur l'île de Lanai. J'ai jeté dans la poubelle toutes les affaires d'Ed, les photos et les habits, et j'ai gratté une allumette que j'ai balancée dedans. On était assises devant avec Sandra pendant que ça cramait et que de la fumée montait vers le ciel. Le rougeoiement du feu et la fumée m'ont rappelé le voyage que j'avais fait avec Wendy à Kilauea, le volcan sur Big Island. C'était seulement il y a un mois, mais j'ai l'impression que c'était il y a des années. Comment aurions-nous pu savoir que nos vies étaient sur le point d'entrer en éruption ? Que le volcan Ed allait tout détruire ? Mais je me souviens que le guide à Kilauea nous a expliqué que les volcans n'étaient destructeurs que sur le court terme. Sur le long terme, ils font bouger le monde. Ils créent des îles, refroidissent la planète et enrichissent les sols. Leur lave coule hors de tout contrôle, puis refroidit et se durcit. Les cendres qu'ils envoient dans les airs saupoudrent la terre de minéraux : elles la fertilisent et y font pousser une vie nouvelle.

29

Amour et exil

Si, à un moment ou à un autre au cours de votre lecture de ce livre, vous vous êtes arrêté un instant sur un terme en désirant le clarifier ou l'approfondir, et que vous l'avez tapé dans votre moteur de recherche — et si ce terme est d'une manière ou d'une autre suspect, comme XKEYSCORE, par exemple — alors félicitations : vous êtes dans le système, victime de votre propre curiosité.

Mais même si vous n'avez fait aucune recherche sur Internet, tout gouvernement un peu curieux pourrait aisément découvrir que vous avez lu ce livre. Ou du moins que vous le possédez, que vous l'ayez téléchargé illégalement ou que vous ayez acheté un exemplaire papier en ligne, ou encore que vous en ayez fait l'acquisition dans une librairie en dur, en payant par carte.

Tout ce que vous vouliez, c'était lire — prendre part à cet acte si intime, la communion des esprits par le langage. C'était largement suffisant. Votre désir naturel de vous connecter au monde est tout ce dont le monde avait besoin pour relier votre être vivant et respirant à une série d'identifiants uniques tels que votre adresse e-mail, votre numéro de téléphone ou encore l'adresse IP de votre ordinateur. En créant un système mondial qui traque ces identifiants à travers tous les canaux existants de communication électronique, la communauté du renseignement américaine s'est arrogé le pouvoir d'enregistrer et de stocker à jamais les données de votre vie.

Et ce n'était que le début. Parce qu'une fois que les agences d'espionnage américaines se sont prouvées à elles-mêmes qu'il était possible de collecter passivement toutes vos communications, elles ont commencé à les trafiquer activement. En empoisonnant les messages qui vous étaient destinés avec des *snippets*[1], des codes agressifs ou des « exploits », elles étaient désormais capables de posséder davantage que vos mots. Elles avaient la capacité de prendre le contrôle total de votre appareil, y compris de sa caméra et de son micro. Ce qui signifie que si vous être en train de lire cette phrase sur n'importe quelle machine moderne, comme un smartphone ou une tablette, elles peuvent la lire et *vous lire*. Elles peuvent dire à quel rythme vous tournez les pages, si vous avez lu les chapitres dans l'ordre ou si vous avez sauté des passages. Et elles surmonteront avec joie le fait de regarder vos narines et de vous voir remuer les lèvres pendant que vous lisez, tant que cela leur permettra de vous identifier avec certitude et d'obtenir les données qu'elles veulent.

C'est le résultat de deux décennies d'innovations sans contrôle – l'ultime réalisation d'une classe politique et professionnelle qui rêve d'être votre maître. Peu importe le lieu, peu importe le temps, peu importe ce que vous faites : votre vie est désormais devenue un livre ouvert.

Comme, par définition, la surveillance de masse est une présence continue dans notre vie quotidienne, j'ai voulu rendre tout aussi constamment présents les dangers qu'elle nous fait courir et les dommages qu'elle a déjà provoqués. En faisant mes révélations à la presse, je voulais que ce système soit connu, que son existence devienne un fait que mon pays comme le reste du monde ne pouvaient plus ignorer. Depuis 2013, la prise de conscience

---

1. Un *snippet* est un terme de programmation informatique désignant une petite portion réutilisable de code source ou de texte. Ordinairement, ce sont des unités formellement définies à incorporer dans des modules plus larges. (NdT.)

s'est développée. Elle s'est élargie et est devenue plus subtile. Mais à l'époque des réseaux sociaux, nous devons toujours garder ceci à l'esprit : la conscience seule ne sera jamais suffisante.

En Amérique, les premiers articles de presse sur ces révélations ont donné lieu à un « débat national », comme le président Obama l'a lui-même concédé.

J'ai apprécié cette concession, mais je me souviens avoir espéré qu'il souligne que si ce débat était national, et s'il pouvait y avoir débat même, c'est bien parce que pour la première fois, le public américain en savait assez pour pouvoir prendre la parole.

Les révélations de 2013 ont mis le feu au Congrès et les deux Chambres qui le composent ont créé plusieurs commissions d'enquête pour faire toute la lumière sur les abus de la NSA. Ces enquêtes ont conclu que l'agence avait menti à de nombreuses reprises quant à la nature et aux performances de son programme, y compris aux législateurs ayant le plus haut niveau d'habilitation au sein de la communauté du renseignement.

En 2015, une cour d'appel fédérale a jugé que dans l'affaire « ACLU contre Clapper », un procès remettant en cause la légalité du programme de collecte des enregistrements téléphoniques de la NSA, ce programme était allé jusqu'à violer les standards pourtant bien bas du *Patriot Act* et, plus grave, était très certainement anti-constitutionnel. Le jugement s'était concentré sur l'interprétation qu'avait faite la NSA de la section 215 du *Patriot Act*, qui autorisait le gouvernement à obliger des « parties tierces » à produire « tout élément tangible » susceptible d'être « pertinent » pour le renseignement extérieur et la lutte contre le terrorisme. Selon la cour, la définition de la « pertinence » par le gouvernement était si étendue qu'elle n'avait rigoureusement plus aucun sens. Considérer une donnée collectée comme « pertinente » en se fondant uniquement sur le fait qu'elle pouvait potentiellement devenir « pertinente » à un moment ou un autre dans le futur était « sans précédent et injustifié ». Le refus de la cour d'accepter la définition du gouvernement poussa plus d'un expert juridique à interpréter ce jugement comme une remise en cause de la légitimité de tous les programmes de collecte de grande ampleur du gouvernement fondés sur cette doctrine de la « pertinence future ». À la suite de cela, le Congrès a voté le *USA Freedom Act*, qui a amendé la section 215 afin d'interdire explicitement la collecte de grande ampleur des enregistrements téléphoniques des citoyens américains. À l'avenir, ces enregistrements resteraient là où ils étaient auparavant, c'est-à-dire sous le contrôle privé des opérateurs télécoms. Pour y accéder, le gouvernement devrait déposer une requête officielle concernant des enregistrements spécifiques et obtenir au préalable un mandat de la Foreign Intelligence Surveillance Court.

Il ne fait aucun doute qu'« ACLU contre Clapper » a constitué une victoire importante, et un précédent crucial. La cour a déclaré que les citoyens américains avaient le droit d'attaquer devant une cour de justice le système officiellement secret de surveillance de masse du gouvernement. Mais tandis qu'un grand nombre d'autres affaires liées aux révélations gagnaient lentement mais sûrement les prétoires, il est devenu de plus en plus clair à mes yeux que la résistance juridique américaine à la surveillance de masse n'était que la phase bêta de ce qui devait devenir un mouvement d'opposition international, combattant à la fois sur le front des gouvernements et sur celui des secteurs privés.

La réaction des technocapitalistes a été fulgurante, prouvant une fois de plus que dans une situation extrême, les alliances les plus improbables se nouent. Les documents ont révélé une NSA si déterminée à faire main basse sur toutes les informations qu'elle pensait lui être délibérément dissimulées qu'elle a sapé les protocoles de chiffrement fondamentaux d'Internet – en rendant par exemple les archives financières et médicales des citoyens plus vulnérables, faisant au passage beaucoup de mal aux entreprises dont les modèles reposaient sur la sécurisation de données sensibles que leurs clients leur confiaient. Apple a réagi en adoptant un chiffrement puissant pour ses iPhones et ses iPads, et Google a fait de même pour ses produits Android et ses Chromebooks. Mais le changement le plus important du secteur privé a peut-être eu lieu lorsque les entreprises de toute la planète ont changé de plateforme pour leur site en remplaçant le « http » (*Hypertext Transfer Protocole*) par le « https » chiffré (le « s » signifiant « sécurité »), qui contribue à empêcher une partie tierce d'intercepter le trafic web. L'année 2016 a été une année pivot dans l'histoire de l'informatique, la première année depuis l'invention d'Internet où il y a eu davantage de trafic Internet chiffré que non chiffré.

Internet est clairement plus sécurisé aujourd'hui qu'il ne l'était en 2013, d'autant plus depuis la soudaine prise de conscience mondiale de la nécessité de disposer d'applications et d'outils cryptés. J'ai moi-même participé à la conception et à la création de quelques-uns de ces outils, notamment par le biais de mon travail au sein de la Freedom of Press Foundation (FPF), une ONG dédiée à la protection et au développement du journalisme d'intérêt public. Une grande partie de la mission que s'est fixée l'organisation consiste à préserver et renforcer le premier et le cinquième amendement grâce au développement des technologies de chiffrement. À cette fin, la FPF soutient financièrement Signal, une plateforme de messageries et d'appels chiffrés créée par Open Whisper Systems, et développe SecureDrop (originellement codé par feu Aaron Swartz), un système de soumission *open-source* qui permet aux médias de récupérer de manière sécurisée des documents déposés par des lanceurs d'alerte anonymes et d'autres sources. Aujourd'hui, SecureDrop est disponible dans dix langues et est utilisé par plus de 70 médias autour du monde, dont le *New York Times*, le *Washington Post*, le *Guardian* ou encore le *New Yorker*.

Dans un monde idéal, les lois suffiraient à rendre ces outils obsolètes. Mais dans notre monde réel, ils n'ont jamais été aussi nécessaires. Un changement dans la loi est infiniment plus difficile à obtenir qu'un changement dans les standards informatiques, et tant que les innovations juridiques seront à la traîne par rapport aux innovations technologiques, les institutions chercheront toujours à abuser de ce décalage pour promouvoir leurs propres intérêts. C'est aux développeurs indépendants de *software* et de *hardware open-source* de combler cet écart en fournissant des protections de libertés civiles que la loi ne peut ou ne veut garantir.

Dans ma situation actuelle, je suis en permanence confronté au fait que la loi dépend du pays où vous êtes, contrairement à la technologie. Si chaque nation dispose de son propre code juridique, elle partage avec les autres son code informatique. La technologie traverse les frontières et possède quasiment tous les passeports. Plus les années passent et plus il me semble évident qu'une réforme juridique du régime de surveillance de mon pays de naissance n'aura pas nécessairement un impact positif pour un journaliste ou un dissident de mon pays d'exil, contrairement à un smartphone chiffré.

Au niveau international, les divulgations ont contribué à raviver les débats sur la surveillance, surtout dans les endroits ayant un long historique d'abus. Les pays dans lesquels les citoyens se sont montrés les plus opposés à la surveillance de masse américaine sont ceux dont les gouvernements ont le plus coopéré avec les États-Unis, c'est-à-dire les nations des *Five Eyes* (et tout particulièrement le Royaume-Uni, dont le GCHQ reste le principal partenaire de la NSA) et celles de l'Union européenne. L'Allemagne, qui a beaucoup fait pour tenir compte de son passé nazi et communiste, a constitué la principale illustration de cette disjonction. Ses citoyens et ses parlementaires ont été choqués d'apprendre que la NSA surveillait les communications allemandes et qu'elle avait même pris pour cible le smartphone de la chancelière Angela Merkel. Et pourtant, à la même époque, le BND, la principale agence de renseignements d'Allemagne, collaborait avec la NSA au cours de nombreuses opérations et s'était lancée dans certaines entreprises de surveillance que la NSA ne pouvait ou ne voulait entreprendre par elle-même.

Presque tous les pays du monde se sont retrouvés dans la même situation : des citoyens révoltés et un gouvernement complice. Tout gouvernement élu qui s'appuie sur la surveillance pour garder le contrôle sur des citoyens qui considèrent qu'une telle surveillance est opposée à la démocratie a effectivement cessé d'être une démocratie. Une telle dissonance cognitive à une telle échelle géopolitique a contribué à ramener la question du droit à la vie privée au centre d'un dialogue international fondé sur la notion des droits humains.

Pour la première fois depuis la fin de la Seconde Guerre mondiale, les gouvernements de toutes les démocraties libérales de la planète ont débattu du droit à la vie privée comme d'un droit naturel et inné possédé par tous, hommes, femmes et enfants. Ils sont ainsi revenus à l'article 12 de la Déclaration universelle des droits de l'homme des Nations unies, qui date de 1948 et qui stipule : « Nul ne sera l'objet d'immixtions arbitraires dans sa vie privée, sa famille, son domicile ou sa correspondance, ni d'atteintes à son honneur et à sa réputation. Toute personne a droit à la protection de la loi contre de telles immixtions ou de telles atteintes. » Comme toutes les déclarations des Nations unies, ce document ambitieux n'était pas applicable tel quel mais était destiné à servir de nouvelle base aux libertés civiles transnationales dans un monde qui venait de survivre à la fois à des génocides et à des atrocités nucléaires, et devait faire face à une vague sans précédent de réfugiés et d'apatrides.

L'Union européenne, toujours influencée par son idéalisme universaliste d'après-guerre, est devenue la première institution politique transnationale à avoir traduit ces principes en pratique, en établissant une nouvelle directive destinée à harmoniser la protection des lanceurs d'alerte dans tous ses États membres ainsi que le cadre juridique de protection de la vie privée. En 2016, le Parlement européen a adopté le Règlement général sur la protection des données (RGPD), l'effort le plus important fait à ce jour pour prévenir toute incursion dans la vie privée des puissances technologiques hégémoniques – que l'Union européenne a tendance à considérer, plutôt à raison, comme une simple extension de l'hégémonie américaine.

Le RGPD traite les citoyens de l'Union européenne, qui sont appelés des « personnes physiques » (*natural persons*) comme des « personnes concernées » (*data subjects*), c'est-à-dire des personnes qui génèrent des données personnellement identifiables. Aux États-Unis, ces données appartiennent à quiconque les collecte. Mais l'Union européenne part du postulat qu'une donnée constitue la propriété de la personne qu'elle représente, ce qui permet de considérer que notre « statut de personne concernée » (*data subjecthood*) a droit aux mêmes protections des libertés civiles que notre personne physique.

Le RGPD représente sans conteste une immense avancée juridique, mais même son transnationalisme reste trop étroit : l'Internet est mondial. Notre statut de personne physique ne sera jamais juridiquement synonyme de notre statut de personne concernée, ne serait-ce que parce que les premières vivent dans un seul endroit à la fois alors que les secondes vivent dans de nombreux endroits simultanément.

Aujourd'hui, peu importe qui vous êtes et où vous vous trouvez physiquement, vous êtes également ailleurs, à l'étranger – vos multiples moi errent le long des réseaux d'information sans qu'aucun pays ne soit le leur, et sont pourtant contraints par les lois de tous les pays par lesquels ils passent. Les archives d'une vie menée à Genève demeurent dans la banlieue de Washington. Les photos d'un mariage à Tokyo sont en lune de miel à Sidney. La vidéo d'un enterrement à Varanasi se trouve sur l'iCloud d'Apple, qui est en partie situé dans mon État d'origine, en Caroline du Nord, et en partie éparpillée sur des serveurs partenaires d'Amazon, de Google, de Microsoft et d'Oracle, en Union européenne, au Royaume Uni, en Corée du Sud, à Singapour, à Taïwan, ou encore en Chine.

Nos données errent par monts et par vaux. Nos données errent à jamais.

Nous commençons à générer des données avant même notre naissance, quand les technologies nous détectent *in utero*, et nos données continuent à proliférer après notre mort. Bien sûr, nous créons consciemment des souvenirs, des archives que nous décidons de conserver, c'est une petite partie des informations qui nous ont été extorquées au cours de notre vie – la plupart du temps sans que nous le sachions, et sans notre consentement – par la surveillance des entreprises et des gouvernements. Nous sommes les premiers individus de l'histoire de la planète pour qui c'est vrai, les premiers à devoir affronter l'immortalité de nos données – le fait que nos enregistrements collectés vivront peut-être éternellement. Voilà pourquoi une responsabilité spéciale nous incombe : celle de nous assurer que ces enregistrements de notre passé ne puissent pas être utilisés contre nous ou nos enfants.

Aujourd'hui, la liberté que nous appelons la vie privée est défendue par une nouvelle génération. Née après le 11 Septembre, elle a vécu toute sa vie sous le spectre omniprésent de la surveillance. Ces jeunes qui n'ont pas connu d'autre monde ont essayé d'en imaginer un, et c'est leur créativité politique et leur ingéniosité technologique qui me donne de l'espoir.

Mais si nous n'agissons pas maintenant pour réclamer nos données, nos enfants n'en auront peut-être pas la possibilité. Et alors ils seront également pris au piège, ainsi que leurs propres enfants – chaque génération successive étant obligée de vivre avec le spectre des données de la génération précédente, assujettie à une agrégation massive d'informations dont le potentiel de manipulation humaine et de contrôle social excède non seulement la loi mais également les limites de notre imagination.

Qui parmi nous peut prédire le futur ? Qui oserait s'y risquer ? La réponse à la première question est « personne », évidemment, tandis que la réponse à la seconde est « tout le monde », et tout particulièrement les gouvernements et les entreprises. C'est pour cela que nos données sont exploitées. Des algorithmes les analysent pour modéliser des comportements afin d'extrapoler des comportements futurs, un type de prophétie numérique qui s'avère à peine plus précis que les méthodes analogiques de la chiromancie. Une fois que vous creusez un peu dans les mécanismes techniques actuels par lesquels la prévisibilité est calculée, vous comprenez que cette science est en réalité antiscientifique et nommée d'une manière trompeuse : ce qui est nommé prévisibilité des comportements est en réalité de la manipulation. Un site web qui vous dit que, parce que vous avez aimé ce livre, vous aimerez également les livres de James Clapper ou de Michael Hayden n'est pas tant en train de faire une suggestion pertinente que d'exercer une forme subtile de coercition.

Nous ne pouvons pas nous permettre d'être utilisés de cette manière, contre le futur. Nous ne pouvons pas accepter que nos données soient utilisées pour nous vendre ce qui ne devrait pas être vendu, comme le journalisme. Si nous le faisons, le journalisme que nous aurons ne sera pas le journalisme que nous voulons, ni même le journalisme que les puissants veulent que nous ayons : ce journalisme ne sera plus cette honnête conversation collective qui est pourtant nécessaire. Nous ne pouvons pas laisser la surveillance quasi divine qui nous entoure être utilisée pour « calculer » nos scores de citoyens ou « prédire » notre activité criminelle ; nous dire le type d'éducation que nous pouvons recevoir, le type de boulots auxquels nous pouvons prétendre, et si nous pouvons d'ailleurs avoir ou non la moindre éducation et le moindre travail ; nous discriminer sur la base de nos historiques médicaux, juridiques ou financiers, sans même parler de notre race, qui sont des constructions souvent supposées ou imposées par les données. Et puis il y a nos données les plus intimes, nos informations génétiques : si nous autorisons qu'elles soient utilisées pour nous identifier, alors elles seront utilisées pour nous persécuter, et même pour nous modifier – pour transformer l'essence même de l'humanité à l'image de la technologie qui cherche à la contrôler.

Bien sûr, tout ce dont je parle ici est déjà arrivé.

L'exil : il ne s'est pas passé une seule journée depuis le 1er août 2013 sans que je ne me rappelle que l'« exil » était le terme que j'utilisais adolescent quand je me retrouvais hors ligne. Le wifi est mort ? L'exil. Je ne capte pas assez bien ? L'exil. Le moi qui pensait ça me paraît si jeune désormais. Tellement loin.

Quand les gens me demandent à quoi ressemble ma vie aujourd'hui, j'ai tendance à répondre qu'elle ressemble beaucoup à la leur dans la mesure où je passe beaucoup de temps sur l'ordinateur – à lire, à écrire, à interagir. Depuis ce que la presse se plaît à nommer « un emplacement tenu secret » – qui est plus prosaïquement un deux-pièces que je loue à Moscou –, je me produis sur diverses scènes dans le monde et je parle de la protection des libertés civiles à l'ère numérique devant des publics d'étudiants, de chercheurs, de législateurs et d'informaticiens.

Certains jours, je participe à des réunions virtuelles avec mes collègues du conseil d'administration de la Freedom of the Press Foundation, ou bien je discute avec mon équipe juridique européenne, dirigée par Wolfgang Kaleck, au Centre européen pour les droits constitutionnels et humains. D'autres jours, je me contente d'un Burger King – je suis d'une loyauté sans faille – et je joue à des jeux que j'ai été obligé de pirater puisque je ne peux plus utiliser de cartes de crédit. L'une des caractéristiques de mon existence est mon rendez-vous quotidien avec mon avocat américain, mon confident et mon conseiller en toute chose, Ben Wizner, de l'ACLU, qui me sert de guide dans le monde tel qu'il existe tout en supportant mes rêveries concernant le monde tel qu'il devrait être.

Voilà, c'est ma vie. Elle s'est beaucoup améliorée pendant l'hiver glacial de 2014, quand Lindsay est venue me rendre visite – c'était la première fois que je la voyais depuis mon départ d'Hawaï. J'ai essayé de ne pas trop en attendre parce que je savais que je ne méritais pas grand-chose, à part peut-être une paire de gifles. Mais quand j'ai ouvert la porte, elle a posé sa main sur ma joue et je lui ai dit que je l'aimais.

« Chut, a-t-elle répondu, je sais. »

On s'est serrés dans les bras en silence, chaque respiration était comme une promesse de rattraper le temps perdu.

À partir de ce moment-là, mon monde est devenu le sien. Avant, j'étais content de traîner à l'appart – c'était déjà ce que je préférais avant d'être en Russie – mais Lindsay avait insisté : elle n'était encore jamais venue en Russie et nous allions donc jouer les touristes.

Mon avocat russe, Anatoli Koutcherena, qui m'avait aidé à obtenir l'asile dans le pays – il avait été le seul avocat avec assez de présence d'esprit pour se pointer à l'aéroport avec un interprète – est un homme cultivé et plein de ressources, ce qu'il m'a prouvé grâce à son art consommé d'obtenir à la dernière minute des billets d'opéra tout en gérant mes problèmes juridiques. Il nous a obtenu des places au balcon du théâtre Bolchoï, alors avec Lindsay on s'est mis sur notre trente-et-un et on y est allé, même si je dois avouer que j'étais un peu méfiant. Il y avait tant de gens, la salle était bondée. Lindsay a senti que mon malaise s'accentuait. Quand les lumières se sont éteintes et que le rideau s'est levé, elle s'est penchée et m'a donné un petit coup de coude dans les côtes avant de me chuchoter dans l'oreille : « Aucune de ces personnes n'est ici pour toi. Ils sont ici pour ça. »

Lindsay et moi avons visité un certain nombre de musées de Moscou. La galerie Tretiakov abrite l'une des plus belles collections au monde d'icônes russes orthodoxes. Les artistes qui ont effectué ces peintures pour l'Église étaient principalement des artisans, et n'étaient pas autorisés à – ou préféraient ne pas – signer leurs œuvres. L'époque et la tradition qui ont enfanté ces œuvres n'accordaient pas beaucoup d'importance à la réussite individuelle. Tandis que Lindsay et moi nous tenions devant l'une de ces icônes, une jeune touriste, une adolescente, s'est soudain immiscée entre nous deux. Ce n'était pas la première fois que l'on me reconnaissait en public mais étant donné la présence de Lindsay à mes côtés, mon apparition risquait de faire plus facilement la une. En anglais et avec l'accent allemand, la fille a demandé si elle pouvait se prendre en selfie avec nous. Je ne sais pas trop comment expliquer ma réaction – peut-être que c'était la manière timide et polie dont la jeune touriste allemande avait posé la question, ou peut-être la présence bienveillante de Lindsay, qui jouait invariablement sur mon humeur – mais, pour une fois, sans la moindre hésitation, j'ai accepté. Lindsay a souri pendant que la fille a posé entre nous et a pris une photo. Puis, après quelques mots de soutien, elle est partie.

L'instant d'après, j'ai traîné Lindsay hors du musée. J'avais peur que la fille poste la photo sur les réseaux sociaux et que nous nous retrouvions d'ici quelques minutes au centre d'une attention non désirée. Je me sens idiot aujourd'hui d'avoir pensé ça. J'avais beau actualiser en permanence mes onglets, la photo n'apparaissait pas.

Ni ce jour-là, ni le jour d'après. Pour autant que je le sache, elle n'a jamais été partagée – juste le souvenir privé d'un moment personnel.

Dès que je sors, j'essaye de changer d'apparence, au moins un peu. Je me rase la barbe ou je porte une paire de lunettes différente. Je n'ai jamais aimé le froid jusqu'à ce que je me rende compte qu'un bonnet et une écharpe procuraient l'anonymat le plus pratique et le moins suspect du monde. Je change le rythme de ma marche et, contrairement au sage avis de ma mère, je ne regarde pas des deux côtés de la rue quand je traverse : c'est la raison pour laquelle je ne me suis jamais fait choper par une caméra embarquée, omniprésente dans les voitures ici. Si je passe devant des bâtiments bardés de caméras de surveillance, je garde la tête baissée, comme ça je ne ressemble pas à la manière dont j'apparais sur Internet : la tête haute. Avant, j'étais inquiet quand je prenais le bus ou le métro, mais aujourd'hui, les gens sont trop hypnotisés par leur téléphone pour jeter un second coup d'œil à quelqu'un. Si je prends un taxi, je lui demande de me chercher à un arrêt de bus ou de métro de chez moi et je me fais déposer à quelques pâtés de maison de ma destination.

Mais aujourd'hui, je marche le nez au vent dans cette ville aussi grande qu'étrange, à essayer de trouver des roses. Des roses rouges, des roses blanches, et même des violettes bleues. Toutes les fleurs que je peux trouver. Je ne connais pas le nom russe des fleurs qui me plaisent, donc je me contente de les montrer du doigt en grommelant quelque chose.

Le russe de Lindsay est meilleur que le mien. Elle rit aussi plus facilement, elle est plus généreuse, plus patiente et plus gentille que moi.

Ce soir, on fête notre anniversaire. Lindsay m'a rejoint à Moscou il y a trois ans et, il y a deux ans jour pour jour, nous nous sommes mariés.

Remerciements

En mai 2013, alors que j'étais assis dans une chambre d'hôtel de Hong Kong à me demander si un journaliste allait finir par se montrer, je ne m'étais jamais senti aussi seul. Six ans plus tard, je suis dans la situation opposée, car j'ai depuis été accueilli par une tribu extraordinaire, mondiale, et chaque jour un peu plus grande, de journalistes, d'avocats, de spécialistes en informatique et de militants des droits de l'homme envers qui j'ai une dette incalculable. Dans la conclusion d'un livre, il est d'usage pour l'auteur de remercier ceux qui ont rendu le livre en question possible, et c'est bien évidemment ce que j'ai l'intention de faire ici. Mais étant donné les circonstances, je me montrerais particulièrement négligent si je ne remerciais pas également les gens qui ont rendu ma vie possible – en se battant pour ma liberté et en travaillant sans cesse et avec abnégation à protéger nos sociétés ouvertes ainsi que les technologies qui nous ont réunis et nous réunissent encore.

Pendant les neuf derniers mois, Joshua Cohen m'a appris à écrire et m'a aidé à transformer mes souvenirs décousus et mes petits manifestes en un livre dont, je l'espère, il pourra être fier.

Chris Parris-Lamb s'est révélé un agent patient et perspicace, tandis que Sam Nicholson a fait des propositions de reprises de texte éclairantes et pertinentes, tout comme d'ailleurs le reste de l'équipe de Metropolitan, de Gillian Blake à Sara Bershtel en passant par Riva Hocherman et Grigory Tovbis.

Le succès de cette équipe est autant un témoignage du talent de ses membres que de celui de l'homme qui l'a assemblée, Ben Wizner, mon avocat, et, je suis honoré de pouvoir le dire, mon ami. Dans la même veine, j'aimerais adresser tous mes remerciements à l'équipe internationale d'avocats qui ont œuvré nuit et jour à la seule tâche de me faire conserver ma liberté.

J'aimerais également remercier Anthony Romero, le directeur de l'ACLU, qui a fait sienne ma cause à une époque où cette prise de position faisait courir un grave risque politique à l'organisation, ainsi que les autres membres de l'équipe de l'ACLU qui m'ont aidé au fil des ans, parmi lesquels Bennett Stein, Nicola Morrow, Noa Yachot et Daniel Kahn Gillmor.

J'aimerais également rendre grâce au travail de Bob Walker, Jan Tavitian et leur équipe de l'American Program Bureau, qui m'ont permis de gagner ma vie en diffusant mon message devant de nouveaux publics partout dans le monde.

Trevor Timm et mes autres camarades du conseil d'administration de la Freedom of the Press Foundation m'ont offert l'espace et les ressources qui m'ont permis de revenir à ma véritable passion : l'ingénierie du bien social. Je suis particulièrement reconnaissant à l'égard de l'ancien directeur des opérations Emmanuel Morales, ainsi qu'à l'actuel membre du conseil d'administration Daniel Ellsberg, qui a offert au monde un modèle de rectitude et m'a donné, à moi, la chaleur et la sincérité de son amitié.

Ce livre a été écrit un utilisant des logiciels libres et *open-source*. À cet égard, j'aimerais remercier le projet Qubes, le projet Tor, ainsi que la Free Software Foundation.

Le premier aperçu que j'ai eu de ce à quoi ressemble le fait d'écrire en respectant une *deadline* m'a été offert par les maîtres Glenn Greenwald, Laura Poitras, Ewen Macaskill et Bart Gellman, dont le professionnalisme est avant tout informé par leur intégrité passionnée. Ayant à mon tour été édité, j'ai gagné au passage une nouvelle estime pour leurs rédacteurs en chefs, qui ont refusé de se laisser intimider et ont pris des risques au nom de leurs principes.

Ma plus grande reconnaissance va à Sarah Harrison.

Mon cœur bat pour ma famille, étendue et proche – à mon père, Lon, à ma mère, Wendy, et à ma brillante sœur Jessica.

La seule manière dont je peux terminer ce livre est de la manière dont il a commencé : je dédie ce livre à Lindsay, dont l'amour à fait de mon exil une véritable vie.

Table

MARQUIS

Québec, Canada

Imprimé au Canada

RÉALISATION : NORD COMPO À VILLENEUVE-D'ASCQ
DÉPÔT LÉGAL : SEPTEMBRE 2019